D0511400

BEST SELLER

John le Carré (1931) nació en Poole, Inglaterra. Después de cinco años en el British Foreign Service, se dedicó por completo a escribir. Su tercera novela, *El espía que surgió del frío*, le proporcionó fama internacional. Además de ser el renovador y reconocido maestro de la novela de espionaje, está considerado uno de los más grandes autores de la literatura británica contemporánea. Sus novelas más recientes son *El sastre de Panamá*, *Single & Single*, *El jardinero fiel*, *Amigos absolutos*, *La canción de los misioneros*, *El hombre más buscado* y *Un traidor como los nuestros*.

Biblioteca

JOHN LE CARRÉ

Un traidor como los nuestros

Traducción de

Carlos Milla

DEBOLS!LLO

Título original: *Our Kind of Traitor*

Primera edición con este formato: febrero, 2012

Printed in Spain – Impreso en España

ISBN: 978-84-9989-401-0 (vol.99/23)
Depósito legal: B-327-2012

Compuesto en Lozano Faisano, S. L. (L'Hospitalet)

Impreso en Barcelona por: blackprint A CPI COMPANY

P 994010

En recuerdo de
Simon Channing Williams,
cineasta, mago,
hombre de honor

En este caso, los príncipes aborrecen al traidor pero gustan de la traición.

Samuel Daniel

1

A las siete de una mañana caribeña, en la isla de Antigua, un tal Peregrine Makepiece, más conocido como Perry, versátil deportista amateur de mérito y hasta fecha reciente profesor de literatura inglesa en un distinguido colegio universitario de Oxford, jugaba un partido de tenis a tres sets contra un cincuentón musculoso, erguido de espalda, calvo, de ojos castaños y porte regio, que se llamaba Dima y era por entonces de nacionalidad incierta. Las circunstancias que propiciaron dicho encuentro fueron enseguida objeto de intenso escrutinio por parte de los agentes británicos profesionalmente contrarios a la mecánica del azar. Y sin embargo, no podía atribuirse a Perry culpa alguna en los sucesos que llevaron a aquello.

Al despuntar el día de su trigésimo aniversario, hacía ya tres meses, se desencadenó en Perry un cambio vital que, de manera inconsciente, venía fraguándose en él a lo largo del último año poco más o menos. A las ocho de la mañana, sentado con la cabeza entre las manos en su modesto estudio de Oxford, después de correr doce kilómetros que de nada habían servido para mitigar su sensación de calamidad, llevó a cabo un acto de introspección a fin de saber cuáles eran sus logros personales una vez concluido el primer tercio de su vida natural, aparte de encontrar un pretexto para no aventurarse en el mundo más allá de las agujas de ensueño de esa ciudad.

¿Por qué?

Visto desde fuera, lo suyo era el colmo del éxito académico. Hijo de dos profesores de secundaria a quienes el activismo político había privado de una mejor posición, formado siempre en la enseñanza pública, llega a Oxford procedente de la Universidad de Londres colmado de honores académicos y ocupa una plaza por tres años, que le otorga una antiquísima y rica institución universitaria orientada al máximo rendimiento. Su nombre de pila, reservado tradicionalmente a las clases altas inglesas, procede de un prelado metodista del siglo XIX, Arthur Peregrine, de Huddersfield, proclive a las soflamas incendiarias.

En los períodos lectivos, durante los ratos que no dedica a la labor docente, descuella como corredor de campo a través y deportista en general. En sus tardes libres, echa una mano en el área juvenil del centro cívico local. En vacaciones, conquista difíciles cimas y acomete escaladas más que respetables. Y sin embargo, cuando la universidad le ofrece una plaza fija —o lo que es lo mismo, desde su ácido modo de pensar actual, la prisión a perpetuidad—, se resiste.

Una vez más: ¿por qué?

El trimestre anterior había impartido un ciclo de charlas sobre George Orwell bajo el título «Una Gran Bretaña asfixiada», y hasta él se había alarmado de su propia retórica. ¿Habría considerado Orwell posible que las mismas voces sobrealimentadas que lo acosaban en la década de los treinta, la misma lesiva incompetencia, la adicción a las guerras extranjeras y la presunción de prerrogativas perdurasen aún, tan campantes, en 2009?

Al no detectar respuesta alguna en los perplejos rostros de los alumnos, la proporcionó él mismo: no, Orwell no se lo habría creído, categóricamente. O si se lo hubiera creído, se habría echado a la calle. Habría roto no pocos cristales.

Discutió el asunto a fondo y sin miramientos con Gail, su novia desde hacía ya tiempo, tumbados ambos en la cama después de una cena de cumpleaños en el piso de Primrose Hill, que ella había heredado de su padre, y que este, por lo demás sin blanca, había comprado a precio de ganga cuando la zona andaba de capa caída.

—No me gustan los profesores de universidad, ni me gusta serlo yo. No me gusta el mundo académico, y si no vuelvo a ponerme nunca más esa toga del carajo, me sentiré un hombre libre —declaró en su reniego, dirigiéndose a la mata de pelo trigueño plácidamente instalada sobre su hombro. Y como no obtuvo más contestación que un comprensivo ronroneo—: ¿Qué? ¿Soltar el rollo de Byron, Keats y Wordsworth delante de una pandilla de estudiantes aburridos sin más ambición que sacarse el título, tirarse a quien sea y hacer dinero? Objetivo alcanzado. Eso ya me lo conozco. A la mierda. —Y aumentando las probabilidades—: Ahora mismo, solo una revolución del carajo me animaría a quedarme en este país.

Gail, una abogada joven y animosa en plena pujanza, dotada tanto de belleza como de una lengua muy suelta —a veces un poco demasiado suelta para su propio bienestar, y el de Perry—, le aseguró que ninguna revolución estaría completa sin él.

Los dos eran huérfanos de facto. Si los padres de Perry habían sido la encarnación misma de la abstinencia por principio, los de Gail eran todo lo contrario. Su padre, actor de una inutilidad adorable, había muerto prematuramente a causa del alcohol, tres paquetes de tabaco al día y una pasión inmerecida por su casquivana esposa. Su madre había abandonado el domicilio familiar cuando Gail tenía trece años, y ahora, según se creía, llevaba una vida sencilla en la Costa Brava con un segundo cámara.

La primera reacción de Perry tras su decisión trascendental de volver la espalda al mundo académico —irrevocable, como todas las decisiones trascendentales de Perry— fue retornar a sus raíces. El hijo único de Dora y Alfred se situaría allí donde ellos tenían depositadas sus convicciones. Reiniciaría su trayectoria docente desde el punto en que ellos se habían visto obligados a abandonar la suya.

Dejaría ya de jugar a joven promesa de la intelectualidad, cursaría estudios de magisterio como Dios manda, igual que sus padres, sacaría el título de profesor de enseñanza media y solicitaría plaza en alguna de las zonas más desfavorecidas del país.

Daría clase de las asignaturas básicas, además de ocuparse de los entrenamientos en cualquier deporte que le asignasen, al servicio de niños que lo necesitaban para alcanzar la realización personal, y no como pasaporte a la prosperidad de las clases medias.

Pero Gail no se alarmaba ante esta perspectiva tanto como acaso él pretendiera. Al margen de su firme determinación de situarse en el «crudo centro de la vida», allí seguían otras versiones de él jamás reconciliadas, y Gail se hallaba en buenas relaciones con la mayoría de ellas:

Sí, estaba Perry el estudiante autoflagelado de la Universidad de Londres, donde se habían conocido, quien a la manera de T. E. Lawrence cogió su bicicleta en vacaciones y se echó a rodar por los caminos hasta caer rendido de cansancio.

Y sí, estaba Perry el aventurero alpino, el Perry que no era capaz de disputar una carrera o participar en un juego, ya fuera las sillas musicales con sus sobrinos en Navidad o un partido de rugby a siete, sin la necesidad compulsiva de ganar.

Pero también estaba, para alivio de Gail, Perry el sibarita encubierto que, en inesperados arranques, se entregaba a tal o cual lujo antes de volver sin pérdida de tiempo a su buhardilla. Y ese era el Perry que se encontraba ahora en Antigua, en la mejor pista de tenis del mejor complejo hotelero bajo los efectos de la recesión, aquella mañana de mayo, temprano, antes de que el sol estuviese ya demasiado alto para jugar, con el tal Dima a un lado de la red y Perry al otro, y Gail que, sin más ropa que un bañador, una pamela y un exiguo pareo de seda, permanecía sentada entre la insólita concurrencia de espectadores de mirada mortecina, en apariencia comprometidos por un juramento colectivo a no sonreír ni hablar ni manifestar el menor interés en el partido que se veían obligados a presenciar.

Fue una suerte, en opinión de Gail, que la aventura caribeña estuviese ya planeada antes de la impulsiva decisión trascendental de Perry. El punto de partida se remontaba al tétrico noviembre en que el padre de Perry sucumbió al mismo tipo de cáncer que se había llevado a su madre dos años antes, dejando a Perry, para su bochorno, en una situación de módica holgura. En manifiesto desacuerdo con la transmisión hereditaria de la riqueza, y debatiéndose en la duda de si donarlo todo a los pobres o no, Perry se vio ante un dilema. Pero después de la campaña de desgaste emprendida por Gail, optaron por unas vacaciones bajo el sol en un hotel con pistas de tenis, una de esas bicocas que se dan una sola vez en la vida.

Y ningunas vacaciones podrían haberse planeado más oportunamente, como al final se vio, pues cuando estaban ya en camino, tenían ante sí grandes decisiones que tomar:

¿Qué debía hacer Perry con su vida, y debían hacerlo los dos juntos?

¿Debía Gail renunciar a la abogacía y lanzarse ciegamente al vacío detrás de él? ¿O debía perseverar en su meteórica carrera en Londres?

¿O acaso había llegado el momento de reconocer que su carrera no era más meteórica que la de la mayoría de los abogados, y debía por tanto quedarse embarazada, que era a lo que Perry siempre la exhortaba?

Y si bien Gail, por picardía o en defensa propia, tenía la costumbre de convertir las preguntas grandes en pequeñas, no podía negarse que a todas luces se hallaban los dos, juntos y por separado, ante encrucijadas de la vida, con mucho que meditar, ni podía negarse que teóricamente diez días en Antigua les proporcionarían el marco ideal para hacerlo.

Su vuelo salió con retraso, y no llegaron al hotel hasta pasadas las doce de la noche. Ambrose, el ubicuo supervisor del establecimiento, los acompañó a su bungalow. Se levantaron tarde, y cuando terminaron de desayunar en la terraza, el sol calentaba ya demasiado para jugar al tenis. Nadaron en la playa, vacía en sus tres cuartas partes, comieron solos junto a la piscina, hicieron el amor lánguidamente a la hora de la siesta, y a las seis de la tarde se presentaron en la tienda del club, descansados, felices e impacientes por jugar.

Visto a lo lejos, el complejo hotelero se reducía a un puñado de casitas blancas diseminadas a lo largo de unos dos kilómetros de playa, en forma de herradura y con esa proverbial arena fina como el talco. La delimitaban dos promontorios de roca con matorrales dispersos. Entre uno y otro se extendían un arrecife de coral y una hilera de boyas fluorescentes para repeler a los yates a motor inoportunos. Y en recónditos rellanos de tierra en la ladera del monte estaban las pistas de tenis, aptas para campeonatos. Una estrecha escalera con peldaños de piedra ascendía tortuosamente entre arbustos en flor hasta la puerta de la tienda del club. Al cruzarla, uno accedía al paraíso del tenista, razón por la que Perry y Gail habían elegido aquel lugar.

Disponía de cinco pistas, amén de la pista central. Las pelotas de competición se guardaban en frigoríficos. Expuestas en las vitrinas estaban las copas de plata con los nombres de los campeones de antaño que habían jugado allí, y uno de ellos era Mark, el profesional residente, un australiano con unos kilos de más.

—¿Y de qué nivel hablamos, si no es indiscreción? —preguntó con afectado refinamiento mientras examinaba las fogueadas raquetas, los gruesos calcetines y las zapatillas de tenis de Perry, gastadas pero aún aprovechables, así como el escote de Gail.

Para ser dos personas que ya habían dejado atrás la primera juventud pero estaban aún en la flor de la vida, Perry y Gail formaban una pareja muy atractiva. La naturaleza había concedido a Gail unas piernas y unos brazos largos y bien torneados, pechos pequeños y turgentes, un cuerpo grácil, una piel inglesa y un magnífico cabello dorado, además de una sonrisa capaz de iluminar los rincones más tenebrosos de la vida. Perry ofrecía un aspecto también muy inglés pero de otra índole: poco garboso y en apariencia desmadejado, cuello largo y nuez prominente. Le sobresalían mucho las orejas, y con su andar premioso, parecía tambalearse. De niño, en su escuela pública le habían puesto el hiriente mote de «Jirafa», hasta que los insensatos proclives a llamarlo así aprendieron la lección. Pero con la madurez adquirió —sin tener conciencia de ello, por lo que resultaba aún más digno de admiración— cierta gallardía, precaria pero indudable. Tenía una mata de rizos castaños, frente pecosa, y unos ojos grandes —detrás de unas gafas— que le conferían un aire de perplejidad angélica.

Desconfiando de la capacidad de Perry para el autobombo, y en actitud tan protectora como siempre, Gail asumió la responsabilidad de contestar al profesional residente:

—Perry juega la fase previa en Queen's, y una vez accedió a la primera ronda del torneo, ¿eh que sí? De hecho, llegaste a entrar en el Masters. Y eso después de romperse la pierna esquiando y pasar seis meses sin jugar —añadió con orgullo.

—¿Y usted, señora, si no es mucho atrevimiento? —preguntó Mark, el obsequioso profesional, con cierto retintín en el «señora» que no acabó de gustar a Gail.

—Yo no le llego a la suela del zapato —respondió sin inmutarse, a lo que Perry dijo: «Chorradas», y el australiano sorbió aire entre los dientes, movió la pesada cabeza en un gesto de incredulidad y pasó las desordenadas hojas de su registro.

—Veamos, tengo aquí a una pareja que quizá les venga bien —dijo, enjugándose el sudor de la frente con una toalla de tenis mugrienta—. Les dan cien vueltas a los otros huéspedes, eso se lo digo desde ya. Aunque, para serles sincero, tampoco es que tenga infinidad de gente donde elegir. Igual ustedes cuatro deberían tantearse.

Resultó que sus adversarios eran una pareja india de Mumbai en luna de miel. La pista central estaba ocupada, pero la pista 1 no. Pronto se acercaron a verlos calentar personas de paso y jugadores de otras pistas: fluidos golpes desde la línea de fondo, *passing shots* a los que nadie corría, algún *smash* desde la red sin respuesta. Perry y Gail ganaron el sorteo del saque inicial, Perry cedió el primer servicio a Gail, que cometió dos dobles faltas, y perdieron el juego. A continuación sacó la novia india. El partido mantuvo un tono pausado.

Solo cuando Perry empezó a sacar se puso de manifiesto claramente la calidad de su tenis. Su primer servicio tenía altura y fuerza, y cuando entró, poco podía hacerse para devolverlo. Se anotó cuatro tantos de saque consecutivos. El público fue en aumento; los jugadores eran jóvenes y atractivos; los recogepelotas descubrieron nuevos niveles de energía. Hacia el final del primer set, Mark, el profesional residente, se dejó caer por allí como quien no quiere la cosa para echar un vistazo, se quedó durante tres juegos y por fin, con semblante pensativo, regresó a su tienda.

Después de un largo segundo set, estaban empatados a uno.

En el tercer y definitivo set, Perry y Gail se situaron con una ventaja de cuatro a tres. Y si bien Gail tendió a la cautela, Perry a esas alturas del encuentro iba ya a por todas, y la pareja india no volvió a ganar otro juego en lo que quedaba de partido.

Los espectadores se dispersaron. Los cuatro jugadores se quedaron allí para intercambiar cumplidos, acordar una revancha, ¿y quedar tal vez a tomar una copa en el bar esa noche? ¡Cómo no! Los indios se marcharon mientras Perry y Gail recogían sus raquetas de repuesto y sus jerséis.

En eso volvió a la cancha el profesional australiano, acompañado de un hombre musculoso, muy erguido, ancho de pecho y totalmente calvo, que lucía un reloj Rolex de oro con diamantes incrustados y llevaba un pantalón de chándal gris ceñido a la cintura mediante un cordón atado con una lazada.

Por qué Perry reparó primero en la lazada de su cintura y después en el resto del individuo tiene fácil explicación. En ese momento estaba a medio cambiarse las zapatillas de tenis viejas pero cómodas por un par de playeras con suela de cáñamo, y seguía aún agachado cuando oyó pronunciar su nombre. Así las cosas, alzó lentamente su cabeza alargada, como suelen hacer los hombres altos y angulosos, y advirtió primero unas alpargatas de piel en unos pies pequeños, casi femeninos, separados como los de un pirata, luego unas robustas pantorrillas bajo un chándal gris y, más arriba, la lazada del cordel que mantenía en alto el pantalón, con un nudo doble, como debía ser dada su notable área de responsabilidad.

Y por encima de la lazada, una selecta camisa de algodón carmesí, que envolvía un torso colosal, donde abdomen y pecho no parecían diferenciarse, con un cuello de estilo oriental que, abrochado, habría parecido un collarín de eclesiástico en versión recortada, solo que en modo alguno habría podido abarcar el musculoso cuello que contenía.

Y por encima del cuello, ladeado en gesto de ruego, con las cejas enarcadas en actitud invitadora, el rostro terso de un cincuentón calvo, de ojos castaños y mirada melancólica, desplegaba una radiante sonrisa de delfín. La ausencia de arrugas no inducía a pensar en inexperiencia sino todo lo contrario. Era un rostro que a Perry, el amante de la aventura al aire libre, se le antojó moldeado para la vida: el rostro, dijo a Gail mucho tiempo después, de un «hombre forjado», otra definición a la que él aspiraba para sí pero, pese a su viril empeño, aún no creía merecer.

—Perry, permítame presentarle a mi buen amigo y cliente, el señor Dima, de Rusia —anunció Mark, insuflando un ceremonioso soniquete a su empalagosa voz—. Dima opina que han hecho ustedes un partido fenomenal, ¿verdad que sí? Como buen conocedor del deporte de la raqueta, ha estado viéndolos jugar con admiración, me permito decir, ¿no, Dima?

—¿Jugamos? —propuso Dima con expresión de disculpa, sin apartar sus ojos castaños de Perry, quien para entonces se había erguido ya cuan alto era y permanecía allí inmóvil, un tanto incómodo.

—Hola —saludó Perry con la respiración aún un poco agitada, y tendió una mano sudorosa. La mano de Dima era la de un artesano metido en carnes, con una pequeña estrella o asterisco tatuado en el segundo nudillo del pulgar—. Y esta es Gail Perkins, mi cómplice en el delito —añadió, sintiendo la necesidad de introducir un ritmo más pausado.

Pero Mark el profesional, anticipándose a Dima, dejó escapar un resoplido de aduladora protesta.

—¿Cómo que «delito», Perry? —objetó—. ¡Habrase visto, Gail! Han hecho un juego de fábula, las cosas como son. Un par de esos reveses paralelos estaban a la altura de los mismísimos dioses, ¿o no, Dima? Usted mismo lo ha dicho. Lo hemos visto desde la tienda. Por el circuito cerrado.

—Dice Mark que juega usted en Queen's —comentó Dima,

su sonrisa de delfín dirigida a Perry, la voz pastosa, grave y gutural, y vagamente americana.

—Bueno, de eso hace ya unos años —respondió Perry con modestia, todavía ganando tiempo.

—Dima ha adquirido recientemente Las Tres Chimeneas, ¿eh, Dima? —dijo Mark como si la noticia, por alguna razón, confiriese mayor interés a la propuesta de jugar un partido—. El mejor enclave en este lado de la isla, ¿eh, Dima? Tiene grandes planes para esos terrenos, por lo que hemos oído. Y según creo, ustedes dos están en el Captain Cook, uno de los mejores bungalows del hotel, en mi opinión.

Allí se alojaban, sí.

—Pues ya ven: son vecinos, ¿eh, Dima? Las Tres Chimeneas está justo en la punta de la península, al otro lado de la ensenada, enfrente de ustedes. La última gran finca no urbanizada de la isla, pero eso Dima tiene previsto remediarlo, ¿me equivoco, señor mío? Se habla de una emisión de acciones preferenciales para los isleños, cosa que, a mi modo de ver, es una idea más que aceptable. Entretanto permite allí alguna que otra acampada, por lo que he oído. Acoge a parientes y amigos de mentalidad afín. Eso lo admiro. Yo y todo el mundo. En una persona con sus medios, es lo que yo llamo tenerlos bien puestos.

—¿Jugamos?

—¿A dobles? —preguntó Perry, desprendiéndose de la intensa mirada de Dima para volverse con cara de incertidumbre hacia Gail.

Sin embargo Mark, establecida ya su cabeza de puente, aprovechó la ventaja.

—Gracias por el ofrecimiento, Perry, pero a Dima no le van los dobles, siento decir —se apresuró a aclarar taxativamente—. Nuestro amigo aquí presente solo juega individuales, ¿me equivoco, caballero? Es usted un hombre independiente. Prefiere ser el responsable de sus errores, como me dijo una vez.

Esas fueron sus palabras textuales hace no mucho, y yo me las tomé al pie de la letra.

Viendo que ahora Perry se sentía dividido pero también tentado, Gail acudió en su rescate:

—Por mí no te preocupes, Perry. Si quieres jugar individuales, no tengo inconveniente.

—Perry, creo que haría mal en no aceptar a este caballero —dijo Mark, de nuevo a la carga—. Si yo fuera aficionado a las apuestas, no sabría por quién decantarme, como lo oye.

Y cuando Dima se alejó, ¿era eso una cojera? ¿Ese pie derecho ligeramente arrastrado? ¿O era solo el esfuerzo de acarrear esa enorme mitad superior del cuerpo a todas horas del día?

¿Fue también entonces cuando Perry se fijó por primera vez en los dos hombres blancos que rondaban, ociosos, por la entrada de la pista, uno con las manos relajadamente detrás de la espalda, el otro con los brazos cruzados ante el pecho? ¿Los dos con calzado deportivo? ¿Uno rubio, con cara de niño, el otro moreno y lánguido?

De ser así, fue solo de manera inconsciente, sostuvo de mala gana ante el hombre que se hacía llamar Luke y la mujer que se hacía llamar Yvonne, diez días más tarde, cuando estaban los cuatro sentados a una mesa de comedor oval en el sótano de una bonita casa adosada victoriana en Bloomsbury.

Los había llevado allí un hombre corpulento y afable, con boina y un pendiente, que se presentó como Ollie, pasándolos antes a recoger en un taxi negro por el piso de Primrose Hill. Luke les había abierto la puerta; Yvonne aguardaba de pie detrás de Luke. En un vestíbulo que olía a pintura reciente, con una tupida moqueta, saludaron a Perry y Gail con un apretón de manos; después Luke les dio las gracias por ir, y los condujeron escalera abajo hasta aquel sótano reformado, con su mesa, sus seis sillas y una cocina americana. Las ventanas de cristal esmerilado, en forma de media luna y encastradas en el muro exterior, se oscurecían al pasar por la acera los pies desdibujados de los viandantes.

A continuación se vieron despojados de sus móviles e invitados a firmar una declaración conforme a la Ley de Secretos Oficiales. Gail, la abogada, leyó el texto y se indignó.

—Ni muerta —exclamó, en tanto que Perry, diciendo entre dientes «¿Qué más da?», firmó con impaciencia.

Gail, después de tachar un par de cosas y añadir su propio redactado, firmó bajo protesta. En el sótano, la iluminación se reducía a una única lámpara, de luz tenue, suspendida sobre la mesa. Las paredes de obra vista despedían un leve olor a oporto añejo.

Luke era un cuarentón de aspecto distinguido, bien afeitado y, a ojos de Gail, un tanto bajo. Los espías de sexo masculino, se dijo con una falsa jocosidad suscitada por el nerviosismo, deberían venir en tallas más grandes. Con su porte erguido, su impecable traje gris y unos pequeños cuernos de cabello cano fluctuando por encima de las orejas, recordaba más bien a un jockey amateur de club de campo con su mejor traje.

Yvonne, por su parte, no podía ser mucho mayor que Gail. En la primera impresión, Gail la encontró remilgada pero, a su manera intelectualoide, guapa. Con su insípido traje sastre, el pelo a lo paje y sin maquillar, aparentaba más años de los necesarios y, para ser una espía de sexo femenino —de nuevo conforme al criterio resueltamente frívolo de Gail—, tenía un aire demasiado formal.

—De hecho, pues, no los identificaron ustedes como guardaespaldas —observó Luke, volviendo con avidez su cuidada cabeza para mirar alternativamente a Perry y Gail desde el otro lado de la mesa—. Al quedarse solos, ¿no hicieron ningún comentario? Algo así como «Eh, eso era un tanto raro; parece que el tal Dima, quienquiera que sea, llevaba no poca protección», por decir algo.

¿De verdad es así como hablamos Perry y yo?, se preguntó Gail. Primera noticia.

—Yo sí los vi, claro —admitió Perry—. Pero si la pregunta es: ¿me llamaron de algún modo la atención?, la respuesta es no. Un par de tipos buscando con quien echar un partido, debí de pensar, si es que pensé algo —y pellizcándose la frente con sus largos dedos, muy serio—; o sea, uno no piensa, así sin más, «esos son guardaespaldas», ¿eh que no? Bueno, puede que ustedes sí. Viven en ese mundo, imagino. Pero si uno es un ciudadano de a pie, esa posibilidad ni se le pasa por la cabeza.

—¿Y usted qué me dice, Gail? —preguntó Luke con imperiosa solicitud—. Usted entra y sale de los juzgados a diario. Ve el mundo de la maldad en su más horrendo esplendor. ¿No le despertaron alguna sospecha?

—Debí de pensar que eran un par de tíos dándome un repaso, y eso si es que me fijé en ellos, así que no presté atención —contestó Gail.

Pero Yvonne, ojito derecho del maestro, no tuvo bastante ni mucho menos.

—Y esa noche, Gail, al reflexionar sobre el día, ¿de verdad no se plantearon quiénes eran esos dos hombres de más que rondaban por allí? —¿Era acaso escocesa? Bien podía serlo, pensó Gail, la hija de actores, que se preciaba de un oído infalible para los acentos.

—Era nuestra primera noche en el hotel, propiamente hablando —contestó Gail en un arrebato de exasperación nerviosa—. Perry había encargado una cena a la luz de las velas en el Captain's Deck, ¿vale? Teníamos allí mismo las estrellas y la luna llena y las ranas toro en pleno apareamiento y la estela de la luna que llegaba casi a nuestra mesa... ¿Cree que íbamos a pasarnos la noche mirándonos a los ojos y hablando de los gorilas de Dima? Vamos, por favor... —Y temiendo haber sido más irrespetuosa de lo que pretendía—: De acuerdo, sí hablamos de Dima... brevemente. Es una de esas personas que se te quedan grabadas en la retina. De pronto era nuestro primer oligarca ruso, y al cabo de un momento Perry ya estaba flagelándose por haber accedido a jugar un partido con él y quería llamar al profesional para suspenderlo. Yo le conté que había bailado con hombres como Dima y que tenían una técnica asombrosa. Al oír eso, ya te quedaste callado, ¿eh que sí, Perry, cariño?

Separados entre sí por una brecha tan ancha como el océano Atlántico que habían cruzado en fecha reciente, y sin embargo dando gracias por poder desahogarse ante dos oyentes curiosos por oficio, Perry y Gail reanudaron la historia.

Las siete menos cuarto de la mañana siguiente. Mark los esperaba en lo alto de la escalera de piedra, ataviado con su mejor equipo blanco y sosteniendo dos botes con pelotas de tenis refrigeradas y un café en un vaso de papel.

—Me temía que se les hubieran pegado las sábanas, encantadora pareja —saludó con entusiasmo—. Vamos bien de hora, eh, no se preocupen. Gail, ¿qué tal está hoy? Como una rosa, si me permite decirlo. Usted primero, Perry. No hay de qué. Vaya día, ¿eh? Vaya día.

Perry encabezó la marcha por el segundo tramo de escalera hasta donde esta torcía a la izquierda. Al doblar el recodo, se topó de bruces con los mismos dos hombres de las cazadoras que la noche anterior deambulaban por allí, los dos que daban un repaso a Gail, según pensó ella, y eso si es que se fijó en ellos. Estaban apostados a ambos lados del arco de flores que, como un pasillo nupcial, daba acceso a la puerta de la pista central, un mundo aparte en sí misma, delimitada por los cuatro costados con vallas de lona y setos de hibisco de siete metros de altura.

Al verlos acercarse a los tres, el rubio con cara de niño dio medio paso al frente y, con una sonrisa desabrida, separó las manos en el gesto clásico de quien va a cachear a alguien. Desconcertado, Perry se plantó cuan alto era, aún demasiado lejos para un cacheo pero a no más de dos metros, con Gail a su lado. Cuando el hombre dio otro paso al frente, Perry retrocedió, arrastrando a Gail consigo y exclamando:

—¿Qué demonios pasa aquí?

A efectos prácticos, se dirigía a Mark, ya que ni el cara de niño ni su compañero moreno dieron señales de haber oído la pregunta, y menos aún de haberla entendido.

—Servicio de seguridad, Perry —explicó Mark, restregándose contra Gail al acercarse a Perry para susurrarle con tono tranquilizador—: Rutina.

Perry, inmóvil, alargó el cuello hacia delante y a un lado mientras digería esta información.

—¿Seguridad de quién exactamente? No lo capto. —A Gail—: ¿Y tú?

—Tampoco —coincidió ella.

—El servicio de seguridad de Dima, Perry. ¿De quién va a ser? Está podrido de pasta. Un pájaro gordo a nivel internacional. Estos chicos solo obedecen órdenes.

—¿Órdenes de usted, Mark? —volviéndose y escrutándolo con mirada acusadora a través de las gafas.

—Perry, no diga tonterías. Órdenes de Dima, no mías. Son los muchachos de Dima. Van con él a todas partes.

Perry volvió a fijar la atención en el guardaespaldas rubio.

—Señores, ¿hablan ustedes inglés por casualidad? —preguntó. Y como aquella cara de niño no se inmutó, o acaso se mostrase aún más imperturbable, Perry añadió—: No habla inglés, parece. Ni lo oye, por lo que se ve.

—Por Dios, Perry —suplicó Mark, tiñéndose su rostro de un tono rojo más intenso—. Solo un vistazo a la bolsa, y listos. No es nada personal. Rutina, como le digo. Igual que en cualquier aeropuerto.

Perry se volvió de nuevo hacia Gail.

—¿Tienes alguna opinión al respecto?

—Desde luego que sí.

Perry ladeó la cabeza en la otra dirección.

—A ver, Mark, necesito que me lo aclare bien —explicó, haciendo valer su autoridad pedagógica—. La persona que ha propuesto este partido de tenis conmigo, Dima, desea asegurarse de que no voy a lanzarle una bomba. ¿Es eso lo que dan a entender estos hombres?

—Este es un mundo muy peligroso, Perry. Tal vez usted no se haya enterado, pero los demás sí lo sabemos, y procuramos convivir con ello. Con el debido respeto, le recomiendo encarecidamente que siga el juego.

—Otra posibilidad sería que lo abatiera a tiros con mi Káshnikov —continuó Perry, levantando su bolsa de tenis un par de centímetros para indicar dónde guardaba el arma, ante lo que el segundo hombre abandonó la sombra de los arbustos y se situó junto al primero, bien que las expresiones faciales de ambos seguían siendo inescrutables.

—Perdone que se lo diga, señor Makepiece, pero está haciendo una montaña de un grano de arena —protestó Mark. Aquella cortesía suya adquirida con tanto esfuerzo empezaba a ceder gradualmente bajo la tensión—. Tenemos por delante un gran partido de tenis. Estos muchachos cumplen con su obligación y, a mi entender, la cumplen de una manera muy educada y profesional. Francamente, caballero, no entiendo dónde está el problema.

—Ah. El «problema» —reflexionó Perry, eligiendo la palabra como útil punto de partida para un debate en grupo con sus alumnos—. Permítame, pues, que le explique el problema. En realidad, si nos paramos a pensar, los problemas son varios. El primero es que nadie mira dentro de mi bolsa de tenis sin mi permiso, y en esta ocasión no concedo mi permiso. Y tampoco mira nadie dentro del bolso de esta señora. —Señalando a Gail—. Son aplicables las mismas reglas.

—Con todo rigor —confirmó Gail.

—Segundo problema. Si su amigo Dima piensa que voy a asesinarlo, ¿por qué me pide que juegue al tenis con él? —Después de dejar un holgado margen de tiempo para la respuesta, y viendo que no recibía ninguna, aparte de un expresivo sorbetón de aire entre los dientes, Perry prosiguió—: Y el tercer problema es que, de momento, la propuesta es unilateral. ¿Acaso he pedido yo a Dima que me deje mirar dentro de su bolsa? No. Ni lo deseo. Tal vez pueda explicárselo usted cuando le presente mis disculpas. Gail. ¿Y si atacamos ese magnífico bufet de desayuno por el que ya hemos pagado?

—Buena idea —dijo Gail con entusiasmo—. No me había dado cuenta del hambre que tengo.

Se dieron media vuelta, y se alejaban ya escalera abajo, haciendo caso omiso de las súplicas del profesional residente, cuando se abrió la puerta de la pista y Dima, con su voz de bajo, los obligó a detenerse.

—No se me escape, señor Perry Makepiece. Si quiere volarme los sesos, hágalo con la puñetera raqueta.

—¿Y la edad de ese hombre, Gail? ¿Cuántos años le echa? —preguntó Yvonne, la intelectualoide, tomando nota en su cuaderno con afectada precisión.

—¿El cara de niño? Veinticinco, como mucho —contestó ella, y una vez más deseó encontrar un término medio entre la ligereza y el miedo.

—¿Perry? ¿Cuántos años?

—Treinta.

—¿Estatura?

—Por debajo de la media.

Perry, cariño, si tú mides un metro ochenta y cinco, todos estamos por debajo de la media, pensó Gail.

—Un metro setenta y cinco —agregó ella.

Y el pelo rubio, muy corto, coincidieron ambos.

—Y llevaba una pulsera, una cadena de oro —recordó ella, para su sorpresa—. Una vez tuve un cliente que llevaba una igual. Si algún día se encontraba en un apuro, para salir del paso, desprendería los eslabones, uno por uno, y los vendería.

Con las uñas sin pintar y bien recortadas para mayor comodidad, Yvonne empuja un fajo de fotografías de prensa hacia ellos por encima de la mesa oval. En primer plano, media docena de jóvenes fornidos con trajes a lo Armani da la enhorabuena a un caballo vencedor, con las copas de champán en alto para la cámara. Al fondo, vallas publicitarias en cirílico e inglés. Y en el extremo izquierdo, con los brazos cruzados ante el pecho, el guardaespaldas con cara de niño, la cabeza rubia casi rapada. A diferencia de sus tres compañeros, no lleva gafas de sol. Pero en la muñeca izquierda luce una cadena de oro.

Perry adopta un aire de cierta suficiencia. Gail empieza a sentir náuseas.

2

Gail no acababa de entender por qué recaía en ella la mayor parte de la conversación. Al hablar, escuchaba las reverberaciones de su propia voz devueltas por las paredes de obra vista del sótano, como le ocurría en el juzgado: ahora aparento justificada indignación, ahora aparento mordaz escepticismo, ahora me parezco a mi deplorable madre después del segundo gin-tonic la última vez que supe de ella.

Y esa noche, pese a todos sus esfuerzos por disimularlo, de vez en cuando se sorprendía a sí misma en un estremecimiento de miedo que no estaba previsto en el guión. Si el público, al otro lado de la mesa, no lo percibía, ella sí. Y mucho se equivocaba, o también Perry, a su lado, lo percibía, porque en ocasiones inclinaba la cabeza hacia ella sin más razón que mirarla con intranquila ternura a pesar del abismo de cinco mil kilómetros que los separaba. Y en ocasiones llegaba al extremo de darle un acucioso apretón de mano bajo la mesa antes de tomar el relevo, en la idea errónea pero perdonable de que así concedía un respiro a sus emociones, cuando en realidad sus emociones se limitaban a pasar a la clandestinidad, reagruparse y reemprender la lucha aún con mayor denuedo tan pronto como tenían la oportunidad.

Si bien no puede decirse que Perry y Gail entraran parsimoniosamente en la pista central, sí es verdad —en eso coincidieron— que se lo tomaron con calma. Estuvo primero el paseíllo a través del arco de flores, con los guardaespaldas en el papel de guardia de honor, sujetándose Gail el ala de la pamela y arremolinando la vaporosa falda.

—Exageré un poco la nota —reconoció ella.

—¡Y cómo! —convino Perry ante las sonrisas contenidas al otro lado de la mesa.

Siguió cierto revuelo en la entrada de la pista cuando de repente Perry pareció pensárselo mejor, hasta que quedó claro que retrocedía solo para ceder el paso a Gail, quien entonces lo precedió con señorial sosiego para insinuar que si bien la planeada ofensa no se había concretado, la posibilidad no podía descartarse aún. Y detrás de Perry entró Mark.

Dima, en la pista central de cara a ellos, extendió los brazos en un amplio gesto de bienvenida. Lucía una camiseta azul, aterciopelada, de manga larga y cuello redondo y unas bermudas negras hasta por debajo de las rodillas. Una visera verde, semejante a un pico, sobresalía de su calva, que brillaba ya bajo el sol de primera hora de la mañana. Perry incluso se preguntó, según dijo él mismo, si Dima se había untado la cabeza de aceite. Para complementar el Rolex con piedras preciosas, adornaba su enorme cuello una cadenita de oro con vagas connotaciones místicas: otro reflejo, otra distracción.

Pero cuando Gail entró, para su sorpresa, no era Dima el principal foco de atención, dijo ella. En la grada, detrás de él, se congregaba una concurrencia variopinta —y extraña, a ojos de Gail—, formada por niños y adultos.

—Como un grupo de macabras figuras de cera —declaró Gail—. No era solo por lo peripuestos que se los veía a esa hora intempestiva, las siete de la mañana. Era por su silencio absoluto y sus caras de pocos amigos. Me senté abajo, en la primera grada, que estaba vacía, y pensé: Dios mío, pero ¿esto qué es? ¿Un tribunal popular, una procesión religiosa, o qué?

Hasta los niños parecían distanciados entre sí. Estos enseguida despertaron su interés, como le ocurría siempre con los niños. Contó cuatro.

—Dos niñas muy mustias de unos cinco y siete años, con vestidos oscuros y gorros de playa, muy arrimadas a una mujer negra, pechugona, una niñera o algo así —explicó Gail, decidida a impedir que las emociones se le adelantasen—. Y dos adolescentes, dos chicos rubísimos con pecas y ropa de tenis. Y todos tan alicaídos como si los hubieran sacado a patadas de la cama y llevado hasta allí a rastras a modo de castigo.

En cuanto a los adultos, sencillamente eran tan ajenos a aquello, tan voluminosos y tan distintos de todo que parecían salidos de una viñeta de Charles Addams, prosiguió Gail. Y no era solo por su apariencia endomingada o sus peinados de los años setenta. O por el hecho de que las mujeres, pese al calor, vistieran como en lo más crudo del invierno. Era el aire de pesadumbre común a todos ellos.

—¿Por qué nadie habla? —preguntó Gail en un susurro a Mark, quien, como surgido de la nada, había ocupado el asiento contiguo sin previa invitación.

Mark se encogió de hombros.

—Rusos.

—¡Pero si los rusos hablan sin parar!

Estos rusos no, dijo Mark. Casi todos habían llegado en los últimos días y aún tenían que acostumbrarse al Caribe.

—Allí ha pasado algo —comentó, señalando con la cabeza hacia el otro lado de la ensenada—. Cuenta radio macuto que han montado una especie de cónclave familiar, no siempre en paz y armonía. No sé cómo se las arreglan con la higiene personal. La mitad de las cañerías está que se cae.

Gail se fijó en dos hombres obesos: uno, hablando en susurros por un móvil, llevaba un sombrero de fieltro marrón; el otro, una boina escocesa coronada con una borla roja.

—Primos de Dima —aclaró Mark—. Aquí todo el mundo es primo de alguien. De Perm, son.

—¿Perm?

—Sí, encanto, Perm. En Rusia. No tiene nada que ver con la *perm*anente; es un pueblo.

Una grada más arriba estaban los dos chicos rubísimos, mascando chicle como si lo odiaran. Los hijos de Dima, gemelos, dijo Mark. Y sí, cuando Gail los miró otra vez, vio el parecido: pechos robustos, espaldas rectas, y unos ojos castaños de expresión lánguida y sensual que ya posaban en ella con avidez.

Tomó aire, una bocanada rápida y silenciosa, y lo expulsó. Se acercaba a lo que, en una disertación jurídica, habría sido la pregunta clave, esa que teóricamente debía reducir a escombros en el acto al testigo. Solo que ahora el testigo era ella misma. Pero cuando reanudó la conversación, advirtió complacida que no se percibía estremecimiento alguno en la voz devuelta por la pared de obra vista, ni titubeos ni otras alteraciones reveladoras:

—Y sentada aparte… expresivamente aparte, diría yo… había una preciosidad de chica de quince o dieciséis años, muy modosa, ella, con una melena negra azabache hasta los hombros y uniforme de colegiala, blusa y falda azul marino por encima de las rodillas, que no parecía acompañar a nadie. Así que pregunté a Mark quién era. Naturalmente.

Muy naturalmente, a decir verdad, decidió con alivio al oírse: ni una sola ceja enarcada en torno a la mesa. Bravo, Gail.

—«Se llama Natasha», me informó Mark. «Una flor en espera de que alguien la arranque», para hablar en cristiano, según él. «Hija de Dima pero no de Tamara. La niña de los ojos de su padre.»

¿Y qué hacía la hermosa Natasha, hija de Dima pero no de Tamara, a las siete de la mañana mientras supuestamente debía ver a su padre jugar al tenis?, preguntó Gail a su público. Leía un mamotreto encuadernado en piel, que mantenía sujeto en el regazo como un escudo de la virtud.

—Pero guapa guapa, de caerse de espaldas —insistió Gail. Y como de pasada—: O sea, preciosa de verdad. —Y de pronto pensó: Dios mío, empiezo a hablar como una tortillera cuando mi propósito es aparentar despreocupación.

Pero tampoco esta vez Perry y sus interrogadores notaron, por lo visto, nada anormal.

—¿Y dónde está esa Tamara que no es la madre de Natasha? —preguntó a Mark con severidad, aprovechando la ocasión para apartarse un poco de él.

—Dos gradas más arriba, a su izquierda. Una señora muy devota. Conocida aquí como la Monja.

Gail se volvió sin muchas contemplaciones y posó la mirada en una mujer de apariencia espectral, vestida de negro de la cabeza a los pies. El pelo, también negro aunque salpicado de canas, lo llevaba recogido en un moño. La boca, paralizada en un arco descendente, parecía no saber qué era una sonrisa. Lucía un pañuelo de chiffón de color malva.

—Y en el pecho una cruz ortodoxa de oro con un travesaño de más, digna de un obispo —exclamó Gail—. De ahí el mote, «la Monja», cabe suponer. —Y como si acabara de ocurrírsele—: Pero vaya si se hacía notar, la señora. Esa sí era el centro de la escena. —Reminiscencias de sus padres actores—. Su fuerza de voluntad se palpaba en el aire. Incluso Perry la percibió.

—Eso fue más tarde —advirtió Perry, eludiendo su mirada—. No les interesan nuestras opiniones a posteriori.

«En fin, la mía en particular no he podido darla, eso desde luego, ni a posteriori ni antes, ¿eh que no?», estuvo a punto de replicar; pero, en su alivio por haber superado el obstáculo de Natasha, lo dejó correr.

Algo en Luke, aquel individuo bajo e impecable, la distraía: la forma en que ella, sin proponérselo, captaba su mirada una y otra vez; la forma en que él captaba la de ella. Al principio se preguntó si era gay, hasta que lo sorprendió echándole una ojeada muy heterosexual a la pechera de su vestido. Es por la gallardía del perdedor que se trasluce en él, decidió; por ese aire propio de quienes luchan hasta el último hombre, cuando el último hombre es él. Durante los años en que esperaba a Perry se había acostado con no pocos hombres, y a uno o dos les había dicho que sí por amabilidad, solo para demostrarles que eran mejores de lo que pensaban. Luke le recordaba a ellos.

En cambio Perry, concentrado en sus ejercicios de calentamiento previos al partido con Dima, apenas se había molestado en mirar a los espectadores, sostuvo, hablando con la mirada fija en sus manos enormes extendidas sobre la mesa ante él. Era consciente de su presencia en las gradas, los había saludado con la raqueta sin recibir la menor respuesta. Pero básicamente estaba muy ocupado poniéndose las lentillas, apretándose los cordones de las zapatillas, embadurnándose de protector solar, preocupándose por el mal rato que Mark haría pasar a Gail, y en general preguntándose cuánto tardaría en ganar para poder marcharse. Además, su contrincante, de pie a un metro de él, había empezado a interrogarlo.

—¿Le molestan? —preguntó Dima en voz baja y con toda seriedad—. ¿Mi hinchada? ¿Quiere que los mande a casa?

—Ni mucho menos —contestó Perry, picado aún por su roce con los guardaespaldas—. Son amigos suyos, imagino.

—¿Es usted británico?

—Lo soy.

—¿Británico inglés? ¿Galés? ¿Escocés?

—Inglés a secas, de hecho.

Tras escoger un banco, Perry dejó caer la bolsa de tenis, la misma que no había dejado inspeccionar a los guardaespaldas, y descorrió la cremallera de un tirón. Extrajo una cinta para el pelo y una muñequera.

—¿Es usted sacerdote? —preguntó Dima con igual seriedad.

—¿Por qué lo dice? ¿Necesita uno?

—¿Médico? ¿Se dedica a alguna rama de la medicina?

—Tampoco soy médico, lamento decir.

—¿Abogado?

—Solo juego al tenis.

—¿Banquero?

—Dios me libre —contestó Perry, irritado, y jugueteó con un gorro de playa raído antes de volver a echarlo a la bolsa.

Pero en realidad sentía algo más que irritación. Se había visto avasallado, y no le gustaba que lo avasallaran. Avasallado por el profesional residente, y avasallado por los guardaespaldas, si lo hubiera consentido. Y sí, es cierto que no lo había consentido, pero su presencia en la pista —instalados a ambos extremos como jueces de línea— bastaba para mantener viva su ira. Más al caso: había sido avasallado por el propio Dima, y el hecho de que Dima hubiera arrastrado hasta allí por la fuerza a aquella panda de indocumentados a las siete de la mañana para verlo ganar no hacía más que agravar la afrenta.

Dima había metido una mano en el bolsillo de sus bermudas negras y sacado una moneda de plata de cincuenta centavos con la cara de John F. Kennedy.

—¿Quiere saber una cosa? Según mis hijos, he pedido a algún mangante que amañe esto para que gane yo —contó en confianza, señalando con su cabeza calva a los dos chicos pecosos en las gradas—. Como gane en el lanzamiento de moneda, mis propios hijos pensarán que los puñeteros cincuenta centavos están trucados. ¿Tiene hijos?

—No.

—¿Quiere alguno?

—A la larga. —Dicho de otro modo: «No se meta donde no lo llaman».

—¿Cara o cruz?

«Mangante», repitió Perry para sí. ¿De dónde había sacado una palabra como «mangante» un hombre que hablaba un inglés macarrónico con cierto dejo del Bronx? Pidió cruz, perdió y oyó una risotada de escarnio, la primera señal de interés que se dignaba mostrar alguien entre el público. Fijó su mirada profesoral en los dos hijos de Dima, que se tapaban la sonrisa burlona con las manos. Dima volvió la vista al sol y eligió el lado de la cancha en sombra.

—¿Qué raqueta es esa? —preguntó con un destello en los ojos castaños de expresión melancólica—. Parece antirreglamentaria. Da igual, le ganaré de todos modos. —Y mientras se alejaba por la pista—: Vaya un bombón de chica, la suya. Vale unos cuantos camellos. Mejor será que se case pronto con ella.

¿Y cómo demonios sabe que no estamos casados?, se preguntó Perry, airado.

Perry ha hecho cuatro aces consecutivos, igual que contra la pareja india, pero está pegándole con demasiada fuerza, lo sabe, y le trae sin cuidado. Al devolver el servicio a Dima, hace lo que ni se le ocurriría hacer a menos que hubiese alcanzado su mejor nivel de juego y se enfrentase a un rival mucho más débil: espera en una posición adelantada, con las puntas de los pies prácticamente en la línea de fondo, atajando la pelota con medias voleas, cruzándola o ajustándola a la raya lateral, donde está, cruzado de brazos, el guardaespaldas con cara de niño. Pero solo durante el primer par de saques, porque Dima enseguida ve por dónde van los tiros y lo obliga a retroceder hacia el fondo, como debe ser.

—Así que empecé a calmarme un poco, supongo —admitió Perry, dedicando una sonrisa compungida a sus interlocutores y, al mismo tiempo, frotándose la boca con el dorso de la muñeca.

—Perry iba en plan gallito —corrigió Gail—. Y Dima era un tenista nato. Para su peso, estatura y edad, increíble. ¿No es así, Perry? Y además jugaba con una gran deportividad. Encantador. Tú mismo lo dijiste. Dijiste que desafiaba las leyes de la gravedad.

—No saltaba a por la pelota. Levitaba —concedió Perry—. Y sí, era de una gran deportividad, más no podía pedirse. Al principio me temía que aquello acabase en una sucesión de rabietas y discusiones por si la bola había entrado o no. Pero no hubo nada de eso. La verdad es que daba gusto jugar con él. Y era astuto como un centenar de zorros. Retrasaba el golpe hasta el ultimísimo momento e incluso más allá.

—Y eso que cojeaba —intervino Gail con entusiasmo—. Jugaba ladeado y arrastraba la pierna izquierda, ¿eh que sí, Perry? Y estaba tieso como una vara. Y llevaba una rodillera. ¡Y aun así, levitaba!

—Sí, bueno, tuve que moderarme un poco —admitió Perry, incómodo, hincándose los dedos en la frente—. A medida que avanzaba el partido, sus gruñidos eran cada vez más molestos para el oído, la verdad.

A pesar de tanto gruñido, Dima siguió interrogando a Perry entre juego y juego.

—¿Es usted un científico importante? ¿Quiere volar el mundo? ¿Con la misma rabia con la que saca? —preguntó, y tomó un trago de agua helada.

—Nada más lejos.

—¿Un *apparatchik*?

El juego de las adivinanzas ya se alargaba demasiado.

—Doy clases, eso hago —contestó Perry mientras pelaba un plátano.

—¿Da clases? ¿A alumnos? ¿Da clases en ese sentido? ¿Como un catedrático?

—Exacto. Doy clases a alumnos. Pero no soy catedrático.

—¿Dónde?

—Actualmente en Oxford.

—¿En la Universidad de Oxford?

—Así es.
—¿De qué da clase?
—De literatura inglesa —contestó Perry, sin el menor deseo de explicar a un total desconocido, en ese preciso momento, que su futuro estaba abierto a cualquier posibilidad.
Sin embargo la satisfacción de Dima no conocía límites:
—Y dígame: ¿conoce a Jack London, el número uno de los escritores ingleses?
—No en persona. —Era un chiste, pero Dima no lo compartió.
—¿Le cae bien?
—Lo admiro.
—¿Y Charlotte Brontë? ¿También le cae bien?
—Mucho.
—¿Y Somerset Maugham?
—No tanto, lamento decir.
—¡Yo tengo libros de todos esos! ¡A cientos! ¡En ruso! ¡Estanterías y estanterías!
—Enhorabuena.
—¿Ha leído a Dostoievski? ¿A Lermontov? ¿A Tolstoi?
—Claro.
—Yo los tengo todos. Todos los número uno. Tengo a Pasternak. ¿Sabe una cosa? Pasternak escribió sobre mi pueblo. Lo llamó Yuriatin. Pero es Perm. Ese chiflado lo llamó Yuriatin, el muy cabrón, a saber por qué. Los escritores hacen cosas así. Están todos mal de la cabeza. ¿Ve a mi hija, allí arriba? Esa es Natasha. El tenis le importa un carajo, le encantan los libros. ¡Eh, Natasha, ven a saludar al catedrático!
Tras cierta dilación para poner de manifiesto que la están importunando, Natasha levanta la cabeza distraídamente y se aparta el pelo lo justo para permitir que Perry quede atónito por su belleza antes de concentrarse de nuevo en su mamotreto encuadernado en piel.
—La abochorno. No le gusta que levante la voz al hablarle.

¿Ve ese libro que lee? Turguéniev. Un número uno entre los rusos. Lo he comprado yo. Ella quiere un libro, yo se lo compro. Venga, Catedrático. Saca usted.

—A partir de ese momento fui «el Catedrático». Le repetí una y otra vez que no lo era, pero a él tanto se le daba, y al final desistí. Al cabo de un par de días, medio hotel me llamaba «Catedrático», lo que se le hace a uno muy raro cuando ha decidido que ya ni siquiera es profesor universitario.

Al cambiar de lado, Perry ve, para su consuelo, que Gail se ha desprendido del persistente Mark y se ha acomodado en la grada superior entre dos niñas.

El juego iba adquiriendo un ritmo aceptable, dijo Perry. No era un partido extraordinario, pero sí resultaba —siempre y cuando él aflojara en su juego— entretenido de ver, suponiendo que alguien allí quisiera entretenerse, cosa que seguía siendo más que dudosa, ya que, salvo los gemelos, los espectadores en poco se diferenciaban de los asistentes a un acto evangelista. Con eso de «aflojar en el juego» se refería a ralentizarlo un poco, darle a alguna que otra pelota que iba fuera, o devolver un *drive* sin fijarse mucho dónde había caído. Pero como la distancia entre los dos —en edad, destreza y movilidad, si Perry tenía que ser sincero— a esas alturas era ya ostensible, su única preocupación estribaba en tomárselo relajadamente, dejar intacta la dignidad de Dima y disfrutar de un desayuno tardío con Gail en el Captain's Deck: o eso creía hasta que, mientras cambiaban de lado, Dima lo agarró por el brazo y, con un gruñido de indignación, dijo:

—Me ha tomado por maricón, Catedrático.

—¿Qué?

—Esa bola larga se iba fuera. Usted ha visto que se iba fuera, y la ha jugado. ¿Me ve como un viejo gordo que va a caerse muerto si no lo trata con delicadeza?

—Iba a la línea.

—Yo juego a ganar, Catedrático. Si quiero algo, lo cojo, joder. A mí nadie me toma por maricón, ¿me oye? ¿Quiere jugarse mil pavos? ¿Darle interés al juego?

—No, gracias.

—¿Cinco mil?

Perry se echó a reír y negó con la cabeza.

—Se achanta, ¿eh? Se achanta y no quiere apostar conmigo.

—Será eso —concedió Perry, sintiendo aún la presión de la mano de Dima en la parte superior del brazo izquierdo.

—¡Ventaja para Gran Bretaña!

La exclamación resuena en la pista y se apaga. Los gemelos prorrumpen en carcajadas nerviosas, aguardando la réplica del terremoto. Hasta ahora Dima ha tolerado sus esporádicos estallidos de hilaridad. Ya no más. Dejando la raqueta en el banco, sube ágilmente por la escalera de la grada y, alargando los brazos hacia los dos chicos, oprime sus respectivas narices con los dedos índices.

—¿Queréis que me quite el cinturón y os dé una buena tunda? —pregunta en inglés, cabe suponer que en atención a Perry y Gail, pues ¿qué otra razón podía tener para no dirigirse a ellos en ruso?

A lo que uno de los chicos contesta en mejor inglés que el de su padre:

—No llevas cinturón, papá.

Eso es la gota que colma el vaso. Dima abofetea al hijo más cercano con tal fuerza que el muchacho gira en dirección opuesta hasta que sus piernas topan contra la grada. Al primer bofetón sigue un segundo igual de sonoro, asestado al otro hijo con la misma mano, y Gail recuerda un paseo en compañía de su hermano mayor, un hombre con ambiciones sociales, un día que este sale a cazar faisanes con sus amigos ricos, actividad que ella aborrece, y se cobra lo que él llama «uno de izquierda y uno de derecha», dando a entender que ha matado un faisán con cada cañón de la escopeta.

—Lo que a mí me chocó fue que ellos ni siquiera apartaron la cara. Allí sentados, encajaron el golpe sin más —comentó Perry, el hijo de maestros.

Pero lo más extraño, insistió Gail, fue cómo prosiguieron luego la conversación con la mayor cordialidad.

—¿Después queréis una clase de tenis con Mark? ¿O preferís volver a casa a oír a vuestra madre hablar de religión?

—Una clase, papá, por favor —dice uno de los chicos.

—Pues entonces basta ya de jarana, o esta noche os quedáis sin filete de Kobe. ¿Queréis filete de Kobe esta noche?

—Claro, papá.

—¿Y tú, Viktor?

—Claro, papá.

—Si queréis aplaudir, aplaudís al Catedrático, no al inútil de vuestro padre. Venid aquí.

Un caluroso abrazo para cada chico, y el partido prosigue sin más incidentes hasta su inevitable desenlace.

En la derrota, el comportamiento de Dima es de una efusividad embarazosa. No solo la acepta con elegancia, sino que se conmueve hasta derramar lágrimas de admiración y agradecimiento. Primero estrecha a Perry en el triple abrazo ruso contra su enorme pecho, tan duro como si fuera de asta, asegura Perry después. Mientras tanto, las lágrimas resbalan por sus mejillas, y por consiguiente llegan al cuello de Perry.

—Tiene usted el juego limpio de un puñetero inglés, ¿me oye, Catedrático? Es usted un puñetero caballero inglés, como esos que salen en los libros. Lo quiero, ¿me oye? Gail, venga aquí. —Para Gail el abrazo es incluso más reverente, y cauto, cosa que ella agradece—. Cuide de este bobo, ¿me oye? Da pena jugando al tenis, pero es todo un caballero, vaya que si lo es. El Catedrático del juego limpio, eso es, ¿me oye? —repitiendo el mantra como si acabara de inventarlo él.

Se vuelve bruscamente para soltar un colérico berrido por un móvil que sostiene para él el guardaespaldas con cara de niño.

Los espectadores abandonan la pista poco a poco. Las niñas necesitan abrazos de Gail. Gail las complace gustosamente. Al pasar junto a Perry de camino a su clase de tenis, uno de los hijos de Dima, con la mejilla aún encendida por el bofetón, dice con acento americano: «Bien jugado, tío». La bella Natasha se une al desfile, el mamotreto encuadernado en piel entre las manos. Con el pulgar marca el punto donde se ha visto interrumpida su lectura. Cierra la marcha Tamara, del brazo de Dima, la cruz ortodoxa digna de un obispo resplandeciente bajo el sol, ya más alto. Después del partido, Dima camina con una cojera más acusada: inclinado hacia atrás, mentón al frente, cuadrando los hombros ante el enemigo. Los guardaespaldas acompañan al grupo por el tortuoso sendero de piedra. Tres monovolúmenes con ventanillas de cristal tintado aguardan detrás del hotel para llevarlos a casa. Mark, el profesional residente, es el último en marcharse.

—¡Un magnífico partido, señor mío! —con una palmada a Perry en el hombro—. Se da buena traza en la pista. Solo tiene que pulir el revés, si me permite el atrevimiento. A lo mejor deberíamos trabajarlo un poco, ¿no le parece?

Uno al lado del otro, Gail y Perry observan mudos el cortejo que, sorteando los baches, se aleja por la carretera y desaparece entre los cedros que ocultan a las miradas de los curiosos la casa llamada Las Tres Chimeneas.

Luke aparta la vista de las anotaciones que ha ido tomando. Como si obedeciera a una orden, Yvonne hace lo propio. Los dos sonríen. Gail procura eludir la mirada de Luke, pero no puede porque Luke la fija en ella.

—Bien, Gail —dice con tono imperioso—. Le toca otra vez a usted, si no tiene inconveniente. Mark era un pesado. Al mismo tiempo parece una mina de información. ¿Qué otros datos puede facilitarnos sobre la familia de Dima? —A continuación, con ambas manos al mismo tiempo, da un golpe de muñeca, como si estimulara a su caballo hacia metas mayores.

Gail lanza una mirada a Perry, sin saber muy bien para qué. Perry no se la devuelve.

—Es que era tan falso... —se queja ella, volcando en Mark, y no en Luke, su desaprobación, y contrayendo el rostro para dar a entender que el mal sabor de boca aún perdura.

Al poco de sentarse Mark con ella en la primera grada, explicó Gail, empezó a hablar como un descosido de lo importante que era su amigo el millonario ruso Dima. Según Mark, Las Tres Chimeneas era solo una de sus varias fincas. Tenía otra en Madeira, y otra en Sochi, en el Mar Negro.

—Y una casa en las afueras de Berna —prosiguió Gail—, donde está la sede de sus empresas. Pero él va de un lado a otro. Según Mark, pasa parte del año en París, parte en Roma y parte en Moscú. —Observó a Yvonne mientras esta volvía a tomar nota—. Pero el domicilio, por lo que se refiere a los hijos, es Suiza, y estudian en un colegio internacional para millonarios, en las montañas.

»Habla de la "compañía". Mark da por supuesto que Dima es el dueño. Hay una empresa registrada en Chipre. Y bancos. Varios bancos. La banca es su fuerte. Fue eso lo que lo llevó a la isla en un principio. En la actualidad Antigua cuenta con cuatro bancos rusos, según el recuento de Mark, y uno ucraniano.

No son más que placas de latón en galerías comerciales y un teléfono en el bufete de algún abogado. Cuando compró Las Tres Chimeneas, pagó a toca teja. Sin maletines; usó, cosa que en sí misma ya no auguraba nada bueno, canastas de lavandería, que le prestó el hotel, según Mark. Y en billetes de veinte dólares, no de cincuenta. Los de cincuenta son poco fiables. Compró la casa, y una refinería de azúcar en ruinas, y la península donde se encuentran.

—¿Mencionó Mark alguna cifra? —Luke de nuevo a la carga.

—Seis millones de dólares estadounidenses. Y el tenis tampoco era simple placer. O no inicialmente —continuó Gail, sorprendida de lo bien que recordaba el monólogo del insufrible Mark—. En Rusia, el tenis es uno de los principales símbolos de estatus. Si un ruso te dice que juega al tenis, está diciéndote que nada en la abundancia. Gracias a las extraordinarias clases de Mark, Dima regresó a Moscú, ganó una copa y todo el mundo quedó boquiabierto. Pero esa parte de la historia Mark debe callársela, porque Dima se enorgullece de haber aprendido por su cuenta. Conmigo Mark hizo una excepción por la absoluta confianza que yo le inspiraba. Y si en algún momento me apetecía dejarme caer por su tienda, tenía en el piso de arriba una habitacioncita de fábula donde podíamos seguir con la conversación.

Luke e Yvonne sonrieron en actitud comprensiva. Perry no esbozó siquiera un amago de sonrisa.

—¿Y Tamara? —preguntó Luke.

—Está «cegada por Dios», dijo Mark. Y de paso como una chota, según los isleños. No se baña en el mar, no va siquiera a la playa, no juega al tenis. A sus hijos solo les habla de Dios y a Natasha no le hace ni caso. Apenas dirige la palabra a los nativos, a excepción hecha de Elspeth, la mujer de Ambrose. Ambrose es el jefe de recepción del hotel. Elspeth trabaja en una agencia de viajes, pero si la familia de Dima anda por allí, lo deja todo y va a echar una mano. Según parece, no hace mucho una criada cogió prestadas unas joyas de Tamara para ir a un baile. Tamara la sorprendió antes de que las devolviese y le arreó tal mordisco en la mano que tuvieron que darle doce puntos. Dijo Mark que él, en su lugar, se habría puesto también la vacuna de la rabia.

—Y ahora, Gail, si es tan amable, háblenos de las niñas que se sentaron a su lado —propuso Luke.

Yvonne llevaba la batuta de la acusación; Luke hacía el papel de ayudante, y Gail, en el estrado, procuraba conservar la paciencia, que era lo que ella misma exigía a sus testigos so pena de excomunión.

—Entonces, Gail, ¿las niñas estaban ya allí acomodadas, o se acercaron dando brincos por propia iniciativa en cuanto vieron a la guapa señora? —preguntó Yvonne, llevándose el lápiz a la boca mientras examinaba sus anotaciones.

—Subieron por la escalera y se sentaron conmigo, una a cada lado. Y no vinieron dando brincos, sino caminando.

—¿Sonriendo? ¿Riendo? ¿En plan traviesas?

—Yo no vi una sonrisa ni media.

—¿Las envió a usted, en su opinión, quienquiera que estuviese cuidando de ellas?

—Vinieron por voluntad propia, sin lugar a dudas. En mi opinión.

—¿Está segura? —ahora más escocesa y tenaz.

—Lo vi todo. Mark acababa de hacerme una insinuación, y yo no tenía ninguna necesidad de oír cosas como esa, así que me largué sin miramientos a la grada superior para alejarme de él lo máximo posible. En esa grada estaba yo sola.

—¿Y dónde se encontraban las niñitas en ese momento? ¿Más abajo? ¿A la misma altura? ¿Dónde, por favor?

Gail tomó aire para serenarse y a continuación habló con toda calma:

—Las niñitas estaban sentadas en la segunda grada, con Elspeth, una a cada lado. La mayor se volvió y me miró; luego habló a Elspeth. Y no, no oí lo que decía. Elspeth se volvió y me miró, y contestó a la niña mayor con un gesto de asentimiento. Las dos niñas se consultaron entre sí, se levantaron y subieron hacia mí por la escalera. Despacio.

—No la presionen así —intervino Perry.

El testimonio de Gail ha pasado a ser más evasivo. O eso se le antoja a ella, con su oído de abogada, y sin duda también a Yvonne. Sí, las niñas se plantaron ante ella, dice Gail. La mayor la saludó con una reverencia que debía de haber aprendido en clases de danza y, en un inglés muy correcto, casi sin acento, preguntó: «¿Podemos sentarnos con usted, señorita?». Ante lo que Gail se echó a reír y dijo: «Claro que sí, señorita», y se sentaron con ella, una a cada lado, aún sin sonreír.

—Pregunté a la mayor cómo se llamaba. Hablé muy bajo, por lo callado que estaba todo el mundo. «Katia», dijo ella, y yo pregunté: «¿Y cómo se llama tu hermana?»; «Irina», me contestó. E Irina se volvió y me miró como si yo estuviera... no sé... entrometiéndome, de hecho. La verdad es que no entendía esa hostilidad. Les pregunté si sus padres estaban allí. A las dos. Katia negó con la cabeza, muy vehemente. Irina no dijo nada. Nos quedamos las tres quietas durante un rato. Un rato largo, para tratarse de niñas. Y yo pensé que a lo mejor les habían prohibido hablar en los partidos de tenis. O con desconocidos. O que quizá no sabían más inglés que ese, o eran autistas, o discapacitadas de un modo u otro.

Se interrumpe, con la esperanza de que le dirijan una pregunta o alguna forma de exhortación, pero solo ve ante sí cuatro ojos que aguardan y, a su lado, a Perry, vuelto hacia la pared de obra vista, cuyo olor recuerda a Gail el alcoholismo de su difunto padre. Respira hondo mentalmente y se lanza:

—Al final de un juego, aprovechando el cambio de lado, probé de nuevo: ¿a qué colegio vais, Katia? Katia niega con la cabeza; Irina la imita. ¿No vais al colegio? ¿O no vais al colegio durante estos días? No van durante estos días, según parece. Habían ido a la Escuela Internacional Inglesa de Roma, pero ya no. No explicaron por qué, ni yo se lo pregunté. No quise ponerme pesada, pero tuve un mal presentimiento, sin saber muy bien a qué se debía. ¿Viven en Roma, pues? Ya no. Otra vez Katia. ¿Fue en Roma donde aprendiste ese excelente inglés, pues? Sí. En la Escuela Internacional se podía elegir entre inglés o italiano. Era mejor el inglés. Señalo a los dos hijos de Dima. ¿Esos son hermanos vuestros? Vuelven a negar con la cabeza. ¿Primos? Sí, algo así. ¿Solo algo así? Sí. ¿También van a la Escuela Internacional? Sí, pero en Suiza, no en Roma. Y la chica guapa que vive dentro de un libro, digo, ¿es prima vuestra? La respuesta es de Katia, arrancada de ella como una confesión: Natasha es nuestra prima, o algo así: otra vez. Y seguían sin sonreír. Pero Katia acaricia mi pareo de seda. Como si nunca hubiera tocado la seda.

Gail respira hondo. Esto no es nada, se dice. Esto es el aperitivo. Espera al día siguiente para la historia de terror completa, tres platos y postre. Espera a oír mi opinión a posteriori.

—Y cuando ya ha acariciado la seda durante un rato, apoya la cabeza en mi brazo y cierra los ojos. Y ahí se acaba nuestra charla hasta pasados unos cinco minutos, solo que, al otro lado, Irina toma el relevo de Katia y, con fuerza, se adueña de mi mano con sus garras pequeñas y afiladas, como pinzas de cangrejo. Luego se lleva mi mano a la frente y mueve la cara a izquierda y derecha contra la palma como para indicarme que está afiebrada, pero lo que yo noto es que tiene las mejillas húmedas y descubro que está llorando. A continuación me devuelve la mano, y Katia dice: «A veces llora. Es normal». En ese momento termina el partido, y Elspeth viene a por ellas, subiendo a toda prisa por la escalera, y para entonces tengo ya ganas de envolver a Irina en mi pareo y llevármela a casa, preferiblemente acompañada de su hermana, pero como eso no puedo hacerlo, y no sé a qué se debe su disgusto, ni las conozco de nada, ahí se acaba la historia.

Pero la historia no acaba ahí. No en Antigua. La historia continúa maravillosamente. Perry Makepiece y Gail Perkins siguen disfrutando de las vacaciones más felices de su vida, tal como se prometieron allá en noviembre. Para recordarse su felicidad, Gail interpreta la versión sin censura de sí misma.

Las diez de la mañana, aproximadamente: acabado el tenis, volvemos al bungalow para que Perry se duche.

Hacemos el amor, tan bien como siempre, aún somos capaces de eso. Perry nunca se entrega a algo solo a medias, tiene que aplicar todas sus dotes de concentración en una sola cosa.

Doce del mediodía o más tarde: nos hemos perdido ya el bufet del desayuno por necesidades operativas, nadamos en el mar, almuerzo junto a la piscina, regresamos a la playa porque Perry necesita ganarme al tejo.

Cuatro de la tarde, aproximadamente: volvemos al bungalow, Perry ya victorioso —¿por qué no deja ganar a una chica aunque solo sea una vez?—, dormitamos, leemos, hacemos el amor, dormitamos de nuevo, perdemos el sentido del tiempo. En albornoz, nos pulimos el chardonnay del minibar recostados en la terraza.

Ocho de la tarde, aproximadamente: decidimos que nos da pereza vestirnos, pedimos que traigan la cena al bungalow.

Seguimos con nuestras vacaciones, esas que se dan una sola vez en la vida. Seguimos en el Edén, masticando la dichosa manzana.

Nueve de la noche, aproximadamente: llega la cena, y el carrito no lo empuja un viejo camarero del servicio de habitaciones, sino el venerable Ambrose en persona, quien, además del vino californiano corriente que hemos pedido, nos trae una botella helada de excelente champán Krug en una cubitera de plata, con un precio en la lista de vinos de 380 dólares más los impuestos, y procede a colocar ante nosotros, junto con dos copas heladas, una bandeja de canapés muy apetitosos, dos servilletas de damasco y un discurso preparado, que declama a pleno pulmón, con el pecho hinchado y las manos en posición de firmes, como un policía prestando declaración ante el juez.

—Les traigo esta magnífica botella de champán por cortesía de no otro que el único e incomparable señor Dima. El señor Dima desea darles las gracias por… —Saca una nota del bolsillo de la chaqueta junto con unas gafas de lectura—. Dice, y yo repito textualmente: «Catedrático, gracias de todo corazón por aleccionarme en el gran arte del juego limpio en el tenis y por comportarse como un caballero inglés. También le agradezco que me haya ahorrado los cinco mil dólares de la apuesta». Y añade un cumplido para la muy hermosa señorita Gail, y ese es su mensaje.

Bebemos un par de copas de Krug y, de común acuerdo, decidimos terminarnos el resto en la cama.

—¿Qué son los filetes de Kobe? —me pregunta Perry en algún momento durante una noche memorable.

—¿Alguna vez le has frotado la barriga a una chica? —pregunto.

—Ni se me pasaría por la cabeza —contesta Perry mientras hace precisamente eso.

—Vacas vírgenes —explico—. Criadas con sake y la mejor cerveza. A las reses de Kobe les masajean la barriga cada noche hasta que están listas para el tajo. Además, son propiedad intelectual de primera categoría —añado, lo que es también verdad, pero dudo que siga escuchándome—. Nuestro bufete los defendió en un pleito y ganó de calle.

Cuando me duermo, tengo un sueño profético en blanco y negro: estoy en Rusia y ocurren desgracias a niños pequeños en tiempo de guerra.

3

El cielo de Gail se oscurece, y también la habitación del sótano. Con el anochecer, la luz tenue de la lámpara suspendida del techo parece iluminar más lúgubremente la mesa, y las paredes de obra vista ahora son negras. Por encima de ellos, en la calle, el murmullo del tráfico llega amortiguado y a rachas. Lo mismo ocurre con los pasos de los pies desdibujados que desfilan por detrás de las ventanas de cristal mate. Ollie, el taxista corpulento y afable del pendiente, ya sin boina, ha entrado con cuatro tazas de té y una bandeja de galletas digestivas y ha vuelto a marcharse.

Si bien este es el mismo Ollie que los ha recogido en el taxi negro frente al piso de Gail unas horas antes esa tarde, ahora ya está claro que no es un verdadero taxista, pese a la placa con el número de licencia que exhibe en el amplio pecho. Ollie, según Luke, «nos lleva a todos por el camino recto», pero Gail no se lo traga. Una escocesa calvinista e intelectualoide no necesita orientación moral, y para un jockey amateur de club de campo, sin control sobre su propia mirada y al amparo de la armadura de encanto propia de su clase, ya es demasiado tarde.

Además, los ojos de Ollie, a juicio de Gail, esconden mucho más de lo que se requiere para una función menor como esa. La desconcierta el pendiente, ya sea un signo sexual o una simple payasada. La desconcierta asimismo su voz. Al oírla por el interfono en Primrose Hill, era puro cockney. Mientras conversaba con ellos a través de la mampara sobre el mal tiempo que estábamos teniendo para mayo —después de un abril magnífico, y a ver cómo se recuperan ahora las flores del diluvio de anoche—, Gail detectó un dejo extranjero, y su sintaxis empezó a resquebrajarse. ¿Cuál era, pues, su lengua materna? ¿El griego, el turco, el hebreo? ¿O es la voz, como ese único pendiente, pura pantomima sin otro fin que embaucar a un par de aficionados como nosotros?

Lamenta haber firmado la dichosa declaración. Lamenta que Perry la haya firmado. Perry, al firmar ese impreso, no estaba «firmando»; estaba uniéndose a la causa.

El viernes era el último día de vacaciones de la pareja india en luna de miel, dice Perry. Por tanto, han acordado jugar al mejor de cinco sets en lugar de los habituales tres, y en consecuencia se pierden otra vez el desayuno.

—Nos conformamos, pues, con un baño en el mar, y quizá un *brunch* si apretaba el hambre. Elegimos el extremo más concurrido de la playa. No era la zona a la que solíamos ir, pero teníamos el ojo puesto en el Shipwreck Bar.

El tono de eficiencia, identifica Gail. Perry el profesor de lengua. Datos y frases cortas. Nada de conceptos abstractos. Dejemos que la historia se cuente por sí sola. Eligieron una sombrilla, continúa él. Extendieron sus cosas. Iban camino del agua cuando en el área de estacionamiento prohibido se detuvo un monovolumen con las lunas tintadas. Salieron primero el guardaespaldas con cara de niño y luego el hombre de la boina escocesa que habían visto en el partido de tenis, ahora con pantalón corto y chaleco de gamuza amarillo, pero con la boina todavía bien calada. A continuación apareció Elspeth, la mujer de Ambrose, y la siguieron un cocodrilo de goma hinchable con las fauces abiertas y Katia, dice Perry, alardeando de su legendaria retentiva. Y detrás de Katia asomó una enorme pelota playera roja con una cara sonriente y asas, que resultó ser propiedad de Irina, vestida también para la playa.

Y finalmente salió Natasha, añade él, momento en que Gail decide intervenir: «Natasha es asunto mío, no tuyo».

—Pero solo después de una pausa teatral, y justo cuando creíamos que ya no quedaba nadie en el monovolumen —matiza—. Vestida para matar, con un sombrero de estilo hakka, como una pantalla de lámpara, un *cheongsam* abotonado con muletillas y sandalias griegas atadas a los tobillos con correas cruzadas, acarreando su mamotreto encuadernado en piel. Después de avanzar por la arena con mucha delicadeza para que todos la vean, se acomoda lánguidamente bajo la última sombrilla de la hilera, la más alejada, e inicia esa lectura suya tan tan seria. ¿No es así, Perry?

—Si tú lo dices —contesta Perry, incómodo, y se echa atrás bruscamente en la silla como para distanciarse de ella.

—Lo digo, sí. Pero lo más misterioso, lo escalofriante de verdad —prosigue con estridencia ahora que Natasha no está ya en el punto de mira—, fue que todos los miembros del grupo, grandes y pequeños, sabían adónde ir y qué hacer exactamente en cuanto llegaron a la playa.

El guardaespaldas con cara de niño fue derecho al Shipwreck Bar y pidió una lata de cerveza de raíces, que consiguió alargar durante dos horas, dice ella, conservando la iniciativa. El hombre de la boina escocesa, pese a su mole —un «primo», según Mark, uno de los muchos «primos» de Perm, en Rusia, el pueblo, que no tenía nada que ver con la *perm*anente—, subió por la precaria escalerilla del puesto de vigilancia de un socorrista, sacó un flotador, lo infló y se sentó encima, cabe suponer que por un problema de almorranas. Las dos niñas, seguidas de lejos por la amplia Elspeth con su voluminosa cesta, descendieron con su cocodrilo y su pelota playera por la pendiente de arena hacia donde habían plantado el campamento Perry y Gail.

—También caminando —precisa Gail con mucho énfasis en

atención a Yvonne—, sin brincos ni saltos ni gritos. Caminando, y tan calladas y alertas como en la pista de tenis. Irina, con el pulgar en la boca y cara de pocos amigos; Katia, con una voz tan cordial como la de un reloj parlante: «¿Quiere venir a nadar con nosotras, señorita Gail?». Y yo, quizá para distender un poco el ambiente, contesté: «Señorita Katia, será un honor para el señor Perry y para mí nadar con vosotras». Y fuimos a nadar. ¿Eh que sí? —esto a Perry, quien, después de responder con un gesto de asentimiento, insistió en colocar de nuevo las manos sobre las de ella, tal vez para darle apoyo o tal vez para tranquilizarla, Gail no acababa de saberlo, pero en cualquier caso el resultado fue el mismo: se vio obligada a cerrar los ojos y esperar varios segundos hasta sentirse en condiciones de continuar, cosa que hizo con otra ráfaga—. Era todo un montaje. Nosotros sabíamos que era un montaje. Las niñas sabían que era un montaje. Pero si había dos criaturas que necesitaban chapotear con un cocodrilo y una pelota playera, eran aquellas, ¿eh que sí, Perry?

—Sin duda —contesta Perry con convicción.

—Así que Irina me agarró de la mano y me llevó al agua casi por la fuerza. Katia y Perry nos siguieron con el cocodrilo. Y yo pensaba: ¿dónde demonios están sus padres y por qué hacemos esto nosotros en lugar de ellos? No se lo pregunté a Katia a las claras. Presentía, supongo, que era una pregunta indiscreta. Una situación de divorcio o algo por el estilo. Así que le pregunté quién era aquel caballero tan amable de la boina, el que estaba sentado en lo alto de la escalinata. El tío Vania, dice Katia. Ah, muy bien, digo, ¿y quién es el tío Vania? Respuesta: pues un tío. ¿De Perm? Sí, de Perm. Sin más explicaciones. Igual que la otra vez: ya no vamos al colegio en Roma. ¿Me he apuntado ya algún tanto en contra, Perry?

—En absoluto.

—Entonces continúo.

Durante un rato, el sol y el mar cumplen su cometido. Gail prosigue.

—Las niñas chapotean y saltan, y es para morirse de risa cuando Perry, haciendo de poderoso Poseidón, surge de las profundidades con sus ruidos de monstruo marino... no, en serio, fue así, Perry, estuviste maravilloso, admítelo.

Extenuados, vuelven todos tambaleantes a la arena, y Elspeth seca, viste y aplica crema solar a las niñas.

—Pero en cuestión de segundos, literalmente, vuelven y se ponen en cuclillas al borde de mi toalla. Y basta con mirarlas a la cara para saber que las sombras de tristeza siguen presentes, solo que por un rato han quedado escondidas. Bien, pienso, un refrigerio: helados y refrescos. Perry, eso es trabajo de hombres, le digo, cumple con tu obligación. ¿Eh que sí, Perry?

¿Un refrigerio?, repite Gail para sí. ¿Por qué hablo otra vez como mi deplorable madre? Porque soy otra actriz fracasada con una voz poderosa que sube de volumen cuanto más hablo.

—Sí —asiente Perry con retraso.

—Y allá va él, raudo y veloz, a buscarlos, ¿no? Cucuruchos de helado de caramelo con nueces para todos, zumo de piña para las pequeñas. Pero cuando Perry va a firmar la cuenta, el camarero le dice que ya está todo pagado. ¿Por quién? —Gail se acelera exhibiendo la misma falsa alegría—. ¡Por Vania! Por el tío gordo, siempre tan atento, con su boina escocesa, encaramado en la cofa. Pero Perry, siendo quien es, no podía aceptar una cosa así, ¿eh, Perry?

Incómodo, mueve su alargada cabeza en un gesto de negación para dar a entender que está en la pared del precipicio y no oye nada, pero ha captado el mensaje.

—Ciertas formas de gorroneo le generan un malestar patológico, ¿verdad que sí? Y aquí se trata de una persona que ni siquiera conoces. Así que Perry va y sube por la escalerilla para decirle al tío Vania que muy amable por su parte y demás, pero él prefiere pagar lo suyo.

Calla. Se apaga. Sin la desesperada ligereza de Gail, Perry toma el relevo y reanuda la historia:

—Subí por la escalerilla hasta donde estaba sentado Vania en su flotador. Me agaché bajo la sombrilla para darle mi opinión y, sin querer, puse la mirada en la culata de una pistola negra enorme que asomaba de debajo de su tripa. Se había desabrochado el chaleco de gamuza por el calor, y allí estaba, a plena vista. Yo no entiendo de armas, gracias a Dios. Ni quiero. Ustedes sí entienden, eso no lo dudo. Esta era de tamaño familiar —explica, pesaroso, y se produce un elocuente silencio mientras lanza una mirada lastimera a Gail, quien, indiferente a sus esfuerzos, no se la devuelve.

—¿Y no se le ocurrió comentar nada al respecto, Perry? —apunta el pequeño y hábil Luke, quien siempre sale a cubrir la brecha—. Respecto al arma, quiero decir.

—Pues no. Supuse que él no se había dado cuenta de que yo la había visto, y decidí que lo más sensato por mi parte, desde un punto de vista táctico, era no haber visto nada. Le di las gracias por el helado y volví a bajar hasta donde estaba Gail, charlando con las niñas.

Luke reflexiona sobre esto con especial intensidad. Da la impresión de que algo le reconcome. ¿Era acaso la espinosa cuestión del protocolo entre espías el motivo de su inquietud?, se pregunta Gail con sorna. ¿Qué hace uno si ve asomar una pistola por debajo del chaleco de un hombre y no lo conoce muy bien? ¿Le dice que se le ve, o sencillamente se hace el sueco? Como cuando alguien a quien uno no conoce muy bien tiene la bragueta abierta.

Yvonne, la intelectualoide escocesa, decide salir en ayuda de Luke ante este dilema.

—¿En inglés, Perry? —pregunta con severidad—. Le dio usted las gracias en inglés, imagino. ¿Contestó también él en inglés?

—No contestó en ningún idioma. Pero sí me fijé en que llevaba un botón negro de luto prendido en el chaleco, algo que no veía desde hacía mucho tiempo. Y que usted ni siquiera sabía que existía, ¿verdad? —preguntó él con tono acusador.

Atónita ante la agresividad de Perry, Gail cabecea. Es verdad, Perry. Me declaro culpable. No sabía qué eran los botones de luto y ahora ya lo sé, así que puedes seguir con la historia, ¿eh?

—¿Y no se le ocurrió, por ejemplo, poner sobre aviso al hotel, Perry? —porfía Luke—. «Hay un ruso con una pistola de tamaño familiar sentado en el puesto del socorrista.»

—Uno considera diversas opciones, Luke, y esa fue sin duda una de ellas —contesta Perry, que no ha agotado aún del todo su arranque de agresividad—. Pero ¿qué demonios iba a hacer el hotel? Saltaba a la vista que Dima era el dueño del establecimiento o al menos lo tenía en el bolsillo. Además, debíamos pensar en las niñas: ¿estaba bien armar revuelo delante de todo el mundo? Decidimos que no.

—¿Y a las autoridades policiales de la isla? ¿Eso se lo planteó? —otra vez Luke.

—Nos quedaban cuatro días. No queríamos perderlos en declaraciones melodramáticas a la policía sobre asuntos en los que seguramente estaban ya metidos hasta el cuello.

—¿Eso fue una decisión conjunta?

—Fue una decisión ejecutiva. Mía. No iba a ir a Gail y decirle: «Vania lleva una pistola debajo del cinturón, ¿crees que deberíamos avisar a la policía?». Y menos delante de las niñas. En cuanto nos quedamos solos y puse en orden las ideas, le conté lo que había visto. Hablamos del tema racionalmente, y esa fue la decisión a la que llegamos: no actuaríamos.

Asaltada por un involuntario y súbito impulso de apoyo afectivo, Gail lo respalda con su experta opinión jurídica:

—Podía ser que Vania tuviera un permiso local perfectamente válido para llevar el arma. ¿Qué iba a saber Perry? Podía ser que ni siquiera necesitara permiso. Podía ser incluso que le hubiese dado el arma la propia policía. No estábamos lo que se dice muy al corriente sobre la normativa para el uso de armas en Antigua, ¿eh que no, Perry? Ni tú ni yo.

Medio espera que Yvonne plantee una argumentación jurídica opuesta, pero está muy ocupada consultando en su carpeta beige la copia del conflictivo documento.

—¿Sería mucha molestia si les pido a los dos una descripción de ese tío Vania? —pregunta con voz despojada de toda agresividad.

—Picado de viruela —se apresura a contestar Gail, de nuevo pasmada por haber registrado todo eso en su memoria—. Cincuentón. Mejillas como de piedra pómez. Barriga de bebedor. —Creía haberlo visto beber furtivamente de una petaca en la pista de tenis, pero no podía asegurarlo.

—Anillos en todos los dedos de la mano derecha —añade Perry cuando le llega el turno—. Vistos conjuntamente, unas nudilleras. Pelo negro, de espantapájaros, asomando por detrás de la boina escocesa, pero sospecho que era calvo, y por eso llevaba la boina. Grasa por todas partes.

Y sí, Yvonne, ese es él, coinciden con un susurro, acercando las cabezas hasta rozarse. Entre ellos saltan chispas de electricidad mientras contemplan la fotografía de veinte por quince centímetros que Yvonne ha colocado bajo sus narices. Sí, ese es Vania, de Perm, el segundo por la izquierda del grupo de cuatro hombres blancos, obesos y alegres, sentados en un club nocturno entre busconas y serpentinas y botellas de champán la Nochevieja de 2009, a saber dónde.

Gail necesita ir al baño. Yvonne la acompaña por la estrecha escalera del sótano hasta la planta baja misteriosamente postinera. Ollie, el afable taxista, ahora sin boina, se halla repantigado en el sillón de orejas, absorto en la lectura de un periódico. No es un diario corriente: está impreso en cirílico. Gail cree descifrar las palabras *Novaya Gazeta*, pero no tiene la total certeza, y no quiere hacerle el favor de preguntárselo. Yvonne espera mientras Gail orina. El lavabo es elegante, con toallas de baño bonitas, jabón perfumado y grabados de caza de Jorrocks sobre un papel pintado caro. Regresan al sótano. Perry continúa encorvado sobre sus manos, pero ahora con las palmas hacia arriba, de manera que parece leer la buenaventura por partida doble.

—Bien, Gail —dice el pequeño Luke, animoso, como si acabara de iniciarse un nuevo capítulo—. Ahora lleva usted la voz cantante.

¿Cantante, Luke? Más que cantar, voy a clamar al cielo, a desahogarme de todo aquello que lleva acumulándose dentro de mí desde hace ya un rato, como quizá hayas notado mientras me recorrías con la mirada algo más a menudo de lo que se considera estrictamente necesario en el *Manual de protocolo entre géneros* de los espías.

—No tenía ni idea, la verdad —empieza Gail, hablando al frente pero decantándose más hacia Yvonne que hacia Luke—. Metí la pata, así de claro. Debería haberlo visto venir. Y no lo vi.

—No tienes nada que reprocharte —ataja Perry con vehemencia desde su lado—. Nadie te lo dijo, nadie te hizo la menor advertencia. Si hay culpables, son Dima y su gente.

Gail no acepta el consuelo. Es una profesional de la abogacía en una bodega con las paredes de ladrillo, ya entrada la noche, arguyendo en contra del acusado, y el acusado es ella. Está tendida boca abajo en una playa de Antigua, a la sombra de un parasol, a media tarde, con el tirante del sujetador desatado y dos niñas en cuclillas junto a ella, y Perry tumbado al otro lado con su pantalón corto de colegial y unas gafas de la Seguridad Social de su difunto padre que ha aprovechado para hacerse unas gafas de sol con sus propias lentes graduadas.

Las niñas se han comido sus helados gratis y bebido sus zumos gratis. El tío Vania de Perm está en lo alto de su escalerilla, con una pistola de tamaño familiar al cinto, y Natasha —cuyo nombre es un reto para Gail cada vez que se enfrenta a él; tiene que prepararse y superarlo de un salto limpio, como en las clases de equitación del colegio—... y Natasha yace en el otro extremo de la playa en magnífico aislamiento. Entretanto, Elspeth se ha retirado a distancia prudencial. Tal vez sepa qué está a punto de ocurrir. Con la visión retrospectiva a la que no se le permite recurrir, Gail así lo cree.

Las sombras han reaparecido en los semblantes de las niñas, observa. La abogada que hay en ella teme que acaso las pequeñas compartan un secreto horrendo. Con las cosas que tiene que oír en el juzgado casi todos los días de la semana, eso es lo que la inquieta, eso es lo que aviva su curiosidad: niñas que no parlotean ni se portan mal. Niñas que no se dan cuenta de que son víctimas. Niñas que son incapaces de mirar a los ojos. Niñas que se sienten culpables del daño que les infligen los adultos.

—Yo me gano la vida haciendo preguntas —afirma. Ahora se dirige a Yvonne. Luke es una forma borrosa y Perry queda fuera del encuadre, relegado aposta—. He trabajado en los juzgados de familia, he llevado a niños al estrado como testigos. Lo que hacemos en nuestro trabajo lo hacemos también fuera de nuestro trabajo. No nos desdoblamos. Somos una única persona.

En un gesto destinado a atenuar la tensión de Gail más que la suya propia, Perry echa el cuerpo adelante y estira sus largos brazos como un nadador, pero Gail no está menos tensa cuando se obliga a seguir.

—Así las cosas, lo primero que dije a las niñas fue: contadme algo más sobre el tío Vania. Se habían mostrado tan enigmáticas respecto a él que pensé que a lo mejor era un mal tío. «El tío Vania toca la balalaica con nosotras, lo queremos mucho, y es muy gracioso cuando se emborracha.» Esto en palabras de Irina, decidida a ser más comunicativa que su hermana mayor. Pero yo me digo: un tío borracho que les toca música... ¿y qué más les toca?

—Y siguen hablando en inglés, cabe suponer —pregunta Yvonne en su búsqueda de todos los detalles, hasta los más nimios. Pero ahora con delicadeza, de mujer a mujer—. ¿No hemos pasado a un francés básico ni nada por el estilo?

—El inglés era prácticamente su lengua materna, un inglés americano de colegio internacional con un ligero acento italiano. Y entonces pregunté si Vania era un tío de verdad o solo honorario. Respuesta: Vania es el hermano de nuestra madre y antes estaba casado con la tía Raísa, que ahora vive en Sochi con otro marido que no le cae bien a nadie. Acto seguido pasamos a hacer el árbol genealógico, cosa que a mí me interesa mucho. Tamara es la mujer de Dima, y es muy estricta, y reza mucho porque es una santa, y es buena por quedarse con nosotras. ¿Buena? ¿Cómo que «quedarse con nosotras»? Y entonces digo... ahora en plan abogada astuta, con preguntas tangenciales, no a las claras... ¿Dima es bueno con Tamara? ¿Dima es bueno con sus hijos? En el fondo me interesa saber: ¿Dima es un poco demasiado bueno con vosotras? Y Katia dice: sí, Dima es bueno con Tamara porque es su marido y la hermana de Tamara ha muerto, y Dima es bueno con Natasha porque es su padre y su madre ha muerto, y con sus hijos porque es su padre. Cosa que abre la puerta a la pregunta que en realidad quiero hacer, y se la planteo a Katia porque es la mayor: ¿y quién es vuestro padre, Katia? Y Katia contesta: ha muerto. E Irina añade: y nuestra madre también. Están los dos muertos. Yo pongo cara como diciendo «¡Vaya por Dios!», y al ver que ellas se quedan mirándome, añado que lo siento mucho. ¿Cuánto hace que murieron? Ni siquiera sabía aún si creerlas. Una parte de mí conservaba la esperanza de que aquello fuese una de esas bromas pesadas propias de los niños. Para entonces es Irina quien habla. Katia ha entrado en una especie de trance; también yo, pero eso no viene al caso. Murieron el miércoles, dice Irina. Con mucho énfasis en el día. Como si la culpa la tuviera el día. Fue el «miércoles» cuando murieron, a saber qué miércoles. Así que digo... y la cosa va de mal en peor... ¿te refieres al miércoles pasado? Y la respuesta de Irina es: sí, el miércoles de la semana pasada, el 29 de abril. Con mucha precisión, asegurándose de que entiendo bien. O sea, el miércoles de la semana anterior, y algo sobre un accidente de coche, y yo me quedo allí sentada, mirándolas boquiabierta, e Irina me coge la mano y me da unas palmadas y Katia apoya la cabeza en mi regazo, y Perry, de quien me he olvidado por completo, me rodea con el brazo, y yo soy la única que llora.

Gail se muerde el nudillo del dedo índice, que es otro de sus recursos en el juzgado para protegerse de emociones poco profesionales.

—Al hablar luego con Perry en el bungalow, todo encajaba poco más o menos —explica Gail, levantando la voz para adoptar un tono aún más remoto, pero manteniendo a Perry fuera de su campo visual, y a la vez intentando presentar como algo natural que las dos niñas disfrutasen de una feliz estancia junto al mar un par de días después de morir sus padres en un accidente de coche, como así sucede con los niños pequeños, pero quizá los espías no tienen niños, claro—. Sus padres murieron el miércoles. El partido de tenis tuvo lugar el miércoles siguiente. Por tanto, la familia llevaba una semana de duelo, y Dima había decidido que ya era hora de sacarlos a tomar un poco de aire fresco: así que arriba esos ánimos y a ver quién se apunta a un partido de tenis. Si eran judíos, y por lo que nosotros sabíamos bien podían serlo, o al menos algunos de ellos, o tal vez los padres muertos, quizá observaban el *shivah* y en principio ese miércoles debían volver a la vida. Eso no cuadraba mucho con el devoto cristianismo y el crucifijo de Tamara, pero allí no era una cuestión de coherencia religiosa lo que se planteaba, no con aquella gente, y en general a Tamara la tenían por rara.

Otra vez Yvonne, respetuosa pero firme:

—Lamento insistir, Gail, pero Katia dijo que fue un accidente de coche. Veamos, ¿solo contó eso? ¿O también dijo, por ejemplo, dónde se produjo el accidente?

—En algún sitio de las afueras de Moscú. Sin precisar. Según ella, la culpa fue de las carreteras. En las carreteras había muchos baches. Todo el mundo conducía por el medio para esquivar los baches, y lógicamente los coches chocaban.

—¿Se mencionó una posible hospitalización? ¿O el papá y la mamá murieron en el acto? ¿Cómo fue?

—Muertos en el impacto. «Un camión enorme vino a toda velocidad por el medio de la carretera y los mató bien muertos», palabras de Katia.

—¿Alguna otra víctima, aparte de los padres?

—No estuve muy acertada en las preguntas de seguimiento, lamento decir —sintiendo que empezaba a flaquear.

—Pero ¿había un chófer, por decir algo? Si el chófer también resultó muerto, sin duda formaría parte de la historia, ¿no?

Yvonne no ha contado con Perry.

—Ni Katia ni Irina hicieron referencia a un chófer, ni vivo ni muerto, ni directa ni indirectamente, Yvonne —dice él con el lento tono de rectificación que reserva a los alumnos holgazanes y los guardaespaldas rapiñeros—. No se habló de otras víctimas, ni de hospitales, ni de qué coche en concreto llevaba nadie. —El volumen de su voz va en aumento—. Ni de si tenían seguro a terceros o...

—Basta —ataja Luke.

Gail había vuelto a subir a la planta baja, esta vez sin escolta. Perry se quedó donde estaba, la cabeza enjaulada tras los dedos de una mano mientras tamborileaba impaciente en la mesa con los de la otra. Gail regresó y se sentó. Perry no pareció darse cuenta.

—¿Y bien, Perry? —dijo Luke, imperioso y profesional.

—Y bien ¿qué?

—El críquet.

—Fue al día siguiente.

—Eso ya lo sabemos. Consta en su documento.

—¿Y por qué no lo leemos, pues?

—Creía que eso ya estaba claro, ¿no?

Muy bien, fue al día siguiente, a la misma hora, en la misma playa, en una zona distinta, confirmó Perry de mala gana. El mismo monovolumen de cristales tintados se detuvo en el área de estacionamiento prohibido, y de él salieron no solo Elspeth, las dos niñas y Natasha, sino también los chicos.

No obstante, al oír la palabra «críquet», Perry había empezado a animarse.

—Parecían dos potros adolescentes que, después de un largo encierro en el establo, por fin pueden galopar —dijo con repentina satisfacción, asaltado por el recuerdo.

Para la visita a la playa de ese día, Gail y él habían elegido el lugar más alejado posible de la casa conocida como Las Tres Chimeneas, explicó. No es que se escondieran de Dima y compañía, pero habían pasado mala noche, tras cometer el elemental error de beberse el ron de cortesía en el hotel, y se habían levantado tarde con un tremendo dolor de cabeza.

—Y además era imposible escapar de ellos, claro —interviene Gail, decidiendo que vuelve a ser su turno—. En esa playa. ¿Verdad, Perry? En toda la isla, si a eso vamos. ¿A qué venía tanto interés en nosotros por parte de los Dima? Es más, ¿quiénes eran? ¿Qué querían? ¿Y por qué nosotros? A cada esquina que doblábamos, allí estaban. Esa sensación empezábamos a tener. En el bungalow, los teníamos justo enfrente, al otro lado de la ensenada, y desde allí nos observaban. O eso imaginábamos nosotros, que era igual de malo. Y en la playa no necesitaban siquiera prismáticos. Les bastaba con asomarse por encima de la tapia del jardín y mirar. Cosa que sin duda ocurría con frecuencia, porque hacía unos minutos que habíamos plantado el campamento cuando apareció el monovolumen de cristales tintados.

El mismo guardaespaldas con cara de niño, dijo Perry, tomando él de nuevo el hilo del relato. Esta vez no en el bar, sino a la sombra de un árbol en una elevación del terreno. El tío Vania de Perm, con su boina escocesa y su revólver de tamaño familiar, no estaba a la vista, pero sí los acompañaba el sustituto de este, un individuo alto y flaco como una espingarda, que debía de ser un obseso del *fitness*, porque en lugar de encaramarse al puesto del socorrista trotaba playa arriba, playa abajo, cronometrándose y deteniéndose en cada extremo para hacer un poco de tai chi.

—Un individuo con el pelo cardado —explicó Perry, y su sonrisa se ensanchó hasta alcanzar toda su amplitud—. Cinético. Bueno, más bien, frenético. Era incapaz de quedarse quieto más de cinco segundos. Y decir delgado es quedarse corto. Era esquelético. Pensamos que era una nueva incorporación al séquito de la familia, concluyendo que existía una gran rotación de primos de Perm entre los Dima.

—Y Perry echó una ojeada a los niños, ¿verdad? —dijo Gail—. Sobre todo a los dos chicos, y pensaste: «Dios mío, ¿qué vamos a hacer con esta gente?». Entonces se te ocurrió la única idea brillante de todas las vacaciones: el críquet. Bueno, no tan brillante para quien conozca a Perry. Solo hay que darle una pelota mordisqueada por un perro y unos cuantos maderos arrastrados a la playa por el mar, y para él ya no hay nada en el mundo aparte del críquet, ¿eh que no?

—Nos tomamos el juego muy en serio, como debe ser —admitió Perry con un ceño poco convincente detrás de la sonrisa—. Montamos un *wicket* con trozos de madera y pusimos ramas encima a modo de travesaños. Los del club marítimo nos consiguieron un bate y algo parecido a una pelota. Reunimos a un puñado de rastas y viejos británicos para ocupar las posiciones de juego exteriores, y de pronto éramos seis por bando, Rusia contra el resto del mundo, todo un acontecimiento deportivo. Mandé a los chicos a persuadir a Natasha para que viniera a hacer de guardameta, pero al volver dijeron que estaba leyendo a un tal Turguéniev, del que aparentaron no haber oído hablar nunca. Nuestra siguiente tarea fue impartir las sagradas Leyes del Críquet a... —la sonrisa ahora de oreja a oreja—, bueno, a una gente que no atendía a leyes. No me refiero a los viejos británicos y los rastas, claro está. Esos eran jugadores de críquet natos. Los jóvenes Dima, en cambio, eran internacionales. Habían jugado un poco al béisbol, pero se ofendían si les decías que aquello consistía en lanzar la pelota, no en dar pedradas. Las niñas necesitaron un poco de supervisión, pero en cuanto conseguimos que los viejos británicos batearan, pudimos situarlas como corredoras. Si las niñas se aburrían, Gail se las llevaba a tomar algo y nadar. ¿No?

—Decidimos que lo más importante era mantenerlos en movimiento —explicó Gail, compartiendo resueltamente el buen ánimo de Perry—. No dejarles demasiado tiempo para cavilaciones. Los chicos iban a pasárselo en grande hiciéramos lo que hiciéramos. Y en cuanto a las niñas... en fin, por lo que a mí se refería, bastaba con arrancarles una sonrisa para... quiero decir... Dios mío... —y dejó el resto en el aire.

Al ver a Gail en apuros, Perry intervino en el acto.

—En críquet, cuesta mucho lanzar en condiciones desde esa arena tan blanda —explicó a Luke mientras ella recobraba la compostura—. Imagíneselo: los lanzadores se quedan clavados, los bateadores giran como peonzas.

—Me lo imagino —asintió Luke de todo corazón, presto a acomodarse al tono de Perry e igualarlo.

—Tampoco es que importara mucho. Todos se lo pasaron bomba y el equipo ganador recibió helados de premio. Lo declaramos empate, así que los dos equipos tuvieron sus helados —dijo Perry.

—Pagados por el nuevo tío en funciones, ¿supongo? —comentó Luke.

—Yo había puesto fin a eso —contestó Perry—. Los helados corrieron de nuestra cuenta sin discusión.

En cuanto Gail se serenó, Luke adoptó un tono más serio.

—¿Y fue mientras los dos equipos ganaban... ya muy avanzado el partido, de hecho... cuando vieron ustedes el interior del monovolumen aparcado? ¿Lo he entendido bien?

—Estábamos ya pensando en levantar la sesión, sí —admitió Perry—, y de pronto se abrió la puerta y allí estaban. Quizá les apetecía respirar un poco de aire fresco. O vernos mejor. Quién sabe. Fue como una visita de la realeza. De incógnito.

—¿Cuánto tiempo llevaba abierta la puerta?

Perry en guardia, amparándose en su acreditada memoria. Perry el testigo perfecto, que nunca se fía de sí mismo, nunca se precipita al contestar, siempre actúa de manera responsable. Ese era otro Perry al que Gail adoraba.

—Pues la verdad es que no lo sé, Luke. No podría decírselo exactamente. No podríamos. —Mirando de soslayo a Gail, que cabeceó para corroborar que ella tampoco podía—. Miré; Gail me vio mirar, ¿verdad? Y ella también miró. Los dos los vimos. A Dima y Tamara, uno al lado del otro, muy erguidos, lo oscuro y lo claro, la flaca y el gordo, observándonos desde el asiento trasero del monovolumen. Y de pronto, zas, cierran la puerta.

—Observándolos atentamente, digamos, sin sonreírles —comentó Luke con despreocupación mientras tomaba nota.

—Él tenía algo de... en fin, ya se lo he dicho... algo de regio. Sí. Él y ella, los dos. Los Dima de la realeza. Si uno de ellos hubiese alargado el brazo y tirado de una borla de seda para que el cochero se pusiera en marcha, no me habría sorprendido en absoluto. —Se recreó en esta idea y dio el visto bueno con un gesto de asentimiento—. En una isla, la gente importante parece más importante. Y los Dima eran... en fin, gente importante. Todavía lo son.

Yvonne tenía una fotografía más que someter a su consideración, esta vez una foto de archivo policial en blanco y negro: de cara y de perfil, dos ojos morados, un ojo morado. Y la boca hinchada y maltrecha de alguien que acaba de hacer una declaración voluntaria. Al verla, Gail arruga la nariz en actitud de desaprobación. Mira a Perry y coinciden: no lo conocemos.

Pero Yvonne, la escocesa, no se da por vencida:

—Si le pongo una peluca un poco rizada... imagínenlo por un momento... y le limpio un poquito la cara, ¿no creen que tal vez este sea el obseso del *fitness*, que salió de una cárcel italiana el pasado mes de diciembre?

Piensan que sí podría ser. Acercándose el uno al otro, al final no les cabe la menor duda.

Esa misma noche, en el restaurante Captain's Deck, recibieron la invitación de manos del venerable Ambrose mientras servía el vino para que lo catara Perry. Perry, el hijo de puritanos, no imita voces. Gail, la hija de actores, las imita todas. Se asigna el papel del venerable Ambrose:

—«Y mañana por la noche, joven pareja, tendré que renunciar al placer de servirles. ¿Y saben por qué? Porque se les ha concedido el honor, joven pareja, de asistir como invitados sorpresa del señor Dima y señora a la celebración del decimocuarto cumpleaños de sus hijos gemelos, a quienes, según he oído, han dado a conocer ustedes personalmente el noble arte del críquet. Y mi Elspeth ha preparado la tarta de nueces más grande y mejor que han visto en su vida. Si fuese más grande... caray, señorita Gail, esos chicos, por lo que he oído, la harían salir a usted de dentro, de tanto como la adoran.»

Con un floreo final, Ambrose les entregó un sobre donde se leía: «Señor Perry y señorita Gail». Contenía dos tarjetas de visita de Dima, blancas, de papel de barba, como las invitaciones de boda, con nombre y apellidos: «Dimitri Vladimiróvich Krasnov, director europeo, Consorcio Mercantil Multiglobal La Arena de Nicosia, Chipre». Y debajo, la dirección de la página web de la compañía y una dirección de Berna presentada como «residencia y sede».

4

Si alguno de los dos se planteó rehusar la invitación de Dima, no se lo confesó al otro.

—Lo hicimos por los chicos —dijo Gail—. Los gemelos, dos adolescentes grandullones, celebraban su cumpleaños: genial. Así nos vendieron la invitación, y nosotros nos tragamos el anzuelo. Pero para mí contaban más las dos niñas. —Felicitándose de nuevo en sus adentros por no mencionar a Natasha—. Mientras que para Perry... —Le lanzó una mirada de incertidumbre.

—Para Perry ¿qué? —preguntó Luke al ver que él no respondía.

Gail echaba ya marcha atrás, para proteger a su hombre.

—Todo aquello lo fascinaba. ¿Verdad, Perry? Dima, quien era, la fuerza vital, el hombre forjado. Esa banda de forajidos rusos. El peligro. La simple y pura diferencia. Perry empezaba a... en fin... a comulgar. ¿Es injusto lo que digo?

—A mí me suena un poco a psicología de salón —dijo Perry con aspereza, replegándose.

El pequeño Luke, siempre conciliador, intervino de inmediato.

—En esencia, pues, fue una combinación de motivos, tanto para el uno como para el otro —sugirió, todo un experto en combinaciones de motivos—. ¿Y qué hay de malo en eso? Nos encontramos ante una situación donde se mezclan muchas cosas. La pistola de Vania. Dinero ruso en canastas de lavandería. Dos niñas huérfanas que los necesitaban a ustedes con desesperación, y quizá los adultos también los necesitaban, a juzgar por lo poco que sabían de ellos. Y para colmo, el cumpleaños de los gemelos. O sea, ¿cómo iban a resistirse, siendo ustedes dos personas decentes?

—En una isla —recordó Gail en voz baja.

—Exacto. Y encima, me atrevería a decir, picados por el gusanillo de la curiosidad. ¿Y quién no iba a estarlo? En fin, la combinación resulta ciertamente embriagadora. Yo habría sucumbido, eso por descontado.

A Gail no le cupo duda. Tenía la sospecha de que el pequeño Luke, a lo largo de la vida, había sucumbido a casi todo, y precisamente como consecuencia de ello estaba un poco preocupado por sí mismo.

—Y Dima —insistió ella—. Para ti, Perry, Dima era el principal gancho, reconócelo. Lo dijiste ya entonces. Para mí, eran las niñas, pero para ti, a la hora de la verdad, fue Dima. Hablamos de ello hace unos días, ¿te acuerdas?

Quiso decir: «mientras redactabas tu dichoso documento y yo era una esclava cristiana».

Perry reflexionó por un momento, como quizá habría reflexionado sobre cualquier premisa académica; luego, con una sonrisa de deportividad, admitió el rigor del razonamiento.

—Es verdad. Me sentí escogido. Ascendido por encima de mis méritos, digamos. La verdad es que ya no sé qué sentí. Quizá tampoco entonces lo supe.

—Pero Dima sí lo sabía: usted era su catedrático del juego limpio.

—Así que esa tarde, en lugar de ir a la playa, fuimos de compras a la ciudad —continuó Gail, hablando a Yvonne pero remitiendo la historia a Perry, pese a que este tenía la cabeza vuelta—. Para los cumpleañeros, lo obvio era un juego completo de críquet. De eso te encargaste tú. Te lo pasaste en grande buscando el juego de críquet. Te encantó la tienda de material deportivo. Te encantó aquel viejo. Te encantaron las fotografías de los grandes jugadores antillanos. ¿Learie Constantine? ¿Quién más había?

—Martindale.

—Y Sobers. Gary Sobers estaba allí. Me lo señalaste.

Perry asintió. Sí, Sobers.

—Y nos encantó que fuera un secreto. Por los niños. La idea de Ambrose, aquello de hacerme salir de la tarta, no iba muy desencaminada, ¿eh que no? Y yo me ocupé de los regalos para las niñas. Con un poco de ayuda tuya. Pañuelos para las pequeñas, y un collar muy bonito para Natasha, de conchas y piedras semipreciosas alternas. —Hecho: había vuelto a mencionar a Natasha y salido indemne—. Querías comprarme otro a mí, pero no te dejé.

—Y dígame, Gail, si es tan amable: ¿por qué no? —Yvonne, con su sonrisa discreta e inteligente, buscando cierta distensión.

—Por la exclusividad. Fue todo un detalle por parte de Perry, pero no quería verme emparejada con Natasha —contestó Gail, tanto para Perry como para Yvonne—. Y seguro que Natasha no habría querido verse emparejada conmigo. Gracias, es un gesto adorable, pero resérvalo para otra vez, te dije, ¿verdad? Y anda que no es difícil comprar un papel de regalo aceptable en St. John's, Antigua. —Continuó sin pausa—: Por otro lado estaba la cuestión de entrar a escondidas, ¿eh? Porque nosotros éramos la gran sorpresa. Eso también iba a ser la bomba. Pensamos en presentarnos disfrazados de piratas caribeños... eso fue idea tuya... pero decidimos que quizá era pasarse un poco de rosca, sobre todo habiendo allí personas todavía de luto, por más que no lo supiésemos oficialmente. Fuimos tal cual, pues, sin acicalarnos mucho. Perry, tú te pusiste la ropa del viaje: la americana vieja y el pantalón gris. Tu *look* de Brideshead. Perry no es lo que llamaríamos un «esclavo» de la moda, pero hiciste lo que pudiste. Y el bañador, claro. Y yo fui con un vestido de algodón encima del bañador, más una rebeca por si refrescaba, porque sabíamos que había una playa privada en Las Tres Chimeneas, y quizá ellos tuviesen previsto un baño.

Yvonne redactaba un concienzudo informe. ¿Para quién? Luke, mentón en mano, la escuchaba con los cinco sentidos, tal vez demasiado atento para el gusto de Gail. Perry observaba con expresión lúgubre el dibujo de los ladrillos en la pared a oscuras. Los tres le concedían toda su atención en espera de su canto del cisne.

Cuando Ambrose les dijo que estuvieran en formación a las seis en el vestíbulo del hotel, prosiguió Gail con un tono más comedido, dieron por supuesto que los trasladarían furtivamente a Las Tres Chimeneas en uno de los monovolúmenes de cristales tintados y los introducirían por una puerta lateral. Suponían mal.

Al acceder al aparcamiento por la parte de atrás como les habían indicado, encontraron a Ambrose esperándolos al volante de un cuatro por cuatro. Según el plan, explicó él con entusiasta complicidad, los invitados sorpresa debían infiltrarse por el viejo Sendero de la Naturaleza, que discurría por la cresta de la península justo hasta la entrada posterior de la casa, donde el señor Dima en persona estaría aguardándolos.

Gail volvió a imitar la voz de Ambrose:

—«Oigan, en ese jardín hay bombillas de colores, una banda de tambores de acero, un entoldado... Han recibido un envío de la carne de Kobe más tierna que ha salido de una vaca. No sé qué puede faltar en esa casa. Y el señor Dima lo tiene todo a punto, listo hasta el último detalle. Ha enviado a mi Elspeth y a toda esa ruidosa familia suya a una importante carrera de cangrejos más allá de St. John's, y todo para que podamos entrarlos a ustedes a escondidas por la puerta de atrás... ¡así de secreta es su aparición de esta noche, joven pareja!»

Si hubiesen andado en busca de aventuras, les habría bastado con el Sendero de la Naturaleza. Debían de ser los primeros en utilizarlo desde hacía años. En un par de ocasiones Perry incluso tuvo que «abrirse paso a manotazos a través de la maleza».

—Cosa que, por supuesto, le encantó. Pensándolo bien, debería haber sido campesino, ¿eh que sí? Al final, fuimos a dar a un largo túnel verde, y Dima nos esperaba en el otro extremo con el aspecto de un Minotauro feliz. Si es que tal cosa existe.

Perry levantó de pronto el huesudo dedo índice en un gesto admonitorio.

—Que fue cuando vimos a Dima solo por primera vez —observó con tono solemne—. Sin guardaespaldas, sin familia. Sin niños. Sin nadie que nos vigilase. O nadie a la vista. Estábamos solos los tres, al borde de un bosque. Creo que nos dimos cuenta de eso los dos, Gail y yo, de la repentina exclusividad.

Pero por más trascendencia que Perry atribuyese a este hecho, su comentario se perdió en medio de la insistente verborrea de Gail:

—¡Nos abrazó, Yvonne! Nos abrazó de verdad. Primero a Perry, y lo apartó de un empujón. Luego a mí, luego a Perry otra vez. No abrazos coquetos, no. Fueron grandes abrazos de familia. Como si no nos viese desde hacía años. O no fuese a volver a vernos.

—O estuviese desesperado —apuntó Perry con el mismo tono serio y pensativo—. Yo percibí algo de eso. Puede que tú no. De lo mucho que significábamos para él en ese momento, lo importantes que éramos.

—Nos quería de verdad —prosiguió Gail con determinación—. Allí estaba, declarando su amor. Tamara también nos quería, nos aseguró Dima. Solo que le resultaba difícil expresarlo porque estaba un tanto enloquecida desde su problema. No dio mayores explicaciones sobre el problema en cuestión, ¿y quiénes éramos nosotros para preguntarlo? Natasha nos quería, pero últimamente apenas habla con nadie, solo lee libros. Toda la familia quería a los ingleses por nuestra humanidad y nuestro juego limpio. Aunque él no dijo «humanidad»... ¿Qué dijo?

—Corazón.

—Allí estábamos, de pie al final del túnel, en medio de aquel hartón de abrazos, y Dima dale que dale con el rollo del buen corazón. En fin, ¿cuánto amor puede uno declarar a alguien con quien no ha cruzado más de seis palabras en la vida?

—¿Perry? —instó Luke.

—A mí me pareció heroico —contestó Perry, llevándose la larga mano a la frente en la postura clásica de la preocupación—. Solo que no sabía por qué. ¿No incluí eso en algún sitio de nuestra declaración? ¿«Heroico»? A mí me lo pareció —con un gesto de indiferencia, como si restase valor a sus propios sentimientos—. Pensé: «la dignidad bajo el fuego enemigo». Solo que no sabía quién era el enemigo. Ni por qué lo atacaba. No sabía nada, salvo...

—Salvo que tú estabas en la pared rocosa con él —sugirió Gail, no en mal tono.

—Sí, así era. Y él estaba en un sitio complicado. Nos necesitaba.

—A ti —corrigió ella.

—De acuerdo. A mí. Es lo que intento decir.

—Pues dilo.

—Salimos del túnel guiados por él, y nos llevó hacia lo que, como vimos, era la parte de atrás de la casa —empezó a explicar Perry, y se interrumpió—. ¿Querrán, supongo, una descripción precisa del lugar? —preguntó a Yvonne con tono adusto.

—Ciertamente, Perry —contestó Yvonne con la misma actitud de eficiencia—. Hasta el detalle más insignificante, por favor, si no le importa. —Y reanudó sus concienzudas anotaciones.

—Al dejar atrás el bosque, fuimos a dar a un viejo camino de servicio, con pavimento de ceniza roja o algo así, abierto probablemente como vía de acceso cuando se construyó la casa. Tuvimos que subir sorteando los socavones.

—Con los regalos a cuestas —prorrumpió Gail desde bastidores—. Tú con tu juego de críquet, yo con mis paquetes para las niñas en la bolsa más elegante que encontré, que no es mucho decir.

¿Hay ahí alguien escuchando?, se preguntó. A mí no. Perry es el pozo de sabiduría. Yo soy el pozo negro.

—Al acercarnos desde atrás, vimos que la casa era un montón de escombros —prosiguió él—. Ya nos habían prevenido, y no esperábamos ningún palacio; sabíamos que la casa iba a demolerse. Pero no esperábamos semejante estado de ruina. —El profesor saliente de Oxford se había convertido en reportero in situ—: Vi un edificio de ladrillo decrépito, con barrotes en las ventanas. Deduje que eran las antiguas dependencias de los esclavos. Rodeaba el perímetro una tapia encalada, de unos cuatro metros de altura, rematada con alambre de espino, que parecía nuevo y ofendía a la vista. Alrededor había reflectores de seguridad montados sobre pilones, como en un estadio de fútbol, iluminando a todo aquel que pasaba. Habíamos advertido el resplandor desde la terraza del bungalow. Sartas de bombillas de colores colgaban entre ellos, supuestamente en preparación para la fiesta de cumpleaños de esa noche. Cámaras de seguridad, pero no apuntadas hacia nosotros, porque estábamos ya del lado bueno, o eso creo. Una reluciente antena parabólica, nueva, de siete metros de diámetro, orientada más o menos hacia el norte, por lo que pude deducir en el camino de regreso.

En dirección a Miami. O a Houston, quizá. Sabe Dios. —Se detuvo a pensar—. Bueno, Dios y ustedes, obviamente. Ustedes sí saben esas cosas.

¿Es un desafío o una broma? Ni lo uno ni lo otro. Es Perry exhibiendo sus dotes para hacer el trabajo de ellos, por si no las han notado antes. Es Perry el escalador de cornisas en la pared norte, diciéndoles que nunca olvida un recorrido. Es el Perry incapaz de resistirse a un reto siempre y cuando tenga las de perder.

—Luego otra vez cuesta abajo, de nuevo a través del bosque, hasta un pequeño prado desde donde se veía la punta del cabo, el extremo de la península. En realidad, la casa no tiene parte trasera propiamente dicha; o toda ella es parte trasera, como ustedes prefieran. Es una residencia colonial, a base de madera y amianto, con tres fachadas, un popurrí seudoisabelino. Muros grises de estuco. Ventanas diminutas de cristal emplomado. Armadura de vigas vistas, con contrachapado en lugar de maderos, y un farol colgado en el porche de atrás. ¿Estamos de acuerdo, Gail?

¿Habría venido si no lo estuviéramos?

—Lo estás haciendo muy bien —dijo ella. Que no era exactamente lo que él había preguntado.

—Dormitorios, cuartos de baño, cocinas y despachos añadidos posteriormente, con puertas al exterior, lo que induce a pensar que en su día aquello fue una comuna o una colonia, o algo así. Dicho de otro modo, estaba todo patas arriba. No era culpa de Dima. Eso lo sabíamos, gracias a Mark. Los Dima nunca habían vivido allí hasta entonces. No habían tocado nada salvo por unas reformas rápidas en el apartado de seguridad. La idea no nos molestó. Al contrario. Aportaba un muy necesario toque de realidad.

La doctora Yvonne, siempre curiosa, aparta la vista de sus anotaciones clínicas.

—¿Y resulta que no había chimeneas, pues, Perry?

—Solo dos. Unidas a los restos de la refinería de azúcar en el extremo oeste de la península. La tercera había desaparecido. Eso también lo incluí en nuestro documento, creo.

¿Nuestro dichoso documento? ¿Cuántas veces lo has dicho ya? ¿Nuestro documento que tú escribiste y yo no he podido leer, pero ellos sí? ¡Ese dichoso documento es tuyo! ¡Ese dichoso documento es de ellos! Le ardían las mejillas, y esperaba que él lo notase.

—Luego, cuando bajábamos hacia la casa, a unos veinte metros, calculo, Dima nos indicó que aflojáramos el paso —decía Perry. Su voz cobraba intensidad—. Con las manos: más despacio.

—¿Y también fue allí donde se llevó el dedo a los labios en un gesto de complicidad? —preguntó Yvonne, levantando de pronto la cabeza para mirarlo sin dejar de escribir.

—¡Sí, allí! —saltó Gail—. Exactamente allí. Una gran complicidad. Primero, más despacio; luego, silencio. Suponiendo que ese dedo en los labios formaba parte de la sorpresa a los chicos, le seguimos la corriente. Según Ambrose, los había mandado a las carreras de cangrejos, así que nos pareció un poco raro que estuviesen aún en la casa. Imaginamos, pues, que por algún cambio de planes al final no se habían ido. O lo imaginé yo.

—Gracias, Gail.

Dios santo, ¿gracias por qué? ¿Por hacer sombra a Perry? No hay de qué, Yvonne; es un placer.

—Para entonces —se apresuró a continuar Gail— íbamos ya de puntillas por indicación de Dima. Conteníamos la respiración literalmente. No dudábamos de él: creo que eso debe quedar claro. Le obedecíamos, cosa que no es propia de ninguno de nosotros, pero así era, tal cual. Nos llevó hasta una puerta, una puerta de la casa, pero lateral. No estaba cerrada con llave. La empujó y entró él primero. Se dio media vuelta de inmediato, con una mano en alto y la otra ante los labios como... —Como mi padre sobreactuando en una pantomima navideña, solo que sobrio, iba a decir pero se calló—. En fin, da igual... y con una mirada muy intensa, imponiéndonos silencio. ¿Eh que sí, Perry? Ahora te toca a ti.

—Entonces, cuando se aseguró de que tenía nuestra total atención, nos pidió que lo siguiéramos con una seña. Yo pasé primero. —En contraste con Gail, Perry redujo la voz al mínimo en intencionado contrapunto: así hablaba cuando estaba muy emocionado y quería disimularlo—. Entramos sigilosamente en un vestíbulo vacío. Bueno, «vestíbulo» es un decir. Más bien una caja de unos tres por cuatro metros, con una ventana de vidrios romboidales en el lado oeste, rota y remendada con cinta adhesiva. El sol penetraba a raudales. Dima tenía aún el dedo en los labios. Cuando entré, me agarró del brazo, tal como me había agarrado en la pista de tenis. Con una fuerza de otra dimensión. A mí me habría sido imposible competir contra una fuerza así.

—¿Pensó que quizá se vería obligado a competir contra ella? —indagó Luke en un arranque de solidaridad masculina.

—No supe qué pensar. Mi preocupación era Gail, y me planteé solo cómo interponerme entre ellos. Pero eso fue únicamente durante unos segundos.

—Tiempo de sobra para comprender que aquello no era ya un juego de niños —apuntó Yvonne.

—Bueno, empezaba a tomar conciencia —admitió Perry, y se interrumpió por un momento, ahogada su voz por el ululato de una ambulancia que pasaba por la calle—. Háganse idea del inesperado estruendo que nos encontramos dentro de la casa —insistió, como si un sonido hubiese desencadenado el otro—. Aunque estábamos en el pequeño vestíbulo, oíamos las embestidas del viento contra toda aquella casa ruinosa. Y la luz era... en fin, fantasmagórica, por usar una de las palabras preferidas de mis alumnos. Nos llegaba como en distintas capas por la ventana del lado oeste: primero una luz granulosa, filtrada por las nubes bajas procedentes del mar; encima, una capa de luz solar más viva. Y allí donde no alcanzaba la claridad, sombras de una negrura total.

—Y era un sitio frío —se quejó Gail, abrazándose en una actitud teatral—. Como solo pueden serlo las casas vacías. Y con ese olor escalofriante que tienen, como de cementerio. Pero yo solo pensaba: ¿dónde están las niñas? ¿Por qué no se las ve ni se las oye? ¿Por qué no se oye nada salvo el viento? Y si allí no había nadie, ¿a qué venía tanto secreto? ¿A quién estábamos engañando aparte de a nosotros mismos? Y tú, Perry, pensaste lo mismo, ¿no? Me lo dijiste después.

Y detrás del dedo índice en alto de Dima, un rostro distinto, dice Perry. Había desaparecido de su semblante todo asomo de sonrisa. Y de sus ojos. No se traslucía ni rastro de humor. Estaba tenso. Realmente necesitaba asustarnos. Compartir su miedo con nosotros. Y en ese momento, mientras permanecíamos allí inmóviles, atónitos —y sí, asustados—, cobra forma ante nosotros, en un rincón del reducido vestíbulo, la figura espectral de Tamara, que ha estado ahí desde el principio, en el hueco más oscuro al otro lado de los haces de luz, y nosotros no nos habíamos dado cuenta. Lleva puesto un vestido negro, largo, el mismo que el día del partido de tenis, y que cuando Dima y ella los espiaban desde la penumbra del monovolumen, como si fuera su propio fantasma.

En este punto Gail se adueñó otra vez del relato:

—Lo primero que vi fue el crucifijo de obispo. Después el resto de ella, surgiendo alrededor. Para la fiesta de cumpleaños se había recogido el pelo en una trenza y puesto colorete en las mejillas, y llevaba los labios embadurnados de carmín, y digo «embadurnados», como lo oyen. Parecía loca de atar. Ella no tenía el dedo ante la boca. No hacía falta. Todo su cuerpo era como una señal de advertencia en negro y rojo. ¡Qué Dima ni qué ocho cuartos!, pensé. Esta sí que se las trae. Y lógicamente seguía preguntándome cuál era su problema, porque algún problema tenía, caray que si lo tenía.

Perry empezó a hablar pero ella, porfiadamente, continuó, obligándolo a callar.

—Tamara tenía una hoja en la mano, DIN A4, doblada por la mitad, y la tendía hacia nosotros. ¿Para qué? ¿Era un folleto religioso? ¿Prepárate para reunirte con tu Dios? ¿O estaba entregándonos un mandato judicial?

—Y a todo eso, ¿qué hacía Dima? —preguntó Luke, volviéndose hacia Perry.

—Por fin me soltó el brazo —respondió Perry con una mueca—. Pero no sin antes asegurarse de que prestaba atención al papel de Tamara. Que ella acto seguido me endosó. Y Dima, con un gesto, me indicó que lo leyera. Aún con el dedo en los labios. Y Tamara estaba poseída, sin duda. Los dos estaban poseídos, la verdad. Y querían compartir su miedo con nosotros. Pero ¿miedo a qué? Así que leí. No en voz alta, obviamente. Ni siquiera de inmediato. Yo no estaba en la zona iluminada. Tuve que acercar el papel a la ventana. De puntillas, para que se hagan ustedes idea de hasta qué punto estábamos bajo el hechizo. Y después tuve que ponerme de espaldas a la ventana por lo intensa que era la luz del sol. Y pedirle a Gail mis gafas de lectura de reserva, que ella llevaba en el bolso...

—... porque, como de costumbre, Perry se había olvidado las otras en el bungalow...

—Entonces Gail, de puntillas, se situó detrás de mí...

—Tú me lo pediste...

—Para tu protección, y leyó la hoja por encima de mi hombro. Y la leímos... no sé, por lo menos dos veces, supongo.

—Y alguna más —añadió Gail—. ¡En serio, vaya acto de fe! ¿Por qué confiaron en nosotros de esa manera? ¿Qué los llevó a pensar de pronto que nosotros éramos las personas idóneas? ¡Fue tal... tal imposición!

—No tenían mucho dónde elegir —comentó Perry en voz baja, a lo que Luke añadió un sabio gesto de asentimiento que Yvonne imitó discretamente, y Gail se sintió aún más aislada de lo que se había sentido en toda la tarde.

Quizá la tensión en el sótano mal ventilado empezaba a desbordar a Perry. O quizá, pensó Gail, experimentaba un tardío ataque de culpabilidad. Comoquiera que fuese, estiró hacia atrás su largo cuerpo en la silla, bajó los hombros angulosos para relajarlos e hincó el índice en la carpeta beige colocada entre los pequeños puños de Luke.

—En cualquier caso ahí tienen el texto de Tamara, en nuestro documento, así que no hay necesidad de recitarlo —dijo con tono hostil—. Pueden leerlo hasta cansarse. Ya lo han hecho, es de suponer.

—Igualmente —insistió Luke—. Si no le importa, Perry. Por redondear, digamos.

¿Pretendía Luke ponerlo a prueba? Eso creía Gail. Incluso en la selva académica que Perry estaba decidido a dejar atrás se lo conocía por su capacidad para citar textualmente fragmentos de literatura inglesa después de una sola lectura. Provocado en su vanidad, Perry empezó a recitar pausadamente con tono inexpresivo:

—«Dimitri Vladimiróvich Krasnov, a quien llaman Dima, director europeo del Consorcio Mercantil Multiglobal La Arena de Nicosia, Chipre, está dispuesto a negociar a través de los intermediarios, el catedrático Perry Makepiece y la señora Gail Perkins, abogada, un acuerdo con las autoridades de Gran Bretaña, en beneficio mutuo, respecto al permiso de residencia permanente para toda la familia a cambio de cierta información muy importante, muy urgente, muy vital para la Gran Bretaña de Su Majestad. Los niños y los demás regresarán aproximadamente dentro de una hora y media. Hay un sitio adecuado para que Dima y Perry conversen de manera provechosa sin riesgo de ser oídos. Gail tendrá la amabilidad de acompañar a Tamara a otra parte de la casa. Es posible que haya muchos micrófonos en esta casa. Por favor no hablemos hasta que vuelvan todos de la carrera de cangrejos para la celebración.»

—Y entonces sonó el teléfono —dijo Gail.

Perry está sentado en su silla, muy erguido, como si lo hubieran llamado al orden, con las manos como antes, extendidas y abiertas sobre la mesa, la espalda recta pero los hombros inclinados mientras medita sobre la corrección de lo que se dispone a hacer. Mantiene la mandíbula apretada como en actitud de negación, pese a que nadie le ha pedido nada a lo que deba negarse, salvo Gail, cuya expresión al mirarlo es de solemne súplica, o eso espera ella, pero acaso en realidad esté fulminándolo con la mirada, porque ya no sabe bien qué signos faciales emite.

Luke emplea un tono desenfadado, incluso afable, que es lo que desea, cabe suponer.

—Veamos, trato de imaginarlos a los dos allí juntos —explica con tono entusiasta—. Es un momento francamente extraordinario, ¿no te parece, Yvonne? Los dos allí de pie en el vestíbulo, uno al lado del otro. Leyendo. Perry con la carta en la mano, y usted, Gail, mirando el papel por encima del hombro de Perry. Los dos enmudecen literalmente. Acaba de caerles del cielo una proposición extraordinaria a la que no pueden dar ninguna respuesta. Es una pesadilla. Y en lo que se refiere a Dima y Tamara, por el mero hecho de no hablar ya están ustedes medio captados para la causa. Ninguno de los dos, supongo, se plantea salir corriendo de la casa. Están maniatados. Física y emocionalmente. ¿Me equivoco? Desde el punto de vista de ellos, pues, de momento todo va bien: tácitamente, ustedes han accedido. Esa es la impresión que ustedes no pueden evitar transmitirles. Involuntariamente. Por el mero hecho de no hacer nada, de estar allí, pasan a convertirse en parte de su gran juego, así sin más.

—Pensé que estaban como regaderas —dice Gail para pararle los pies—. Paranoicos los dos, Luke, para serle sincera.

—¿Y esa paranoia qué forma tomaba exactamente? —Luke, sin inmutarse.

—¿Y yo qué sé? Para empezar, decidieron que había micrófonos ocultos en la casa. Y hombrecillos verdes escuchando.

Pero Luke tiene más redaños de lo que ella esperaba. Replica con aspereza:

—¿De verdad les pareció tan improbable, Gail, después de lo que los dos habían visto y oído? ¿Los guardaespaldas? ¿La historia del dinero caliente en canastas de lavandería? ¿La pistola del tío Vania? A esas alturas ya debían de haberse dado cuenta de que tenían al menos un pie en el mundo del hampa rusa. Tanto más siendo usted una abogada experta, si me permite decirlo.

Siguió un largo silencio. Gail no había previsto el encontronazo con Luke, pero si él quería pelea, por ella encantada.

—La supuesta experiencia a la que se refiere, Luke —empezó Gail con furia—, lamentablemente no abarca…

Pero Perry la interrumpió.

—Sonó el teléfono —le recordó con delicadeza.

—Sí. Ya, vale, sonó el teléfono —cedió ella—. Estaba a un metro de nosotros. O menos, ¿no, Perry? Quizá a medio metro. El timbre era como una alarma contra incendios. Nos dio un susto de muerte. A ellos no, a nosotros dos. Un aparato mohoso, negro, de los años cuarenta, con esfera y cable en espiral, colocado en una mesa de ratán tambaleante. Dima descolgó y bramó por el auricular en ruso, y vimos aparecer en su cara, a su pesar, una sonrisa de lameculos. Todo en él era un acto contra su propia voluntad. Sonrisas postizas, carcajadas postizas, falsa jovialidad, y mucho sí señor, no señor, lo que usted mande, y de buena gana te estrangularía con mis propias manos. La mirada siempre fija en la loca de Tamara, siguiendo sus indicaciones. Y de nuevo el dedo ante los labios, para pedirnos que nada de ruidos, por favor, eso sin dejar de hablar en ningún momento. ¿Eh que sí, Perry? —eludiendo a Luke intencionadamente.

Sí.

—Conque es a esos a quienes tienen miedo, pienso. Y quieren que nosotros les tengamos miedo también. Y Tamara lo dirige. Con su colorete en las mejillas y demás, mueve la cabeza para asentir, para negar, pone cara de Medusa en los casos de hiperdesaprobación. ¿Te parece una descripción aceptable, Perry?

—Recargada, pero precisa —admitió Perry, incómodo; luego, a Dios gracias, le dedicó una sincera sonrisa radiante, aunque marcada por la culpabilidad.

—Y esa fue la primera de las llamadas de la noche, ¿no es así? —apuntó Luke, ágil como siempre, mirándolos a uno y otro con sus ojos rápidos de expresión extrañamente mortecina.

—Debieron de recibir cinco o seis llamadas antes de regresar la familia —admitió Perry—. Tú también las oíste, ¿no? —esto a Gail—. Y no fue más que el principio. Todo el rato que pasé encerrado con Dima, de pronto oíamos sonar el teléfono, y o bien Tamara venía llamando a Dima a gritos para que contestara, o Dima se levantaba de un salto y corría a cogerlo, jurando en ruso. Si había supletorios en la casa, no los vi. Más tarde, esa noche, me dijo que allí los móviles no tenían cobertura debido a los árboles y los acantilados, y por eso todo el mundo lo llamaba al fijo. No me lo creí. Pensé que esa gente quería comprobar su paradero, y la manera de hacerlo era llamar a un teléfono fijo antiguo en la propia casa.

—¿Esa gente?

—La gente que no se fiaba de él. Y en quienes él a su vez tampoco confiaba. Esos con quienes está en deuda. Y a quienes odia. La gente a la que tiene miedo, y a la que por tanto nosotros debemos tenérselo.

En otras palabras, la gente cuya identidad Perry, Luke e Yvonne pueden conocer y yo no, pensó Gail. La gente aludida en «nuestro» dichoso documento, ese que no es nuestro.

—Y es entonces, pues, cuando Dima y usted se retiran a ese «sitio adecuado» donde pueden hablar sin peligro de que los oigan —dijo Luke.

—Sí.

—Y usted, Gail, se marchó a estrechar relaciones con Tamara.

—¿Estrechar? Y un cuerno.

—El caso es que se fue con ella.

—A un salón de un mal gusto lamentable que apestaba a meados de murciélago. Con un televisor de plasma en el que ponían una misa mayor ortodoxa en ruso. Ella llevaba una caja de hojalata.

—¿Una caja?

—¿No se lo ha contado Perry? ¿En nuestro documento conjunto, ese que yo no he visto? Tamara cargaba con una caja de hojalata negra en forma de bolso. Cuando la dejó, se oyó un ruido metálico. No sé dónde llevan las mujeres sus armas en el mundo normal, pero tuve la impresión de que en el caso de ella esa caja era el equivalente al tío Vania. —«Es mi canto del cisne, así que pienso sacarle el mayor partido.»— La tele de plasma ocupaba casi toda una pared. Las otras paredes estaban decoradas con iconos. Iconos portátiles. Con marcos muy recargados para mayor santidad. Santos varones, no vírgenes. Allí donde Tamara va, la acompañan sus santos, o eso deduje. Tengo una tía igual que ella, una ex fulana convertida al catolicismo. Cada uno de sus santos tiene una función distinta. Si pierde las llaves, acude a san Antonio. Si ha de coger un tren, a san Cristóbal. Si va apurada de dinero, a san Marcos. Si tiene un pariente enfermo, a san Francisco. Si ya es demasiado tarde, a san Pedro.

Pausa. Se ha apagado: otra actriz de tres al cuarto superada por el papel.

—Y ya resumiendo, Gail, ¿cómo fue el resto de la velada? —preguntó Luke, sin llegar a consultar el reloj pero como si lo hubiera hecho.

—Pues le diré: de chuparse los dedos, sencillamente. Caviar de beluga, langosta, esturión ahumado, vodka a mares, efusivos brindis de media hora en ruso ebrio para los adultos, un estupendo pastel de cumpleaños envuelto en saludables nubes de asqueroso humo de tabaco ruso. Filetes de Kobe y críquet en el jardín a la luz de los reflectores, una banda de tambores de acero a todo tren que nadie escuchaba, fuegos artificiales que nadie miraba, un baño en la playa a medianoche para los que quedaban de pie, y vuelta a casa pasada la una, para un intensivo análisis de la velada con una última copa.

Yvonne muestra la que a todas luces será su última serie de fotografías, en papel brillante.

—Si son tan amables, identifiquen a cualquiera que les parezca haber visto entre los presentes en la celebración —dice Yvonne, recitando de carrerilla.

—Este y este —responde Gail, señalando, ya cansada.

—Y este también, sin duda —añade Perry.

Sí, Perry, este también. Otro más, y hombre, cómo no. Algún día en el mundo del hampa ruso habrá igualdad de oportunidades para las mujeres.

Silencio mientras Yvonne da por concluida otra de sus minuciosas anotaciones y deja el lápiz.

—Gracias, Gail, ha sido una gran ayuda —dice Yvonne.

Es la indicación al calenturiento Luke para que recurra a su tono imperioso. Aquí imperioso equivale a compasivo.

—Gail, sintiéndolo mucho, debemos dejarla marchar. Ha demostrado una generosidad inmensa, y como testigo ha estado soberbia. En cuanto a lo demás, Perry nos pondrá al corriente. Le estamos muy agradecidos. Los dos. Gracias.

Gail se ve de pie ante la puerta, sin saber muy bien cómo ha llegado hasta ahí. Tiene a Yvonne al lado.

—¿Perry?

¿Le responde él? Si es así, ella no se da cuenta. Sube, seguida de cerca por Yvonne, su carcelera. En el postinero y ostentoso vestíbulo, Ollie, el individuo corpulento con un dejo cockney y voces extranjeras, dobla su periódico ruso, se pone en pie con cierto esfuerzo y, deteniéndose ante un espejo de época, se arregla cuidadosamente la boina con las dos manos.

5

La acompaño hasta la puerta, Gail? —preguntó Ollie, volviéndose en su asiento para hablarle a través de la mampara del taxi.

—Gracias, pero estoy perfectamente.

—Nadie lo diría, Gail. No desde donde yo la veo. Parece preocupada. ¿Quiere que entre a tomar una taza de té con usted?

Ese acento.

—No, gracias. Estoy perfectamente. Solo necesito dormir un poco.

—No hay nada como echarse un sueñecito para recomponerse, ¿eh?

—No. No lo hay. Buenas noches, Ollie. Gracias por traerme.

Cruzó la calle y esperó a que Ollie se marchase, pero él se quedó allí.

—¡Se ha olvidado el bolso, guapa!

Así era. Y se enfureció consigo misma. Y con Ollie por esperar a verla llegar hasta la puerta para echar a correr detrás de ella. Entre dientes, volvió a darle las gracias y dijo que era una idiota.

—No se disculpe, Gail. Yo soy mucho peor. Me olvidaría hasta la cabeza si la tuviese suelta. No quiere que me quede, pues. ¿Lo tiene claro, guapa?

Claro no tengo nada, guapo, la verdad. En estos momentos no. No tengo claro si es usted jefe de espías o subalterno. No tengo claro por qué lleva unas gafas de culo de botella para conducir hasta Bloomsbury a plena luz del día, y en cambio no se pone gafas en el viaje de regreso, cuando está oscuro como boca de lobo. ¿O acaso ustedes los espías solo ven en la oscuridad?

El piso que había coheredado de sus padres no era un piso sino un dúplex, que ocupaba las dos plantas superiores de una bonita casa adosada victoriana, una de esas que confieren su encanto a Primrose Hill. Su hermano, el que estaba en plena movilidad social ascendente y cazaba faisanes con sus amigos ricos, era dueño de la mitad, y al cabo de unos cincuenta años más o menos, si él no había muerto antes a causa de la bebida y Perry y Gail continuaban juntos, cosa que ahora dudaba, le habrían pagado ya su parte.

En el vestíbulo, apestaba a la *bourguignone* de los vecinos del número 2 y resonaba el eco de las riñas y los televisores de otros inquilinos. Encadenada a un bajante, en el inoportuno sitio de costumbre, estaba la *mountain bike* que Perry dejaba allí para sus estancias en Londres de los fines de semana. Algún día, le había prevenido Gail, un ladrón emprendedor robaría también el bajante. Su mayor placer consistía en pedalear hasta Hampstead Heath a las seis de la mañana y bajar a toda velocidad por senderos marcados con el rótulo PROHIBIDO EL PASO DE BICICLETAS.

La moqueta de los cuatro estrechos tramos de escalera que conducían hasta la puerta del dúplex se hallaba en sus últimas fases de deterioro, pero el inquilino de la planta baja no veía por qué tenía que aportar dinero para eso y los otros dos se negaban a pagar su prorrata hasta que el primero desembolsase la suya, y Gail, como abogada residente, no remunerada, debía mediar para encontrar una solución de compromiso pero, como ninguna de las partes cedía un ápice en sus inflexibles posturas, ¿qué posibilidad de mediar tenía?

Aun así, aquella noche se alegraba de todo eso: que riñeran y pusieran su dichosa música hasta cansarse, que la invadieran con su normalidad porque, Dios santo, vaya si necesitaba la normalidad. Solo quería que la sacaran del quirófano y la trasladaran a la sala de recuperación. Solo quería que le dijeran que la pesadilla había terminado, apreciada Gail, no hay ya más intelectualoides escocesas de voz suave, ni espiócratas enanos con el dejo de Eton, ni niñas huérfanas, ni Natashas guapas de caerse de espaldas, ni tíos con armas, ni Dimas y Tamaras, y Perry Makepiece, mi providencial amante e inocente miope, no está a punto de envolverse en la bandera del sacrificio por su orwelliano amor a la Inglaterra perdida, su admirable búsqueda de Comunión con C mayúscula —¿comunión con qué, por amor de Dios?—, o su peculiar forma de vanidad casera, una vanidad en sentido inverso y puritano.

Mientras subía por la escalera, empezaron a temblarle las rodillas.

En el primer descansillo, un espacio minúsculo, le temblaban más aún.

En el segundo le temblaban de tal modo que se vio obligada a apoyarse en la pared hasta serenarse.

Y cuando llegó al último tramo, tuvo que ayudarse del pasamanos para arrastrarse hasta su puerta antes de que el temporizador cortase la luz.

En el pequeño rellano, de espaldas a la puerta cerrada, aguzó el oído, olfateó el aire en busca de efluvios etílicos, olor corporal o humo de tabaco, o de las tres cosas, que fue lo que hacía un par de meses la llevó a descubrir, aun antes de subir por la escalera de caracol y encontrarse la cama mojada de orina y las almohadas rajadas y mensajes obscenos escritos con carmín en el espejo, que habían entrado a robar en el dúplex.

Solo después de revivir ese momento plenamente, abrió la

puerta de la cocina, colgó el abrigo, miró en el baño, orinó, se sirvió un vaso grande de rioja, tomó un trago, rellenó el vaso hasta el borde y se lo llevó precariamente al salón.

De pie, no sentada. Ya había estado sentada en actitud pasiva tiempo más que suficiente para toda una vida, eso desde luego.

De pie delante de la chimenea de pino puramente decorativa, réplica en bricolaje de un modelo georgiano instalada por el dueño anterior, con la mirada fija en la misma ventana de guillotina alargada junto a la que Perry se hallaba hacía seis horas: Perry allí inclinado, como un ave de dos metros y medio de altura, escrutando la calle, en espera de un taxi negro corriente con el letrero luminoso LIBRE apagado, matrícula acabada en 73, y el conductor se llamará Ollie.

En nuestras ventanas no hay cortinas. Solo persianas. Perry, a quien le gustan los visillos pero pagará su mitad de las cortinas si ella de verdad las quiere. Perry, que no ve con buenos ojos la calefacción central, pero a quien le preocupa que ella pueda pasar frío. Perry, que tan pronto dice que podemos tener un solo hijo por miedo a la superpoblación mundial como quiere seis a vuelta de correo. Perry, que en cuanto aterrizan en Inglaterra después de aguárseles las vacaciones, esas que se dan una sola vez en la vida, se larga sin pérdida de tiempo a Oxford, se enclaustra en su cubil y durante cincuenta y seis horas se comunica solo mediante enigmáticos mensajes de texto desde el frente:

> documento casi acabado... he entrado en contacto con las personas indicadas... llegaré a Londres hacia el mediodía... por favor, deja la llave bajo el felpudo...

—Dice que son un equipo aparte, al margen de los cauces habituales —explica Perry mientras ve pasar taxis que no son el suyo.

—¿Quién lo dice?

—Adam.

—El hombre que te ha llamado. ¿Ese Adam?

—Sí.

—¿Ese es el nombre o el apellido?

—No se lo he preguntado, no me lo ha dicho.

—Y tú no se lo has preguntado.

—Dice que tienen sus propias pautas para casos como este. Y una casa especial. Ha preferido no dar la dirección por teléfono. El taxista ya la conoce.

—Ollie.

—Sí.

—¿Casos como cuál, exactamente?

—Como el nuestro. Eso es lo único que sé.

Pasa un taxi negro pero tiene la luz encendida. No es un taxi espía, pues. Es un taxi normal. Conducido por un hombre que no es Ollie. Defraudado una vez más, Perry se vuelve hacia ella:

—Oye, ¿qué más esperas que haga? Si se te ocurre una idea mejor, oigámosla. No has hecho más que poner peros desde que volvimos a Inglaterra.

—Y tú no has hecho más que mantenerme a distancia. Ah, sí, y tratarme como a una niña. Del sexo débil. Me olvidaba de eso.

Perry se ha asomado otra vez por la ventana.

—¿Adam es la única persona que ha leído tu carta-documento-informe-testimonio? —pregunta Gail.

—Imagino que no. Tampoco me atrevería a jurar que su verdadero nombre sea Adam. Ha dicho Adam a modo de contraseña.

—¿En serio? Y eso cómo se hace, me pregunto.

Intenta pronunciar «Adam» a modo contraseña con distintas entonaciones, pero Perry no le sigue el juego.

—Estás seguro de que Adam era un hombre, ¿no? ¿No una mujer con voz grave?

No hubo respuesta. Ni ella la esperaba.

Pasa un taxi más. Tampoco es el nuestro. ¿Cómo se viste una para los espías, querida?, que es lo que habría dicho su madre. Maldiciéndose por planteárselo siquiera, se ha cambiado la ropa de trabajo por una falda y un jersey a juego, encima de una blusa de cuello alto. Y zapatos cómodos, nada en plan calientabraguetas; bueno, salvo la de Luke, quizá, pero ¿cómo iba ella a saberlo?

—A lo mejor ha encontrado un embotellamiento —sugiere ella, y tampoco esta vez recibe respuesta, cosa que se tiene bien merecida—. En fin, da igual. A lo que íbamos: le diste la carta a un tal Adam, y un tal Adam la recibió. De lo contrario, no te habría telefoneado, es de suponer. —Está impertinente, y lo sabe. También él lo sabe—. ¿Cuántas páginas? ¿Nuestro documento secreto? O más bien tuyo.

—Veintiocho —contesta él.

—¿Escritas a mano o con ordenador?

—A mano.

—¿Por qué no con ordenador?

—Decidí que a mano era más seguro.

—¿Ah, sí? ¿Por consejo de quién?

—Por entonces nadie me había aconsejado nada aún. Dima y Tamara estaban convencidos de que les ponían micrófonos por todas partes, así que decidí respetar sus temores y eludir cualquier método... electrónico. Interceptable.

—¿Eso no tiene algo de paranoia?

—Sin duda. Los dos estamos paranoicos. También Dima y Tamara. Estamos todos paranoicos.

—Pues admitámoslo. Estemos paranoicos todos juntos.

No hubo respuesta. La tontuela de Gail cambia de táctica una vez más:

—¿Quieres contarme cómo accediste, para empezar, a ese señor Adam?

—Eso está al alcance de cualquiera. Hoy día no es problema. Puede hacerse por internet.

—¿Y tú lo has hecho por internet?

—No.

—¿No te fiabas de internet?

—No.

—¿Te fías de mí?

—Pues claro.

—Oigo las confidencias más asombrosas todos los días de mi vida. Tú eso lo sabes, ¿no?

—Sí.

—¿Y verdad que en las cenas no me oyes obsequiar a nuestros amigos con los secretos de mis clientes?

—No.

Recarga:

—Sabes también que, como joven abogada, vivo pendiente de un hilo, siempre con el miedo de no saber de dónde llegará, si es que llega, el próximo cliente, y siento poca predisposición profesional hacia los casos misteriosos sin perspectiva de prestigio o recompensa.

—Aquí nadie te ha ofrecido un caso, Gail. Nadie te ha pedido que hagas nada, salvo hablar.

—Y eso para mí es un caso.

Otro taxi que no es. Otro silencio, este incómodo.

—En fin, al menos el señor Adam nos ha invitado a los dos —comenta ella, optando por un tono desenfadado—. Pensaba que me habías excluido por completo de tu documento.

Y de pronto en ese momento Perry es otra vez el Perry de siempre, y el puñal esgrimido por Gail se vuelve contra ella cuando ve que la mira profundamente dolido en su amor, tanto que empieza a preocuparse más por él que por sí misma.

—Intenté excluirte, Gail. Hice todo lo posible por excluirte. Creí que podía evitar implicarte. No lo conseguí. Nos necesitan a los dos. Al menos al principio. En eso Adam ha sido… bueno… inflexible. —Una risa poco convincente—. Como harías tú con un testigo. «Si estaban los dos presentes, lógicamente deben venir los dos.» Lo siento mucho.

Y lo sentía. Eso a Gail le constaba. El día que Perry aprendiese a fingir sus sentimientos sería el día que dejase de ser Perry.

Y ella lo sentía tanto como él. Más aún. Estaba entre sus brazos diciéndoselo cuando el taxi negro con la bandera bajada apareció en la calle, la matrícula acabada en 73, y una voz masculina con un ligero acento anunció por el interfono que era Ollie y debía recoger a dos pasajeros en nombre de Adam.

Y ahora la dejaban otra vez fuera. Inhabilitada, ya exprimida, descartada.

La mujercita obediente, esperando a que su hombre vuelva a casa, y tomándose otro vaso de rioja, grande, como todo un hombre, para ayudarla a pasar el rato.

Sí, muy bien, había sido un pacto absurdo desde el principio. Gail nunca debería habérselo consentido. Pero no por eso tenía que quedarse cruzada de brazos, y no lo hizo.

Esa misma mañana, aunque Perry no lo sabía, mientras él, obediente, esperaba allí la Voz de Adam, ella se afanaba ante el ordenador en su bufete, y no, por una vez, en el caso *Samson contra Samson*.

Seguía sin explicarse —mejor dicho, se lo reprochaba abiertamente— por qué había esperado a llegar a su despacho en vez de utilizar su portátil, o por qué había esperado sin más. Se lo achacó al ambiente imperante de conspiración generado por Perry.

El hecho de conservar aún la tarjeta de Dima, aquella de papel de barba, era un delito penado con la horca, porque Perry la había conminado a destruirla.

El hecho de haber usado un método electrónico —y por lo tanto interceptable— también era, como ahora se veía, un delito penado con la horca. Pero como él no la había informado con antelación de ese apartado de su paranoia en concreto, no podía quejarse.

El Consorcio Mercantil Multiglobal La Arena de Nicosia, Chipre, según le informó la página web en un inglés pedestre, era una consultoría «especializada en proporcionar ayuda a empresarios activos». Tenía la sede en Moscú, y representantes en Toronto, Roma, Berna, Karachi, Francfort, Budapest, Praga, Tel Aviv y Nicosia. Pero no en Antigua. Ni bancos reducidos a una placa de latón. O al menos no se mencionaba ninguno.

«El Consorcio La Arena se orgullece [sin «en»] de su alto grado de confidencialidad y su olfato comerzial [con falta de ortografía] a todos los niveles. Ofrece oportunidades de primera categoria [sin acento] y oficinas de banca privada [bien escrito]. Para más información, dirigirse a la sede de Moscú.»

Ted era un norteamericano soltero que vendía futuros en Morgan Stanley. Desde su mesa en el bufete, Gail telefoneó a Ted.

—Gail, cariño.

—Una empresa que se hace llamar Consorcio Mercantil Multiglobal La Arena de Nicosia, Chipre. ¿Puedes desenterrar sus trapos sucios por mí?

¿Trapos sucios? Ted era capaz de desenterrar trapos sucios como nadie. Al cabo de diez minutos volvía a ponerse en contacto con ella.

—Esos rusacos amigos tuyos...

—¿Rusacos?

—Son igualitos que yo: pisando fuerte y podridos de pasta.

—¿Y eso cuánta pasta es?

—Vete tú a saber, pero mucha, por un tubo. Unas cincuenta sucursales, todas con excelentes historiales comerciales. ¿Te dedicas al blanqueo de dinero, Gail?

—¿Cómo lo sabes?

—El dinero corre tan deprisa entre esos rusacos, los muy cabronazos, que nadie sabe de quién es ni durante cuánto tiempo. Es lo único que puedo decirte, pero lo he pagado con sangre. ¿Me amarás eternamente?

—Ya me lo pensaré, Ted.

El siguiente paso fue Ernie, el secretario del bufete, un sesentón con muchos recursos. Gail esperó hasta la hora de comer, cuando ya no había moros en la costa.

—Ernie. Un favor. Circula el rumor de que visita usted cierto chat indecoroso cuando quiere verificar datos sobre las empresas de nuestros muy serios clientes. Estoy profundamente consternada y necesito que haga una consulta por mí.

Pasada media hora, Ernie le había entregado ya una copia impresa de un indecoroso cruce de mensajes con el asunto Consorcio Mercantil Multiglobal La Arena.

> ¿Hay por ahí algún capullo que sepa quién dirige esa chatarrería? Esa gente cambia de gerente como de calcetines. P. Brosnan

> Lee, subraya, aprende y digiere internamente las sabias palabras de Maynard Keynes: los mercados pueden conservar la irracionalidad más tiempo del que tú puedes conservar la solvencia. El capullo lo serás tú. R. Crow

> Qué c*** ha pasado con la web de La Arena. Se ha caído. B. Pitt

> La página web de La Arena está fuera de servicio pero no ha desaparecido. Los hidepu siempre salen a flote. Capullos todos, andaos con cuidado. M. Munroe

> Pero siento mucha mucha curiosidad. Esa gente viene a mí como si estuviera en celo, y luego me deja jadeando e insatisfecho. P. B.

> ¡Eh, tíos, oíd esto! Acabo de enterarme de que CMMA ha abierto una oficina en Toronto. R. C.

> ¿Una oficina? ¡Me tomas el pelo! Es un p*** club nocturno ruso, chaval. Baile con barra, vodka Stolly y *bortsch*. M. M.

> Eh, capullo, yo otra vez. ¿Es la oficina que abrieron en To-

ronto la misma que cerraron en Guinea Ecuatorial? Si lo es, ponte a cubierto, tío. Pero ya. R. C.

El p*** Consorcio Mercantil Multiglobal La Arena no da un solo resultado en Google. Repito: ni uno solo. Todo el montaje es tan hiperamateur que me dan palpitaciones. P. B.

¿Por casualidad crees en el más allá? Si no, ya puedes empezar. Te has metido en el Mayor Tinglado Bananeroski en el ámbito del blanqueo. Como lo oyes. M. M.

Con lo entusiasmados que estaban conmigo, y ahora esto. P. B.

No te acerques. No te acerques ni en broma. R. C.

Gail está en Antigua, arrastrada hasta allí por otro vaso de rioja procedente de la cocina.

Escucha al pianista de la pajarita malva, que interpreta arrulladoramente una melodía de Simon & Garfunkel para una pareja de ancianos norteamericanos en pantalones de dril, los únicos que dan vueltas en la pista de baile.

Elude las miradas de atractivos camareros sin nada que hacer aparte de desnudarla con los ojos. Le llega la voz de una viuda texana, una setentona con mil *liftings* faciales, que pide a Ambrose un vino tinto, a condición de que no sea francés.

Está de pie en la pista de tenis, estrechando por primera vez la mano, recatadamente, a un toro de lidia calvo que se hace llamar Dima. Recuerda la mirada de reproche en sus ojos castaños, la pétrea mandíbula, y el tronco rígido, un tanto inclinado hacia atrás, a lo Erich von Stroheim.

Está en el sótano de Bloomsbury, tan pronto la compañera de Perry para toda la vida como su exceso de equipaje, una carga no deseada al ponerse en camino. Está sentada con tres personas que, gracias a «nuestro documento» y a todo lo que Perry les haya contado aparte, saben muchas cosas que ella desconoce.

Está sentada sola en el salón de su deseable vivienda de Primrose Hill a las doce y media de la noche, con *Samson contra Samson* en el regazo y un vaso de vino vacío al lado.

Poniéndose en pie de un salto —uf—, sube a su dormitorio por la escalera de caracol, hace la cama, sigue el rastro de las prendas de Perry tiradas por el suelo hasta el baño y las mete todas en el cesto de la ropa sucia. Han pasado cinco días desde que me hizo el amor. ¿Batiremos un récord?

Vuelve a bajar, peldaño a peldaño, bien sujeta por si acaso. Ya otra vez junto a la ventana, fija la mirada en la calle, rogando que su hombre llegue a casa en un taxi con la matrícula acabada en 73. Ahora está en el monovolumen de cristales tintados a la una y media de la madrugada, pegada a Perry, topándose contra él a causa de los vaivenes, y Cara de Niño, el guardaespaldas rubio de pelo corto con una cadena de oro en la muñeca, los lleva a su hotel después de la fiesta de cumpleaños en Las Tres Chimeneas.

—¿Se lo ha pasado bien esta noche, Gail?

Es tu chófer quien habla. Hasta el momento Cara de Niño no había dado la menor señal de hablar inglés. Cuando Perry lo desafió a la entrada de la pista de tenis, él no pronunció una sola palabra. ¿Por qué se delata ahora?, se pregunta Gail, más alerta que nunca en su vida.

—De maravilla, gracias —declara ella con la voz de su padre, llenando el vacío dejado por Perry, que parece haberse quedado sordo—. Mejor imposible. Me alegro mucho por esos dos chicos; son fantásticos.

—Yo me llamo, Niki, ¿vale?

—Vale. Estupendo. Hola, Niki —saluda Gail—. ¿De dónde es?

—De Perm, Rusia. Un sitio agradable. Y Perry, dígame, por favor, ¿usted también se lo ha pasado bien esta noche?

Gail se dispone a dar un codazo a Perry cuando él vuelve a la vida por sí solo.

—Muy bien, sí, gracias, Niki. Una cena exquisita. Una gente encantadora. Genial. Hasta ahora ha sido la mejor noche de nuestras vacaciones.

No está mal para un principiante, piensa Gail.

—¿A qué hora han llegado a Las Tres Chimeneas? —pregunta Niki.

—Por poco ni llegamos, Niki —exclama Gail, y se echa a reír tontamente para disimular la vacilación de Perry—. ¿Eh, Perry? Hemos ido por el Sendero de la Naturaleza, y casi hemos tenido que abrirnos paso a machetazos entre la maleza. ¿Dónde ha aprendido ese excelente inglés, Niki?

—En Boston, Massachusetts. ¿Tienen un cuchillo?

—¿Un cuchillo?

—Para abrirse paso a machetazos, se necesita un buen cuchillo.

Esos ojos mortecinos en el retrovisor, ¿qué han visto? ¿Qué ven ahora?

—Ojalá lo hubiéramos tenido, Niki —exclama Gail, aún en la piel de su padre—. Por desgracia, los ingleses no llevamos cuchillos encima. —¿Qué estupideces estoy diciendo?, piensa. Da igual, tú habla—. Bueno, algunos sí, la verdad; pero no las personas como nosotros. Somos de otra clase social. ¿Ha oído hablar de nuestro sistema de clases? Pues en Inglaterra solo lleva arma blanca cierta gente de clase media baja o inferior. —Más carcajadas al doblar en la rotonda y tomar por el camino de acceso hacia la entrada principal.

Aturdidos, avanzan entre los hibiscos iluminados en dirección al bungalow como dos desconocidos. Perry cierra la puerta después de entrar y echa el pestillo, pero no enciende la luz. Se quedan uno frente al otro, en la oscuridad, separados por la cama. Durante una eternidad, no hay banda sonora. Lo que no implica que Perry no haya decidido ya qué va a decir:

—Necesito papel para escribir. Y tú también. —Con el tono de voz de «aquí mando yo», que reserva normalmente, supone Gail, para los alumnos descarriados que no entregan el trabajo semanal.

Baja las persianas. Enciende la lámpara de lectura de mi lado de la cama, que apenas ilumina, y deja el resto de la habitación en penumbra.

Abre bruscamente el cajón de la mesilla de mi lado y extrae un cuaderno de papel apaisado: también mío. Consignadas en él, mis brillantes reflexiones sobre *Samson contra Samson*: mi primer caso como ayudante de uno de los togados del bufete, mi paso de gigante hacia la fama y la fortuna instantáneas.

O no.

Tras arrancar las hojas donde he plasmado por escrito mi sapiencia jurídica, las mete en un cajón, parte en dos lo que queda de mi cuaderno y me entrega la mitad.

—Voy a entrar ahí. —Señalando el cuarto de baño—. Tú quédate aquí. Siéntate ante el escritorio y anota todo lo que recuerdes. Todo lo que ha pasado. Yo haré lo mismo. ¿De acuerdo?

—¿Qué hay de malo en que nos quedemos los dos en esta habitación? Dios mío, Perry. Estoy muerta de miedo. ¿Tú no?

Dejando de lado el comprensible deseo de su compañía, mi pregunta es de lo más razonable. El bungalow contiene, amén de una cama muy utilizada del tamaño de un campo de rugby, un escritorio, dos sillones y una mesa. Puede que Perry haya mantenido su charla en confianza con Dima, pero ¿y yo qué, allí encerrada con la loca de Tamara y sus santos barbudos?

—Los testigos separados requieren declaraciones separadas —decreta Perry, encaminándose hacia el cuarto de baño.

—¡Perry! ¡Espera! ¡Vuelve! ¡Quédate aquí! ¡Soy yo, Gail! Aquí la abogada soy yo, joder, no tú. ¿Qué te ha dicho Dima?

Nada, a juzgar por su cara. Se ha cerrado herméticamente.

—Perry.

—¿Qué?

—Soy yo, joder, Gail. ¿Te acuerdas? Así que siéntate y cuéntale a tu buena amiga qué te ha dicho Dima para convertirte en un zombi. Vale, no te sientes. Cuéntamelo de pie. ¿Se acaba el mundo? ¿Es Dima una chica? ¿Qué coño os traéis entre manos para que yo no pueda enterarme?

Una contracción en el rostro. Una contracción palpable. Una contracción suficiente para dar pie al optimismo. Infundado.

—No puedo.

—No puedes ¿qué?

—Involucrarte en esto.

—Tonterías.

Una segunda contracción. No más productiva que la primera.

—¿Es que no me escuchas, Gail?

¿Qué coño te piensas que estoy haciendo?, piensa ella. ¿Cantar *El Mikado*?

—Eres una buena abogada y tienes por delante una carrera muy prometedora.

—Gracias.

—Dentro de dos semanas empieza el juicio de tu gran caso. ¿Lo he resumido bien?

Sí, Perry, lo has resumido bien. Tengo una prometedora carrera por delante, a menos que en lugar de eso decidamos tener seis hijos, y el caso *Samson contra Samson* se verá dentro de quince días, pero, conociendo como conozco a nuestros togados, dudo mucho que me den ocasión de meter baza.

—Eres la estrella más brillante de un bufete prestigioso. Te has matado a trabajar. Tú misma me lo has dicho más de una vez.

Sí, es verdad, desde luego, trabajo como una mula. Una suerte para una joven abogada, y ahora acabamos de pasar la peor noche de nuestras vidas con diferencia, ¿y tú qué coño intentas decirme con la boca pequeña? ¡Perry, no puedes hacerme esto! ¡Vuelve! Pero Gail solo lo piensa. Se le han agotado las palabras.

—Tracemos una línea. Una línea en la arena. Lo que Dima me ha contado es asunto mío. Lo que Tamara te ha contado a ti es asunto tuyo. No crucemos esa línea. Atengámonos al secreto profesional.

Gail recupera el habla.

—¿Quiere eso decir que ahora Dima es tu cliente? Estás tan chiflado como ellos.

—Estoy utilizando una metáfora jurídica. Tomada de tu mundo, no del mío. Digo que Dima es mi cliente y Tamara la tuya. Conceptualmente.

—Tamara no ha hablado, Perry. No ha dicho ni una sola palabra, ni una. Piensa que han puesto micrófonos hasta en los pájaros que vuelan alrededor. A veces sentía el impulso de dedicar una oración en ruso a alguno de sus protectores barbudos, y entonces me hacía una seña para que me arrodillase a su lado, y yo la complacía gustosamente. Ya no soy una atea anglicana; ahora soy una atea ortodoxa rusa. Por lo demás, entre Tamara y yo no ha pasado nada que no esté dispuesta a compartir con todo detalle, nada, ni una mierda, y de hecho acabo de compartirlo. Mi mayor preocupación era la posibilidad de que me arrancase la mano de un mordisco. Pero eso no pasó. Tengo las dos manos intactas. No necesito la vacuna contra el tétanos. Ahora te toca a ti.

—Lo siento, Gail. No puedo.

—¿Cómo dices?

—No voy a contártelo. Me niego a meterte en este asunto más de lo que ya estás metida. Quiero que te quedes al margen. A salvo.

—¿Eso es lo que quieres tú?

—No. No es que yo quiera. Insisto en ello. No me dejaré tentar.

¿«Tentar»? ¿Es Perry quien habla? ¿O el predicador fanático de Huddersfield a quien debe su nombre?

—Lo digo muy en serio —añade, por si ella lo duda.

A continuación ese Perry se metamorfosea en otro distinto. De mi querido y esforzado Jekyll sale un Mr. Hyde del servicio secreto británico muchísimo menos apetecible:

—También hablaste con Natasha, lo vi. Durante un buen rato.

—Sí.

—A solas.

—Para ser exactos, no a solas. Nos acompañaban dos niñas, pero dormían.

—A solas a efectos prácticos, pues.

—¿Es un delito?

—Ella es una fuente de información.

—¿Qué es?

—¿Te ha hablado de su padre?

—Repíteme eso.

—He dicho: ¿te ha hablado de su padre?

—Paso.

—Hablo en serio, Gail.

—Yo también. Muy en serio. Paso, y métete en tus asuntos o cuéntame de una puta vez qué te ha dicho Dima.

—¿Te ha hablado Natasha de cómo se gana la vida Dima? ¿Con quién trata? ¿En quién confía? ¿A quién temen tanto? Todo lo que sepas a ese respecto deberías anotarlo también. Podría ser de vital importancia.

Tras ese comentario, se retira al cuarto de baño y —para mortal vergüenza suya— echa el pestillo.

Durante media hora Gail se queda acurrucada en la terraza con la colcha alrededor de los hombros, porque el cansancio le impide desvestirse. Se acuerda de la botella de ron, resaca garantizada, se sirve un dedo a pesar de todo, y se adormece. Al despertar, advierte que la puerta del baño está abierta y ve a Perry, el as del espionaje, encuadrado en el umbral, en una postura anómala, con la cabeza agachada para no partírsela contra el dintel, dudando si salir o no. Lleva las manos a la espalda, sujetando firmemente la mitad del cuaderno. Parte de este asoma por detrás de él, y Gail distingue su letra en el papel.

—Toma una copa —propone ella, señalando la botella de ron.

Él no la escucha.

—Lo siento —dice. Luego se aclara la garganta y lo repite—: Lo siento mucho, Gail, de verdad.

Abandonando por completo orgullo y razón, ella se pone en pie impulsivamente, corre hacia él y lo abraza. En interés de la seguridad, Perry mantiene los brazos detrás de la espalda. Gail nunca hasta entonces había visto asustado a Perry, pero ahora lo está. No por él. Por ella.

Soñolienta, Gail consulta su reloj con los ojos entornados. Las dos y media. Se levanta, con la intención de concederse otro vaso de rioja, se lo piensa mejor, se sienta en la butaca preferida de Perry y descubre que está debajo de la manta con Natasha.

—¿Y a qué se dedica, ese Max tuyo? —pregunta.

—Me ama plenamente —contesta Natasha—. También en sentido físico.

—Aparte de eso, quiero decir. ¿De qué vive? —aclara Gail, procurando no sonreír.

Se acercan las doce de la noche. Para protegerse de los vientos fríos y entretener a dos niñas huérfanas muy cansadas, Gail ha construido una tienda de campaña con mantas y cojines al abrigo de la tapia que delimita el jardín. Como salida de la nada, Natasha ha aparecido sin libro. Gail identifica primero sus sandalias griegas a través de una rendija entre las mantas, inmóviles como las de un centinela. Allí permanecen durante interminables minutos. ¿Está escuchando, Natasha? ¿Está haciendo acopio de valor? ¿Para qué? ¿Se plantea un ataque sorpresa para divertir a las niñas? Como hasta ese momento Gail no ha cruzado una sola palabra con Natasha, no imagina cuáles pueden ser sus motivaciones.

Se abre la cortina de la tienda, la sandalia griega entra con cautela, seguida de una rodilla y la cabeza ladeada de Natasha, oculta tras su larga melena negra. Luego una segunda sandalia y el resto de ella. Las niñas, profundamente dormidas, no se han movido. Durante unos cuantos interminables minutos más, Gail y Natasha yacen cabeza con cabeza, contemplando enmudecidas por la abertura entre las mantas las salvas de cohetes lanzados con inquietante maestría por Niki y sus compañeros de armas. Natasha se estremece. Gail extiende una manta sobre las dos.

—Según parece, me he quedado embarazada recientemente —observa Natasha con un pulido inglés a lo Jane Austen, dirigiéndose no a Gail sino a un despliegue de plumas de pavo real fluorescentes que cae del cielo nocturno como un goteo.

Si tienes la suerte de recibir las confesiones de los jóvenes, lo sensato es mantener la mirada fija en un objeto común a lo lejos, más que en los ojos del otro: Gail Perkins, *ipsissima verba*. Antes de empezar a estudiar derecho, daba clases en una escuela de niños con dificultades de aprendizaje, y esa fue una de las cosas que aprendió. Y si una chica guapa de solo dieciséis años te confiesa, así de pronto, que cree estar embarazada, la lección adquiere doble importancia.

—En la actualidad, Max es monitor de esquí —contesta Natasha a la pregunta que Gail, como quien no quiere la cosa, ha dejado caer respecto al posible padre de la criatura que espera—. Pero eso es un empleo temporal. Será arquitecto y construirá casas para los pobres sin dinero. Max es muy creativo, y también muy sensible.

En su voz no se trasluce jocosidad alguna. El amor verdadero es demasiado serio para eso.

—Y sus padres a qué se dedican, si puede saberse —pregunta Gail.

—Tienen un hotel. Es para turistas. Es inferior, pero Max es muy filosófico en cuanto a las cosas materiales.

—¿Un hotel en las montañas?

—En Kandersteg. Es un pueblo en las montañas, muy turístico.

Gail dice que ella nunca ha estado en Kandersteg pero Perry ha participado allí en una carrera de esquí.

—La madre de Max no tiene cultura, pero es compasiva y espiritual como su hijo. El padre es del todo negativo. Un idiota.

Mantén un tono banal.

—¿Y Max pertenece a la escuela oficial de esquí o, como suele decirse, va por libre?

—Max siempre va por libre. Esquía solo con aquellos a quienes respeta. Prefiere el esquí fuera de las pistas, que es más estético. También el esquí en glaciar.

Fue en una remota cabaña, muy por encima de Kandersteg, cuenta Natasha, donde descubrieron, asombrados, su propia pasión.

—Yo era virgen. También inepta. Max es muy considerado. Ser considerado con todo el mundo forma parte de su naturaleza. Incluso en la pasión, es muy considerado.

En su resuelta búsqueda del lugar común, Gail pregunta a Natasha cómo le va con los estudios, qué materias se le dan mejor y en qué exámenes tiene la mira puesta en ese momento. Desde que vive con Dima y Tamara, contesta la chica, asiste a un colegio de monjas, católico, en el cantón de Friburgo, interna de lunes a viernes.

—Por desgracia, no creo en Dios, pero eso no viene al caso. En la vida, a menudo es necesario simular convicción religiosa.

Me gusta más el arte. Max también es muy artístico. Puede que estudiemos los dos arte en San Petersburgo o en Cambridge. Ya se decidirá.

—¿Él es católico?

—En cuanto a la práctica, Max se atiene a la religión de su familia. Eso es por su sentido del deber. Pero en el fondo de su alma cree en todos los dioses.

¿Y en la cama?, le gustaría saber a Gail, pero no pregunta: ¿también ahí se atiene a la religión de su familia?

—¿Y quién más está enterado de lo tuyo con Max? —dice con la ligereza y el desenfado que por ahora ha logrado mantener—. Aparte de los padres de Max, claro. ¿O quizá ellos tampoco lo saben?

—La situación es complicada. Max se ha comprometido muy firmemente, bajo juramento, a no hablar con nadie de nuestro amor. En eso he insistido mucho.

—¿Ni siquiera con su madre?

—La madre de Max no es digna de confianza. Es una mujer inhibida por los instintos burgueses, también locuaz. Si a ella le conviene, se lo contará a su marido, y también a otras muchas personas burguesas.

—¿Tan malo es eso?

—Si Dima se entera de que Max es mi amante, es posible que lo mate. A Dima no le es ajena la violencia física. Forma parte de su naturaleza.

—¿Y Tamara?

—Tamara no es mi madre —replica con un amago de la violencia física de su padre.

—¿Y qué harás si descubres que efectivamente vas a tener un niño? —pregunta Gail sin darle mayor importancia mientras sucesivas candelas romanas inflaman el paisaje.

—En el momento de confirmarse, nos fugaremos de inmediato a un lugar lejano, quizá Finlandia. Max se encargará. Ahora no es conveniente, porque en verano él también trabaja, de guía. Esperaremos un mes más. Quizá sea posible estudiar en Helsinki. Quizá nos matemos. Ya veremos.

Gail deja la peor pregunta para el final, tal vez porque sus instintos burgueses la han puesto en guardia ante la respuesta:

—¿Y tu Max cuántos años tiene, Natasha?

—Treinta y uno. Pero en el fondo es un niño.

Como tú, Natasha. ¿Es esto, pues, un cuento de hadas, una historia de amor, que estás inventándote bajo las estrellas del Caribe, una fantasía sobre el amante de ensueño que algún día conocerás? ¿O de verdad te has acostado con un obseso del esquí, un mierdecilla de treinta y un años que no se lo cuenta a su madre? Porque si es así, has acudido a la persona indicada.

Por entonces Gail era un poco mayor, no mucho. El chico en cuestión no era un obseso del esquí, sino un mestizo sin un céntimo, expulsado de un colegio público local, con unos padres divorciados en Sudáfrica. La madre de Gail había abandonado el hogar familiar hacía tres años, sin dejar su nueva dirección. Su padre alcohólico, lejos de ser una amenaza física, estaba internado por una insuficiencia hepática terminal. El médico de la familia, compañero de borracheras de su padre, era poco digno de confianza. Con dinero prestado por los amigos, Gail se sometió a un torpe aborto y no llegó siquiera a decírselo al chico.

Y a fecha de hoy tampoco ha encontrado aún el momento de decírselo a Perry. Tal como están las cosas, se pregunta si algún día lo hará.

Del bolso que ha estado a punto de dejarse en el taxi de Ollie, Gail extrae su móvil y consulta los mensajes. Como no encuentra ninguno, retrocede a la pantalla anterior. Los de Natasha están en mayúsculas, para mayor dramatismo. Son cuatro, distribuidos a lo largo de una sola semana:

HE AVERGONZADO A MI PADRE SOY UNA DESHONRA.

AYER ENTERRAMOS A MISHA Y OLGA EN UNA IGLESIA PRECIOSA QUIZÁ PRONTO ME REÚNA CON ELLOS.

INFÓRMAME POR FAVOR DE CUÁNDO ES NORMAL TENER VÓMITOS POR LAS MAÑANAS.

Este seguido de la respuesta de Gail, guardada en su bandeja de mensajes enviados:

Los tres primeros meses más o menos, pero si te encuentras mal, ve a un médico INMEDIATAMENTE, besos, GAIL.

Cosa que, como es de prever, ofende a Natasha:

NO PIENSES POR FAVOR QUE ESTOY MAL. CÓMO VOY A ESTAR MAL SI ESTOY ENAMORADA. NATASHA.

Si está embarazada, me necesita.
Si no está embarazada, me necesita.
Si es una adolescente trastornada que fantasea con matarse, me necesita.
Soy su abogada y su confidente.
Soy lo único que tiene.

La línea de Perry en la arena está trazada.
No es negociable ni depende de las mareas.
Ya ni siquiera el tenis sirve. La pareja india se ha marchado. Los partidos de individuales son demasiado tensos. Mark es el enemigo.
Aunque hacer el amor les permite olvidar temporalmente la presencia de esa línea, ahí sigue, esperando para volver a separarlos.

Sentados en la terraza después de la cena, contemplan el arco formado por los reflectores de seguridad cerca del extremo de la península. Si Gail tiene la esperanza de alcanzar a ver a las niñas, ¿a quién espera ver Perry?

¿A Dima, su Jay Gatsby? ¿A Dima, su Kurtz particular? ¿O algún otro héroe fallido de su venerado Joseph Conrad?

A todas horas del día y la noche los acompaña la sensación de que los escuchan y observan. Incluso si Perry estuviese dispuesto a incumplir su ley del silencio autoimpuesta, el miedo a ser oído le sellaría los labios.

A falta de dos días, Perry se levanta a las seis y sale a correr temprano. Gail sigue en la cama hasta tarde y luego va al Captain's Deck, resignada a desayunar sola, y allí lo encuentra, conspirando con Ambrose para adelantar la fecha de su marcha. Ambrose anuncia que lamentablemente sus pasajes no pueden cambiarse:

—Si lo hubiesen dicho ayer, podrían haberse marchado con el señor Dima y su familia. Salvo por el hecho de que ellos viajan todos en primera y ustedes van en clase turista. Por lo visto, no les queda más remedio que aguantar en esta vieja isla un día más.

Lo intentaron. Fueron a la ciudad dando un paseo y allí vieron todo lo que había por ver. Perry la aleccionó sobre los pecados del esclavismo. Visitaron una playa al otro lado de la isla y bucearon con esnórkel, pero eran solo dos ingleses más que no sabían qué hacer con tanto sol.

Fue ya durante la cena en el Captain's Deck cuando por fin Gail perdió la paciencia. Pasando por alto el embargo que él mismo ha impuesto a sus conversaciones en el bungalow, Perry le pregunta, increíblemente, si ella por casualidad conoce a alguien en el «mundillo de los servicios secretos británicos».

—Pero si trabajo para ellos —replica Gail—. Pensaba que a estas alturas ya lo habrías adivinado. —Su sarcasmo no va a ninguna parte.

—Lo decía por si alguien de tu bufete tiene acceso a ellos —aclara Perry, abochornado.

—Ya. ¿Y eso cómo iba a ser? —replica Gail, sintiendo el calor en la cara.

—Bueno —un gesto de indiferencia demasiado inocente—, se me ha pasado por la cabeza que con todo lo que corre sobre la extradición extraordinaria y la tortura... investigaciones públicas, juicios y demás..., los espías deben de estar necesitados de toda la ayuda jurídica a su alcance.

Eso ya era demasiado. Con un sonoro «Vete a la mierda, Perry», Gail se fue corriendo por el sendero hasta el bungalow, donde se vino abajo en un mar de lágrimas.

Y sí, Gail lo sentía mucho. Y él también lo sentía mucho. Estaba compungido. Los dos lo estaban. Ha sido todo culpa mía. No, mía. Volvamos a Inglaterra y zanjemos de una vez este asunto. Unidos de nuevo temporalmente, se aferran el uno al otro como nadadores a punto de ahogarse y hacen el amor con la misma desesperación.

Gail vuelve a estar junto a la ventana alargada, de pie, aunque peligrosamente, observando ceñuda la calle. El dichoso taxi no aparece. Ni siquiera el que no es.

—Canallas —dice en voz alta, imitando a su padre. Y para sí, o para los canallas en silencio:

¿Qué demonios estáis haciendo con él?

¿Qué demonios queréis de él?

¿A qué está diciendo «sí pero no» mientras vosotros contempláis sus vaivenes morales?

¿Qué pensaríais si Dima me hubiese elegido a mí como confidente en lugar de Perry? ¿Si en lugar de ser un asunto de hombre a hombre, hubiese sido un asunto de hombre a mujer?

¿Qué habría pensado Perry si se hubiese quedado aquí sentado, al margen, esperando mi regreso aún con más secretos que, «lo siento, pero no puedo compartir contigo de ninguna manera, por tu propio bien»?

—¿Eres tú, Gail?

¿Lo es?

Alguien le ha puesto el auricular del teléfono en la mano y le ha dicho que hable con él. Pero no ha sido nadie. Está sola. Es Perry en hora de máxima audiencia, no un recuerdo, y ella sigue de pie, con una mano en el marco de la ventana, la mirada fija en la calle.

—Oye. Perdona por lo tarde que es y demás.

¿Demás?

—Hector quiere que mañana te tomes el día libre. ¿Es posible? ¿Lo harás? Llama a tu bufete y di que estás enferma, o lo que sea. Quiere hablar con los dos mañana por la mañana a las nueve.

—¿Hector?

—Vuelve a dormirte. Llegaré a casa dentro de media hora.

6

Por cierto, usará el nombre de Hector —dijo el pequeño Luke, siempre eficiente, apartando la vista de su réplica de la carpeta beige.

—¿Eso es una advertencia o un mandato divino? —preguntó Perry desde detrás de sus manos desplegadas mucho después de renunciar Luke a una respuesta.

En la eternidad transcurrida desde la marcha de Gail, Perry había permanecido inmóvil en la mesa, sin levantar siquiera la cabeza ni cambiar de postura junto a la silla vacía de ella.

—¿Dónde está Yvonne?

—Se ha ido a casa —contestó Luke, otra vez absorto en su carpeta.

—¿Se ha ido o la han mandado?

No hubo respuesta.

—¿Es Hector su jefe supremo?

—Digamos que yo soy de clase B y él es de clase A —trazando una marca con el lápiz.

—¿O sea que usted está a las órdenes de Hector?

—Es otra manera de decirlo.

Y otra manera de eludir la respuesta.

A decir verdad, debía reconocer Perry basándose en todas las pruebas disponibles hasta el momento, Luke era una persona con quien podía llevarse bien. No era un hombre de altos vuelos, quizá. Clase B, como él mismo había dicho. Un poco pijo, tal vez, un poco producto de los colegios privados, y aun así fiable en una cordada.

—¿Hector ha estado escuchándonos?

—Imagino que sí.

—¿Observándonos?

—A veces es mejor solo escuchar. Como una radionovela. —Y después de una pausa—: Una chica imponente, su Gail. ¿Llevan mucho tiempo juntos?

—Cinco años.

—Vaya.

—¿Por qué «vaya»?

—Bueno, opino lo mismo que Dima, supongo. Cásese pronto con ella.

Eso era terreno sagrado, y Perry se planteó decírselo, pero optó por perdonarlo y preguntar:

—¿Cuánto tiempo lleva usted en este trabajo?

—Veinte años, poco más o menos.

—¿Aquí o en el extranjero?

—Sobre todo en el extranjero.

—¿Provoca alguna distorsión?

—¿Cómo dice?

—El trabajo. ¿Le trastorna la mente? ¿Tiene conciencia de alguna... digamos... deformación profesional?

—¿Está preguntándome si soy un enfermo mental?

—Sin llegar a ese extremo. Solo... bueno, ¿cómo le afecta a largo plazo?

Luke mantuvo la cabeza gacha, pero el lápiz había dejado de vagar sobre el papel, y en su inmovilidad se adivinaba cierto desafío.

—¿A largo plazo? —repitió con intencionada perplejidad—. A largo plazo acabaremos todos en la tumba, imagino.

—Solo quería saber cómo lleva uno eso de representar a un país al que no le alcanza para pagar las facturas —explicó Perry, dándose cuenta ya demasiado tarde de que estaba metiéndose en honduras—. Según he leído en algún sitio, la buena labor de los servicios de inteligencia es hoy día lo único que nos asegura un puesto en la mesa del más alto nivel internacional —prosiguió en un torpe intento para salir del paso—. Debe de representar una gran tensión para los responsables directos, solo lo digo por eso. Es como boxear uno por encima de su peso —añadió en una referencia por completo involuntaria, que lamentó de inmediato, a la corta estatura de Luke.

Afortunadamente la espinosa conversación se vio interrumpida por el sonido de unas pisadas lentas y débiles en el techo, como de unas pantuflas, antes de iniciar el cauto descenso por la escalera del sótano. Como si obedeciera a una orden, Luke se puso en pie, se acercó al aparador, cogió una bandeja con whisky de malta, agua mineral y tres vasos y la colocó en la mesa.

Los pasos llegaron al pie de la escalera. La puerta se abrió. Perry se levantó instintivamente. Se produjo entonces una inspección mutua. Los dos hombres eran de la misma estatura, cosa poco habitual para ambos. A no ser por su espalda encorvada, acaso Hector hubiese sido más alto. Con su frente ancha, bien proporcionada, y una mata de pelo blanco peinado hacia atrás en dos descuidadas ondas, parecía, pensó Perry, uno de esos viejos decanos un tanto excéntricos. Tendría alrededor de cincuenta y cinco años, calculó, pero vestía una eterna americana de sport marrón, raída, con ribetes de cuero en los puños y coderas de cuero. Los deformes pantalones grises de franela podrían haber sido los de Perry. También los rozados Hush Puppies. Las insulsas gafas sin montura podrían haber salido de la caja del padre de Perry en el desván.

Finalmente, pero al cabo de un buen rato, Hector habló:

—Nada menos que el condenado Wilfred Owen —pronunció con una voz que de algún modo era a la vez vigorosa y reverencial—. Y el condenado Edmund Blunden. Y el condenado Siegfried Sassoon. Y el condenado Robert Graves. Y otros.

—¿Eso a qué viene? —preguntó Perry, desconcertado, sin concederse un momento para pensar.

—¡Hablo de aquel fabuloso artículo que escribió usted sobre todos ellos para la puta *London Review of Books* el pasado otoño! «El sacrificio de hombres valerosos no justifica la defensa de una causa injusta. P. Makepiece *scripsit.*» ¡Una verdadera maravilla!

—Pues gracias —contestó Perry, inerme, y se sintió como un idiota por no haber establecido antes la conexión.

El silencio se impuso de nuevo mientras Hector procedía a la admirativa inspección de su trofeo.

—Le diré lo que es usted, señor Perry Makepiece —anunció como si hubiese llegado a la conclusión que ambos esperaban—. Es usted un héroe del copón, eso es —cogiéndole la mano a Perry entre las suyas en un lánguido apretón—, y no estoy dándole coba. Ya sabemos qué piensa de nosotros. Algunos de nosotros pensamos eso mismo, y no nos equivocamos. El problema es que no hay otro sitio dónde agarrarse. El gobierno es una mierda; la mitad de los funcionarios han salido a comer. El Foreign Office no es más útil que un sueño húmedo; el país está en quiebra, y los banqueros se apropian de nuestro dinero y nos hacen un corte de mangas. ¿Y a nosotros qué solución nos queda? ¿Nos quejamos a mamá o lo arreglamos? —Sin esperar la respuesta de Perry, añadió—: Me imagino que cagó sangre antes de acudir a nosotros. Pero acudió. Una pizca —dijo a Luke en referencia al whisky de malta después de soltarle la mano a Perry—. Para Perry, lo mínimo. Mucha agua y el alpiste justo para que se suelte la melena. ¿Le importa si me acomodo al lado de Luke? ¿No quedará muy en plan «Cuándo viste a tu padre por última vez»? Por cierto, aparquemos el rollo ese de «Adam». Me llamo Meredith. Hector Meredith. Hablamos ayer por teléfono. Piso en Knightsbridge. Mujer y dos vástagos, ya mayores. Un chalet gélido en Norfolk, y mi nombre consta en la guía telefónica en los dos sitios. ¿Y tú, Luke, quién eres cuando no eres uno de esos cerdos? Yo lo sé; él no.

—Luke Weaver, esa es la verdad. Vivimos en Parliament Hill, un poco más allá de Gail. Mi destino anterior fue en Centroamérica. Segundo matrimonio, un hijo común de diez años que acaba de entrar en el University College School, Hampstead, así que encantados de la vida.

—Y nada de preguntas candentes hasta el final —ordenó Hector.

Luke sirvió tres whiskies minúsculos. Perry volvió a sentarse bruscamente y esperó. Hector, clase A, tomó asiento justo enfrente de él; Luke, clase B, ligeramente a un lado.

—En fin, joder... —exclamó Hector con tono jovial.

—Eso digo yo: joder —convino Perry, desconcertado.

Pero lo cierto era que la llamada a la acción de Hector no habría podido ser más oportuna o tonificante para Perry, ni calcularse mejor el momento de su efusiva entrada. Relegado al agujero negro en que había caído tras la forzada marcha de Gail —forzada por él mismo, independientemente de cuáles fuesen las razones—, su corazón escindido se sumía en el enfado consigo mismo y los remordimientos de la más diversa índole.

Nunca debería haber accedido a ir allí, con o sin ella.

Debería haber entregado el documento y dicho a esa gente: «Eso es todo. Lo dejo en sus manos. Soy, luego no espío».

¿Tenía realmente alguna importancia que se hubiese pasado una noche entera deambulando por la raída alfombra de su cubil de Oxford, abismado en sus cavilaciones acerca del paso que, como bien sabía —aunque no quisiera saberlo—, iba a dar?

¿O que su difunto padre, eclesiástico inconformista, librepensador y pacifista activo, hubiese participado en manifestaciones, escrito y despotricado contra todo mal, desde el armamento nuclear hasta la guerra contra Irak, acabando más de una vez en un calabozo por sus esfuerzos?

¿O que su abuelo paterno, humilde albañil y socialista declarado, hubiese perdido una pierna y un ojo combatiendo con el bando republicano en la guerra civil española?

¿O que Siobhan, la criada irlandesa, el tesoro de la familia Makepiece desde hacía veinte años cuatro horas por semana, bajo intimidación hubiese entregado el contenido de la papelera de su padre a un inspector de la policía de Hertfordshire? Carga tan pesada para ella que un día, deshecha en lágrimas, lo confesó todo a la madre de Perry, y después ya nunca más volvió a dejarse ver en la casa pese a los ruegos de su madre.

¿O que solo un mes antes el propio Perry hubiese puesto un anuncio de una página en el *Oxford Times*, refrendado por una organización que él mismo había creado precipitadamente, llamada «Académicos contra la Tortura», exhortando a la acción contra el Gobierno Secreto de Gran Bretaña y el furtivo ataque a nuestras libertades civiles, conquistadas con tantos sacrificios?

Pues sí, para Perry tenía una importancia inmensa.

Y seguía teniéndola la mañana posterior a su larga noche de vacilación cuando, a las ocho, con un carpesano bajo el brazo, se obligó a cruzar el patio del antiguo colegio de Oxford que pronto abandonaría para siempre y subir por la escalera de madera carcomida que conducía al apartamento de Basil Flynn, jefe de estudios, doctor en derecho, diez minutos después de solicitar una breve conversación con él sobre un asunto privado y confidencial.

Solo tres años separaban a los dos hombres, pero Flynn, a juicio de Perry, era ya carne de comité universitario en su máxima expresión. «Puedo hacerte un hueco si vienes ahora mismo —había dicho en tono oficioso—. Tengo una reunión con el

Consejo a las nueve, y estas cosas suelen alargarse.» Vestía un traje oscuro y zapatos negros con hebillas laterales abrillantadas. Solo la melena hasta los hombros, cuidadosamente peinada, lo apartaba del solemne uniforme de la ortodoxia. Perry no se había detenido a pensar cómo dar inicio a la conversación con Flynn, y se precipitó, admitiría ahora, al elegir sus primeras palabras.

—El trimestre pasado abordaste a uno de mis alumnos —prorrumpió apenas cruzar el umbral de la puerta.

—Dices que hice ¿qué?

—A un chico medio egipcio. Dick Benson. Madre egipcia, padre inglés. Hablante de árabe. Quería una beca de investigación, y tú le aconsejaste que, en lugar de eso, se dirigiese a cierta gente que tú conocías en Londres. No entendió qué querías decir. Me pidió consejo.

—¿Y qué le dijiste?

—Que fuera con pies de plomo si esa «cierta gente» de Londres era quien yo creía. Por mí, le habría dicho que ni se acercara a ellos, pero eso no me pareció bien. La decisión dependía de él, no de mí. ¿Tengo razón o no?

—¿En cuanto a qué?

—Te dedicas a reclutar para ellos. A modo de cazatalentos.

—¿Y quiénes son «ellos», exactamente?

—Los espías. Ni el propio Dick Benson sabía cuáles eran en concreto, así que difícilmente podría saberlo yo. No te acuso de nada. Estoy preguntándotelo. ¿Es verdad? ¿Eso de que estás en contacto con ellos? ¿O eran fantasías de Benson?

—¿A qué has venido y qué quieres?

En ese momento Perry estuvo a punto de marcharse de allí. Lamentó no hacerlo. Incluso llegó a darse media vuelta y encaminarse hacia la puerta, pero se detuvo y regresó.

—Necesito que me pongas en contacto con esa cierta gente tuya en Londres —declaró, todavía con el carpesano rojo bajo el brazo y esperando la pregunta «¿Por qué?».

—¿Estás pensando en unirte a ellos? Sé que hoy día aceptan a toda clase de gente, pero ¿a ti? ¡Por Dios!

Perry estuvo a punto de dirigirse hacia la puerta por segunda vez. Y por segunda vez lamentó no hacerlo. Pero no, se contuvo y respiró hondo, y en esta ocasión sí encontró las palabras oportunas:

—Me he topado por casualidad con determinada información. —Dio un golpe seco en el carpesano con sus dedos largos e inquietos, oyéndose un sonido metálico—. Una información no solicitada, no deseada y… —vaciló durante un prolongado momento antes de emplear la palabra— secreta.

—¿Y eso quién lo dice?

—Yo.

—¿Por qué?

—Si es cierta, podría haber vidas en peligro. También podría salvar vidas. No es mi especialidad.

—Tampoco es la mía, me complace decir. Yo soy cazatalentos. Secuestro bebés. Esa cierta gente mía cuenta con una página web absolutamente válida. Además, publican anuncios absurdos en la prensa de más solera. Tienes a tu disposición cualquiera de esas vías.

—Mi material es demasiado urgente para eso.

—¿Urgente además de secreto?

—Si algo puede decirse, es que es muy urgente.

—¿El destino de la nación pende de un hilo? Y eso que llevas bajo el brazo es el *Librito Rojo*, cabe suponer.

—Es un documento donde constan los hechos.

Se observaron con mutua aversión.

—¿No pretenderás dármelo?

—Pues sí. ¿Por qué no?

—¿Entregarle tus secretos urgentes a Flynn, que les pondrá un sello y se los enviará a esa cierta gente suya en Londres?

—Algo así. ¿Por qué habría yo de saber cómo actuáis?

—¿Mientras tú partes en pos de tu alma inmortal?

—Yo me ocuparé de mis cosas. Ellos se ocuparán de las suyas. ¿Qué tiene eso de malo?

—Lo tiene todo de malo. En este juego, que no es un juego en absoluto, el mensajero es al menos la mitad de importante que el mensaje, y a veces él por sí solo es todo el mensaje. ¿Adónde vas ahora? En este mismo instante, quiero decir.

—Vuelvo a mi estudio.

—¿Tienes teléfono móvil?

—Claro.

—Apúntame aquí el número, por favor —entregándole un papel—. Nunca confío nada a la memoria: falla. ¿En tu estudio tienes una cobertura satisfactoria para tu teléfono móvil, espero? ¿Las paredes no son demasiado gruesas ni nada por el estilo?

—Tengo una cobertura excelente, te lo aseguro.

—Llévate tu *Librito Rojo.* Vuelve a tu estudio y recibirás una llamada de alguien que se hace llamar Adam. Un señor o señora Adam. Necesitaré un epígrafe.

—Necesitarás ¿qué?

—Algo para ponerlos cachondos. No voy a irles con que «tengo aquí a un bolchevique de salón que cree haber descubierto por casualidad una conspiración internacional». Bien he de decirles qué es lo que hay.

Tragándose la indignación, Perry hizo el primer esfuerzo consciente para concebir un titular.

—Diles que tiene que ver con un banquero ruso de cuidado, que se hace llamar Dima —respondió después de fallarle misteriosamente otros cauces—. Quiere llegar a un acuerdo con ellos. «Dima» es «Dimitri», abreviado, por si no lo saben.

—Irresistible, diría yo —comentó Flynn con sorna a la vez que cogía un lápiz y lo anotaba en el mismo papel.

Perry llevaba solo una hora en su estudio cuando sonó el móvil y oyó la misma voz masculina, guasona y un poco ronca que ahora le hablaba en el sótano.

—¿Perry Makepiece? Fenomenal. Yo, Adam. Acabo de recibir su mensaje. Si no le importa, le haré un par de preguntitas para asegurarme de que roemos el mismo hueso. No hace falta mencionar el nombre de nuestro amigo. Basta con que nos aseguremos de que es el mismo. ¿Tiene mujer, por casualidad?

—Sí.

—¿Una gorda y rubia? ¿Con pinta de camarera?

—Morena y demacrada.

—¿Y las circunstancias exactas de su encuentro casual con nuestro amigo? ¿El cuándo y el cómo?

—En Antigua. En una pista de tenis.

—¿Quién ganó?

—Yo.

—Fenomenal. Vamos a por la tercera preguntita. ¿Cuánto tardaría usted en llegar a Londres, a cargo nuestro, y cuándo podríamos echarle el guante a ese comprometido informe suyo?

—De puerta a puerta, unas dos horas, calculo. No es solo el informe. Hay también un lápiz USB. Lo he pegado a la tapa por dentro.

—¿Bien pegado?

—Eso creo.

—Pues asegúrese. Escriba ADAM en la tapa con letras grandes, en negro. Utilice un rotulador de tinta permanente o algo así. Luego paséese por recepción agitando el informe hasta que alguien se fije en usted.

¿«Un rotulador de tinta permanente»? ¿Era la sugerencia de un viejo solterón? ¿O una astuta alusión al pueblo de origen de Dima?

Ya mejor de ánimo gracias a la presencia de Hector, repantigado a un metro y medio de él, Perry hablaba con rapidez e intensidad, y no dirigiéndose al vacío, a esa distancia intermedia que es el refugio tradicional del profesor universitario, sino mirando a Hector a la cara, directamente a aquellos ojos aquilinos, y también, pero no tanto, a Luke, tan peripuesto él, sentado en posición de firmes junto a Hector.

Sin Gail allí para contenerlo, Perry se sentía libre para sintonizar con los dos hombres. Se confesaba a ellos tal como Dima se había confesado a él: de hombre a hombre, cara a cara. Estaba creando una sinergia de confesión. Recuperaba el diálogo con la precisión con que recuperaba cualquier texto, bueno o malo, sin parar a corregirse.

A diferencia de Gail, a quien nada gustaba tanto como imitar las voces de los demás, él o bien era incapaz de hacerlo, o bien un orgullo absurdo se lo impedía. Pero en su memoria seguía oyendo el marcado acento de Dima, y en su imaginación veía la cara sudorosa tan cerca de la suya que si hubiese estado un poco más cerca, sus frentes se habrían tocado. Olía, a la vez que los describía, los efluvios del vodka en su aliento, y oía su respiración ronca. Observaba a Dima mientras rellenaba el vaso, lo miraba con expresión ceñuda, arremetía y lo vaciaba de un trago. Se sentía resbalar hacia una afinidad involuntaria con él: el vínculo rápido y necesario que nace de la situación de peligro en la pared rocosa del acantilado.

—Pero ¿no llevaba lo que llamaríamos una cogorza como un piano? —insinuó Hector, y tomó un sorbo de su whisky de malta—. ¿O era más bien el típico bebedor en sociedad a pleno rendimiento, diría usted?

Exacto, coincidió Perry: ni confuso, ni sensiblero, ni arrastrando las palabras, sencillamente a gusto.

—Si hubiésemos jugado al tenis a la mañana siguiente, habría jugado como siempre, seguro. Tiene un motor enorme, y funciona con alcohol. Se enorgullece de eso.

Por como Perry hablaba, daba la impresión de que también él se enorgullecía.

—O por parafrasear al Maestro —resultó que Hector era

otro entusiasta seguidor de P. G. Wodehouse—, ¿era de esos hombres que han nacido con alguna que otra copa bajo par?

—«Tal cual, Bertie» —convino Perry, también en vena Wodehouse, y encontraron un momento para compartir una breve risa, secundada por Luke, clase B, quien, por lo demás, con la llegada de Hector, había adoptado el papel de convidado de piedra.

—¿Le importa si introduzco aquí una pregunta con relación a la inmaculada Gail? —inquirió Hector—. No es de las candentes. Templada, solo.

Candente, templada: Perry se puso en guardia.

—Cuando llegaron ustedes a Inglaterra de Antigua… —empezó Hector—. A Gatwick, ¿no?

A Gatwick, confirmó Perry.

—Se separaron. ¿Me equivoco? Gail volvió a sus responsabilidades jurídicas y su piso en Primrose Hill, y usted a su estudio de Oxford, para plasmar su prosa inmortal.

También correcto, admitió Perry.

—Entonces, ¿a qué acuerdo llegaron los dos en ese punto… o entendimiento, que sería una palabra más bonita… respecto a cómo proceder en adelante?

—Proceder ¿en qué?

—Pues casualmente en cuanto a nosotros.

Sin adivinar la intención de la pregunta, Perry vaciló.

—No existió ningún «entendimiento» propiamente dicho —repuso con cautela—. No explícito. Gail había cumplido ya con su función. A partir de ese momento yo cumpliría con la mía.

—¿Cada uno por su cuenta?

—Sí.

—¿Sin comunicarse?

—Nos comunicamos. Solo que no acerca de los Dima.

—¿Y eso por qué?

—Ella no había oído lo que había oído yo en Las Tres Chimeneas.

—¿Y por lo tanto seguía aún en la inopia?

—En efecto. Sí.

—Y que usted sepa, ahí sigue. Y ahí seguirá mientras de usted dependa.

—Sí.

—¿Lamenta que le hayamos pedido a ella que asista a la reunión de esta tarde?

—Usted me ha dicho que nos necesitaba a los dos. Yo le he dicho a ella que nos necesitaba a los dos. Ella ha accedido a venir —contestó Perry, y la irritación empezó a ensombrecer su rostro.

—Pero ella ha querido venir, cabe suponer. De lo contrario se habría negado. Es una mujer con carácter. No es una persona que obedece ciegamente.

—No, no lo es —coincidió Perry, y sintió alivio al encontrarse con la sonrisa beatífica de Hector.

Perry describe el minúsculo espacio al que Dima lo llevó para hablar: una cofa, lo llama, de dos metros por dos y medio, en lo alto de una escalera de barco que asciende desde un rincón del comedor, una precaria torrecilla de madera y cristal construida sobre el semihexágono orientado a la ensenada. Por efecto del viento, los tablones temblaban y las ventanas crujían.

—Debía de ser el sitio más ruidoso de la casa. Por eso lo eligió, imagino. Me cuesta creer que exista un micrófono en el mundo capaz de oírnos con semejante estruendo. —Y su voz adquiere poco a poco el tono de perplejidad de un hombre que cuenta un sueño—: Era una casa parlante, sin duda. Tres chimeneas y tres vientos. Y esa caja donde estábamos sentados, cabeza con cabeza.

»La cara de Dima no estaba a más de un palmo de la mía —repite, y se inclina sobre la mesa hacia Hector como para mostrarle lo cerca que estaban—. Durante una eternidad nos quedamos allí inmóviles, mirándonos. Creo que él dudaba de sí mismo. Y dudaba de mí. Dudaba de si sería capaz de llevar a cabo su propósito, si había elegido al hombre indicado. Y yo quería inducirlo a creer que así era. En fin, no sé si eso tiene sentido.

Para Hector, todo el sentido del mundo, por lo visto.

—Intentaba superar un obstáculo descomunal en su cabeza, que es lo que pasa en una confesión, supongo. Luego dejó caer por fin una pregunta, aunque parecía más bien una petición: «¿Es usted espía, Catedrático? ¿Un espía inglés?». Al principio pensé que era una acusación. Luego me di cuenta de que él presuponía, incluso esperaba, que dijese que sí. Así que dije: «No, lo siento, no soy espía, nunca lo he sido, nunca lo seré. Solo doy clases, ese es mi único trabajo». Pero a él no le bastó: «Muchos ingleses son espías. Lores. Caballeros. Intelectuales. ¡Me consta! Lo suyo es el juego limpio. Son un país de ley. Tienen buenos espías».

»Tuve que repetírselo: No, Dima, no soy, repito, no soy espía. Soy su compañero de tenis, y un profesor universitario a punto de cambiar de vida. Debería haberme indignado. Pero a esas alturas ¿qué significaba ya «debería»? Yo estaba en un mundo nuevo.

—¡Y totalmente enganchado, seguro! —interviene Hector—. ¡Yo habría dado cualquier cosa por estar en su piel! ¡Incluso habría empezado a jugar al tenis!

Sí. «Enganchado» es la palabra, concede Perry. Mirar a Dima en la penumbra obedecía a una compulsión. Y escucharlo por encima del viento obedecía a una compulsión.

Candente, templada o fría, la pregunta de Hector fue formulada con tal despreocupación y cordialidad que podrían haber sido palabras de consuelo:

—Y supongo que, pese a sus fundadas reservas respecto a nosotros, por un momento deseó ser espía, ¿no?

Perry arrugó la frente; incómodo, se rascó la cabeza entre el pelo rizado, y no encontró una respuesta inmediata.

—¿Conoce usted Guantánamo, Catedrático?

Sí, Perry conoce Guantánamo. Calcula que ha hecho campaña contra Guantánamo de todas las maneras posibles que conoce. Pero ¿qué intenta decirle Dima? ¿Por qué de pronto Guantánamo es «tan importante, tan urgente, tan vital para Gran Bretaña», por repetir el mensaje escrito de Tamara?

—¿Conoce los aviones secretos, Catedrático? Esos puñeteros aviones contratados por la CIA, que trasladan terroristas de Kabul a Guantánamo?

Sí, Perry ya sabe qué son esos aviones secretos. Ha enviado un buen dinero a una ONG jurídica que pretende interponer una demanda a las líneas aéreas propietarias por violación de los derechos humanos.

—De Cuba a Kabul, esos aviones no llevan carga, ¿vale? ¿Sabe por qué? Porque de Guantánamo a Afganistán no vuela ni un puto terrorista. Pero yo tengo amigos.

La palabra «amigos» pareció inquietarlo. La repite, se interrumpe, musita algo en ruso para sí y echa un trago de vodka antes de continuar.

—Mis amigos hablan con los pilotos, llegan a un acuerdo, un acuerdo muy privado, sin derecho a reclamaciones, ¿vale?

Vale. Sin derecho a reclamaciones.

—¿Sabe qué transportan en esos aviones vacíos, Catedrático? ¿Sin aduanas, franco de porte, entrega en mano, de Guantánamo a Kabul, pago por adelantado?

No, a Perry no se le ocurre cuál puede ser el cargamento que sale de Guantánamo con destino a Kabul, pago por adelantado.

—¡Langostas, Catedrático! —dándose una palmada en el enorme muslo en un violento ataque de risa—. ¡Puñeteras langostas del golfo de México, un par de miles! ¿Y quién compra las puñeteras langostas? ¡Los señores de la guerra, chiflados del primero al último! La CIA compra prisioneros a los señores de la guerra. La CIA vende las puñeteras langostas a los señores de la guerra. En efectivo. Quizá también por un poco de heroína K para los celadores de la cárcel de Guantánamo. De la mejor calidad. 999. No miento. ¡Créame, Catedrático!

¿Debería Perry asombrarse? Lo intenta. ¿De verdad eso es razón suficiente para arrastrarlo a una precaria atalaya bombardeada por el viento? No lo cree. Tampoco lo cree Dima, sospecha. Esa historia parece más bien un tiro de tanteo para lo que sea que vendrá a continuación.

—¿Sabe qué hacen mis amigos con ese dinero en efectivo, Catedrático?

No, Perry no sabe qué hacen los amigos de Dima con los beneficios del contrabando de langostas trasladadas desde el golfo de México hasta los señores de la guerra afganos.

—Traen a Dima ese dinero en efectivo. ¿Y por qué? Porque confían en Dima. ¡Muchas, muchas redes rusas confían en Dima! ¡Y no solo rusas! ¿Grandes, pequeñas? A mí eso me importa un carajo. Las aceptamos a todas. Diga a sus espías ingleses: ¿tenéis dinero sucio! ¡Dima os lo blanquea, no hay problema! ¿Queréis ahorrar y conservar? ¡Acudid a Dima! A partir de muchos caminos pequeños, Dima hace un camino grande. Dígales eso a sus puñeteros espías, Catedrático.

—Llegados a ese punto, pues, ¿cómo interpreta usted el comportamiento de ese tipo? Suda, alardea, bebe, bromea. Está contándole que es un sinvergüenza y se dedica al blanqueo de dinero y se jacta de sus compinches corruptos… ¿qué ve y oye usted realmente? ¿Qué está pasando dentro de él?

Perry analiza la premisa como si se la hubiera formulado un examinador superior, que es como empezaba a ver a Hector.

—¿Ira? —sugiere—. ¿Dirigida contra una persona o personas aún no definidas?

—Siga —ordena Hector.

—Desesperación. También sin definir.

—¿Y odio puro y simple, que nunca está de más?

—Eso ya llegará, sospecho.

—¿Venganza?

—Está presente en algún sitio, por descontado.

—¿Premeditación? ¿Ambivalencia? ¿Astucia animal? ¡Esfuércese! —dicho en broma, pero recibido en serio.

—Todo lo anterior. Sin duda.

—¿Y vergüenza? ¿Asco de sí mismo? ¿No hay nada de eso?

Cogido por sorpresa, Perry reflexiona, frunce el entrecejo, mira alrededor.

—Sí —admite, alargando la palabra interminablemente—. Sí. Vergüenza. La vergüenza del apóstata. Avergonzado del hecho mismo de tratar conmigo. Avergonzado de su traición. Por eso necesitaba jactarse tanto.

—Soy un clarividente de mil demonios —dice Hector con satisfacción—. Pregúnteselo a cualquiera.

Perry no necesita hacerlo.

Perry describe los largos minutos de silencio, el rostro sudoroso de Dima en la penumbra y las muecas contradictorias, cómo se sirve otro vodka, se lo echa entre pecho y espalda, se enjuga la cara, sonríe, lanza una mirada colérica a Perry, como si cuestionase su presencia, alarga el brazo y lo agarra por la rodilla a fin de retener su atención mientras se explica, retira la mano y vuelve a olvidarse de él. Y cómo al final, en un tono del mayor recelo, plantea con un gruñido una pregunta que requiere una respuesta inequívoca antes de poder proseguir con el asunto que les atañe:

—¿Ha visto usted a mi Natasha?

Perry ha visto a su Natasha.

—¿Es guapa?

Perry puede asegurarle sin la menor sombra de duda que Natasha es, en efecto, muy guapa.

—Diez, doce libros por semana, y ella como si nada. Se los lee todos. Si consigue unos cuantos alumnos así, ya puede estar contento.

Perry responde que ciertamente estaría contento.

—Monta a caballo, hace ballet. Esquía de maravilla, como un puñetero pájaro. ¿Quiere saber una cosa? Su madre... acabó muerta. Yo quería a esa mujer. ¿Vale?

Perry expresa su pesar con un murmullo.

—Puede que en otro tiempo me tirara a muchas mujeres, demasiadas. Algunos hombres necesitan a muchas mujeres. Una buena mujer quiere ser la única. Si vas follando por ahí, se vuelven un poco locas. Es una lástima.

Perry coincide en que es una lástima.

—¡Dios bendito, Catedrático! —Se inclina hacia delante, hincando el dedo índice en la rodilla de Perry—. La madre de Natasha... quiero a esa mujer, la quiero tanto que casi reviento, ¿me oye? Con un amor que es como fuego en las entrañas. La polla, las pelotas, el corazón, el cerebro, el alma... todas las partes de tu cuerpo viven solo para ese amor. —Vuelve a restregarse la boca con el dorso de la mano, dice entre dientes «como su Gail, preciosa», toma un trago de vodka y continúa—: El cabrón de su marido la mató —cuenta en confianza—. ¿Y sabe por qué?

No, Perry no sabe por qué el cabrón del marido de la madre de Natasha mató a la madre de Natasha, pero espera averiguarlo, igual que espera averiguar si en realidad ha ido a parar a un manicomio.

—Natasha es mi hija. Cuando la madre de Natasha se lo dijo al marido, porque era incapaz de mentir, el cabrón la mató.

Puede que un día encuentre a ese cabrón. Pienso matarlo. No con una pistola, no. Con estas.

Levanta las manos, de una delicadeza inverosímil, para someterlas a la inspección de Perry. Este las admira debidamente.

—Mi Natasha irá a Eton, ¿vale? Dígaselo a sus espías. O no hay trato.

Por un breve momento, dentro de un mundo en violenta rotación, Perry se siente en tierra firme.

—No estoy del todo seguro de si Eton acepta ya a chicas —dice con cautela.

—Pagaré bien. Donaré una piscina. No hay problema.

—Aun así, no creo que cambien las normas por ella.

—¿Y dónde ha de estudiar, pues? —pregunta irreflexivamente, como si fuera Perry, y no la escuela, quien ponía pegas.

—Hay un centro que se llama Roedean. En principio es el equivalente a Eton para chicas.

—¿El número uno de Inglaterra?

—Eso dicen.

—¿Para hijas de intelectuales? ¿De lores? ¿La *Nomenklatura*?

—Es una escuela para el más alto nivel de la sociedad británica, por así decirlo.

—¿Cuesta mucho dinero?

—Muchísimo.

Dima se conforma solo a medias.

—Vale —gruñe—. Cuando lleguemos a un acuerdo con sus espías. Condición número uno: colegio Roedean.

Hector mira boquiabierto a Perry, luego a Luke, junto a él, y luego otra vez a Perry. Se desliza los dedos por entre la revuelta mata de pelo blanco con sincera incredulidad.

—Hay que joderse —musita—. ¿Y ya puestos por qué no una plaza en la Caballería Real para sus gemelos? ¿Y usted qué le dijo?

—Le prometí que haría lo que estuviese en mis manos —contestó Perry, decantándose hacia el bando de Dima—. Esa es la Inglaterra que él cree venerar. ¿Qué iba a decirle?

—Estuvo usted fenomenal —responde Hector con entusiasmo. Y el pequeño Luke concuerda con él, siendo la palabra «fenomenal» parte del vocabulario de ambos.

—¿Se acuerda de Mumbai, Catedrático? ¿En noviembre del año pasado? ¿Aquellos paquistaníes chiflados, los que mataron a medio mundo? ¿Aquellos que recibían las órdenes por móvil? ¿Aquella puñetera cafetería que tirotearon? ¿Los judíos que mataron? ¿Los rehenes? ¿Los hoteles, las estaciones de tren? ¿Los niños, las madres, todos muertos? ¿Cómo coño hacen una cosa así, esos chiflados, los muy cabrones?

Perry no tiene respuesta.

—Si mis hijos se hacen un corte en un dedo, si sangran un poco, me entran ganas de vomitar —afirma Dima, indignado—. Yo he causado muertes de sobra en mi vida, ¿me oye? ¿Por qué hacen una cosa así, esos chiflados de mierda?

A Perry el descreído le gustaría decir «lo hacen por Dios», pero calla. Dima se arma de valor y por fin se lanza:

—Vale. Dígaselo una sola vez a sus puñeteros espías ingleses, Catedrático —lo insta en otro arranque de agresividad—. Octubre de 2008. Recuerde esa puta fecha. Me llama un amigo. ¿Vale? ¿Un amigo?

Vale. Otro amigo.

—Un paquistaní. De una red con la que trabajamos. El 30 de octubre, a altas horas de la noche, va y me llama. Estoy en Berna, Suiza, una ciudad de lo más tranquila, mucho banquero. Tamara está ahí, dormida a mi lado. Se despierta. Me da el puñetero teléfono: para ti. Es ese amigo tuyo. ¿Me sigue?

Perry lo sigue.

—«Dima», me dice. «Soy tu amigo, Khalil.» De eso nada.

En realidad se llama Mohamed. Khalil es un nombre especial suyo que usa para ciertos movimientos de dinero en los que yo participo... es igual, no viene al caso. «Me ha llegado un soplo de la bolsa, un asunto caliente. Muy grande. Muy caliente. Muy especial. Tenéis que recordar que fui yo quien os pasó el soplo. ¿Os acordaréis?» Vale, digo. Cómo no. Eso a las cuatro de la mañana, joder, y seguro que para una información de mierda sobre la Bolsa de Mumbai. Pero da lo mismo. Le digo: vale, Khalil, nos acordaremos de que fuiste tú. Tenemos buena memoria. Nadie te dejará colgado. ¿Cuál es ese soplo tan caliente?

»Y él me dice: "Dima, tienes que salir por piernas de la bolsa india o pincharás de pleno". "¿Qué?", digo. "Pero ¿qué dices, Khalil? ¿Estás mal de la cabeza? ¿Por qué vamos a pinchar en Mumbai? Tenemos negocios respetables a patadas en Mumbai. Inversiones normales y corrientes, más limpias que una puta patena, tardé cinco años en blanquearlas: servicios, té, madera, hoteles tan blancos y grandes que el Papa podría decir misa allí." Mi amigo no se atiene a razones. "Dima, escúchame, sal por piernas de Mumbai. A lo mejor dentro de un mes puedes asentar la posición otra vez y embolsarte unos cuantos millones. Pero ahora sal por piernas de esos hoteles."

Dima vuelve a pasarse un puño por la cara, apartándose el sudor a puñetazos. Susurra «Dios bendito» para sí y mira alrededor, como buscando ayuda en la minúscula caja donde se encuentran.

—¿Va a contárselo a sus *apparatchiks* ingleses, Catedrático?

Perry hará lo que pueda.

—La noche del 30 de octubre de 2008, después de despertarme ese capullo paquistaní, ya no duermo bien, ¿vale?

Vale.

—A la mañana siguiente, el 31 de octubre, llamo a mis puñeteros bancos suizos. «Salgamos por piernas de Mumbai.» Servicios, madera, té, tengo posiblemente el treinta por ciento.

De los hoteles, el setenta. Al cabo de unas semanas, estoy en Roma. Me telefonea Tamara. «Enciende la puñetera tele.» ¿Y qué veo? A esos paquistaníes, esos chiflados de mierda, destrozando Mumbai a tiros, y cesan las operaciones en la bolsa india. Al otro día los hoteles indios han caído el dieciséis por ciento, a cuarenta rupias y bajando. En diciembre habían caído a treinta y uno. Khalil me llama. «Vale, amigo, ya puedes volver. Recuerda que fui yo quien te lo dijo.» Así que vuelvo por piernas. —El sudor baña su cara lampiña—. A finales de año, los hoteles indios están a cien rupias. Yo gano veinte millones limpios. Los judíos están muertos, los rehenes están muertos, y yo soy un puto genio. Cuénteselo a sus espías ingleses, Catedrático. Dios bendito.

El rostro sudoroso, una máscara de autodesprecio. Las tablas podridas crujen a causa del viento. Después de todo lo que ha dicho, ya no hay vuelta atrás para Dima. Perry ha sido observado, puesto a prueba y declarado apto.

Lavándose las manos en el cuarto de baño primorosamente decorado de la planta baja, Perry se mira en el espejo y queda impresionado por la avidez de una cara que empieza a no reconocer. Se apresura a bajar otra vez por la escalera forrada de tupida moqueta.

—¿Otro traguito? —pregunta Hector, señalando la bandeja de la bebida con un perezoso ademán—. Luke, muchacho, ¿y si nos preparas una cafetera?

7

En la calle, por encima del sótano, pasa una ambulancia a toda velocidad, y el ululato de la sirena parece un grito por el dolor del mundo entero.

En la ventosa torrecilla semihexagonal con vistas a la ensenada, Dima se remanga el brazo izquierdo de la camisa de raso. En el inconstante claro de luna al que ha dado paso el sol ya oculto, Perry distingue a una Virgen de pechos desnudos entre voluptuosos ángeles en posturas seductoras. El tatuaje desciende desde el descomunal hombro hasta la cadena de oro de su Rolex con piedras preciosas.

—¿Quiere saber quién me hizo este tatuaje, Catedrático? —susurra con la voz ronca a causa de la emoción—. ¿Una hora al día durante seis puñeteros meses?

Sí, a Perry le gustaría saber quién le tatuó en el colosal brazo una Virgen en *topless* con su coro femenino y tardó seis meses en hacerlo. Le gustaría saber qué relación guarda Nuestra Señora con las aspiraciones de Dima a una plaza en Roedean para Natasha, o a la residencia permanente en Gran Bretaña para toda su familia a cambio de cierta información vital, pero el profesor de literatura inglesa que lleva dentro también está descubriendo que Dima el narrador tiene su propia línea argumental y que sus tramas se caracterizan por la digresión.

—Esto lo hizo mi Rufina, una *zek*, como yo. Le dedicaba

una hora al día. En el campo de trabajo hacía de fulana. Tenía tuberculosis. Nada más acabarlo, murió. Vivir para ver, ¿eh? Vivir para ver.

Un silencio respetuoso mientras ambos contemplan la obra maestra de Rufina.

—¿Sabe qué es Kolyma, Catedrático? —pregunta Dima, con la voz aún empañada—. ¿Ha oído hablar?

Sí, Perry sabe qué es Kolyma. Ha leído a Solzhenitsin. Ha leído a Shalámov. Sabe que el Kolyma es un río al norte del Círculo Ártico, y que dio nombre a los campos de trabajo más severos del archipiélago Gulag, antes o después de Stalin. También conoce el significado de zek: los reclusos de Rusia, millones y millones.

—A los catorce años ya era un puñetero zek en Kolyma. Preso común, por delincuencia, no por política. La política es una mierda. La delincuencia es pura. Quince años.

—¿Pasó quince años en Kolyma?

—Y tanto, Catedrático. Quince años de condena.

En la voz de Dima la angustia ha dado paso al orgullo.

—Dima, el preso común, tenía el respeto de los otros presos. ¿Y por qué acabé en Kolyma? Por asesinato. Era un buen asesino. ¿A quién asesiné? A un miserable *apparatchik* soviético de Perm. Nuestro padre se suicidó, se cansó; bebía mucho vodka. Mi madre, para darnos de comer, sopa, tenía que follar con ese *apparatchik* miserable. En Perm, vivíamos en un apartamento comunal. Treinta personas, ocho habitaciones miserables, una cocina miserable, un cagadero, todo el mundo apestaba y fumaba. A los niños no nos gustaba ese *apparatchik* miserable que se follaba a nuestra madre. Cuando el *apparatchik* venía a visitarnos, teníamos que quedarnos fuera, en la cocina, al otro lado de un tabique muy delgado. Traía comida, se follaba a mi madre. Todo el mundo nos miraba: escucha a tu madre, es una puta. Teníamos que taparnos los puñeteros oídos con las manos. ¿Quiere saber una cosa, Catedrático?

Perry sí quiere.

—¿Sabe de dónde sacaba la comida ese fulano, el *apparatchik*?

Perry no lo sabe.

—¡Era un puto intendente militar! Repartía la comida en el cuartel. Llevaba pistola. Una pistola preciosa, con funda de piel... todo un héroe. Pruebe a follar con una cartuchera alrededor del culo. Habría que ser un acróbata. Ese intendente militar, ese *apparatchik*, se quitaba los zapatos. Se quitaba esa pistola preciosa. Dejaba la pistola dentro de un zapato. Vale, me digo. Igual ya te has follado a mi madre más que suficiente. Igual no te la follas más. Igual ya nadie sigue mirándonos como a los hijos de una puta. Llamo a la puerta. La abro. Soy educado. «Perdone», digo. «Soy Dima. Perdone, miserable camarada *Apparatchik*. ¿Puedo coger prestada su preciosa pistola, si no le importa? Tenga la amabilidad de mirarme a la cara una vez. Si no me mira, ¿cómo voy a matarlo? Muchas gracias, camarada.» Mi madre me mira. No dice nada. El *apparatchik* me mira. Lo mato, al muy mamón. De un solo tiro.

Dima se apoya el índice en el puente de la nariz, señalando por dónde entró la bala. Perry recuerda que tocó con ese mismo dedo las narices de sus hijos durante el partido de tenis.

—¿Por qué asesiné a ese *apparatchik*? —pregunta Dima retóricamente—. Por mi madre, que protegía a sus hijos. Por amor al chiflado de mi padre, que se suicidó. Por el honor de Rusia, por eso lo maté, al muy mamón. Y para acabar con las miradas de los demás en el pasillo, seguramente. Por eso en Kolyma me acogieron bien. Yo era un *krutoi*, un buen tío: ningún problema, como una seda. Era un buen chico ruso, puro. No era un preso político. Era un preso común. Era un héroe, un luchador. Maté a un *apparatchik* del ejército, a lo mejor también de la Cheka, seguro. Si no, ¿por qué iban a caerme quince años? Tenía honor. No soy...

Al llegar a este punto de la historia, Perry titubeó, y asomó a su voz un tono de inseguridad.

—«No soy un "pájaro carpintero". No soy un "perro", Catedrático» —continuó con incertidumbre, y advirtió que Hector levantaba la mano.

—Con eso, quería decir «informante» —explicó Hector—. Pájaro carpintero, perro, gallina: tiene donde elegir. Todo eso significa «informante». Intentaba convencerlo de que no lo es cuando en realidad sí lo es.

Con un gesto de asentimiento para dar a entender que admitía los conocimientos superiores de Hector, Perry reanudó el relato.

—Un día, pasados tres años, ese buen chico, Dima, se hace hombre. ¿Cómo se hace hombre? Lo convierte en hombre mi amigo Nikita. ¿Quién es Nikita? Nikita es también honorable, también un buen luchador, un gran delincuente. Será un padre para este buen chico, este Dima. Será un hermano para él. Protegerá a Dima. Querrá a Dima. Y el suyo será un amor puro. Un día, un buen día para mí, un día de orgullo, Nikita me lleva ante los *vory*. ¿Sabe qué son los *vory*, Catedrático? ¿Sabe qué es *vor*?

Sí, Perry sabe incluso qué son los *vory*. También sabe qué es un *vor*. Ha leído a Solzhenitsin, ha leído a Shalámov. Ha leído que en el Gulag los *vory* son los árbitros de los presos y los encargados de administrar justicia, una hermandad de delincuentes honorables que han jurado acatar un riguroso código de conducta, renunciar al matrimonio, la propiedad y toda relación servil con el Estado; que los *vory* veneran el sacerdocio y se deleitan en su mística; y que *vor* es el singular de *vory*, forma plural. Y que el orgullo de los *vory* estriba en ser Delincuentes dentro de la Ley, una aristocracia muy al margen de la chusma callejera que jamás ha conocido una ley.

—Mi Nikita habla con un comité de *vory* muy importante. Asisten a esa reunión muchos delincuentes importantes, muchos buenos luchadores. Él dice a los *vory:* «Queridos hermanos míos, os presento a Dima. Dima, hermanos míos, ya está preparado. Aceptadlo». Y ellos aceptan a Dima, lo hacen hombre. Lo convierten en un delincuente honorable. Pero Nikita aún debe proteger a Dima. Porque Dima... es... su...

Mientras Dima el delincuente honorable busca el *mot juste*, Perry el profesor saliente de Oxford acude en su ayuda:

—¿Discípulo?

—¡Discípulo! ¡Sí, Catedrático! ¡Como los de Jesús! Nikita protegerá a su discípulo Dima. Es lo normal. Es la ley de los *vory*. Siempre lo protegerá. Es una promesa. Nikita me ha convertido en *vor*. Por tanto me protege. Pero Nikita muere.

Dima se enjuga la frente calva con el pañuelo, se restriega los ojos con la muñeca, se pinza las aletas de la nariz con el pulgar y el índice como un nadador al salir del agua. Cuando aparta la mano, Perry advierte que llora por la muerte de Nikita.

Hector ha propuesto un descanso natural. Luke ha preparado café. Perry acepta una taza y, ya puestos, una galleta digestiva de chocolate. El profesor que lleva dentro está en plena exposición, reorganizando datos y observaciones, presentándolos con toda la precisión y exactitud a su alcance. Pero nada puede apagar del todo el brillo de la emoción en sus ojos, el acaloramiento en sus mejillas enjutas.

Y tal vez en su afán de autocorrección toma conciencia de ello y se inquieta, razón por la que, cuando continúa, elige un estilo narrativo sincopado, casi brusco, más en consonancia con la objetividad pedagógica que con el ímpetu de la aventura.

—Nikita cogió el tifus. Era pleno invierno. Sesenta grados bajo cero, más o menos. Morían muchos presos. A los celadores les importaba un carajo. Los hospitales no estaban allí para curar; eran sitios donde morir. Nikita era duro de roer y tardó lo suyo en sucumbir. Dima cuidó de él. Abandonó los trabajos forzados, acabó en la celda de castigo. Cada vez que lo dejaban salir, volvía junto a Nikita al hospital, hasta que se lo llevaban a rastras una vez más. Palizas, hambre, privación de luz, encadenado a una pared a temperaturas bajo cero. Todos esos servicios para los que ustedes subcontratan a países menos escrupulosos, y luego hacen ver que no saben nada —añade Perry en un asomo de hostilidad medio humorístico que no surte el efecto deseado—. Y mientras reconfortaba a Nikita, acordaron que Dima introduciría a su propio protegido en la Hermandad de los *vory*. Fue un momento solemne, por lo visto: Nikita, moribundo, designando su posteridad por medio de Dima. La transmisión del cáliz en tres generaciones de delincuentes. El protegido de Dima... el discípulo, como ahora se complacía en llamarlo, gracias a mí, me temo... era un tal Mijaíl, alias Misha. —Perry reproduce el momento—: «"Misha es un hombre de honor, ¡como yo!", les digo», proclama Dima al máximo comité de *vory*. «Es un preso común, no político. Misha ama a la verdadera Madre Rusa, no a la Unión Soviética. Misha respeta a todas las mujeres. Es fuerte, es puro, no es un informante, no es militar, no es celador, no es del KGB. No es policía. Mata a policías. Desprecia a todos los *apparatchiks*. Misha es mi hijo. Es vuestro hermano. *Vory*, aceptad al hijo de Dima como hermano vuestro.»

Perry en actitud decididamente profesoral una vez más. Señoras y señores, tomen nota de la siguiente información si son tan amables. El fragmento que voy a leerles representa la versión abreviada de la historia personal de Dima, tal como él la contó, entre trago y trago de vodka, en la atalaya de aquella casa llamada Las Tres Chimeneas:

—En cuanto lo soltaron de Kolyma, volvió de inmediato a Perm y llegó justo a tiempo para enterrar a su madre. Los primeros años de la década de los ochenta fueron de gran prosperidad para los delincuentes. Esa vida a todo tren era peligrosa y breve, pero rentable. Con sus impecables credenciales, Dima fue recibido con los brazos abiertos por los *vory* locales. Descubriendo que poseía un talento innato para los números, enseguida se involucró en la especulación ilegal de divisas, las estafas a aseguradoras y el contrabando. Un historial de delitos menores en rápido aumento lo lleva a la Alemania del Este comunista, donde se especializa en robo de coches, falsificación de pasaportes y tráfico de divisas. Y de paso aprende a hablar el alemán. Toma a tantas mujeres como se le ponen a tiro, pero su compañera constante es Tamara, metida en el mercado negro, tratante en géneros tan insólitos como la ropa de mujer y los alimentos básicos, residente en Perm. Con la ayuda de Dima y cómplices de orientación similar, Tamara dirige también un negocio paralelo basado en la extorsión, el secuestro y el chantaje. Debido a esto, entra en conflicto con una hermandad rival, que primero la coge prisionera y la tortura, y luego le carga el mochuelo por un delito que no ha cometido y se la entrega a la policía, que la tortura un poco más. Dima explica el «problema» de Tamara: «Nunca canta, Catedrático, ¿me oye? Es una buena delincuente, mejor que un hombre. La meten en la celda de presión. ¿Sabe qué es una celda de presión? La cuelgan cabeza abajo, la violan diez veces, veinte, la muelen a palos, pero ella no canta. Los manda a la mierda. Tamara, una gran luchadora, no una "perra"».

De nuevo Perry dejó caer la palabra con inseguridad, y de nuevo Hector acudió discretamente en su rescate:

—«Perra» es aún peor que perro o pájaro carpintero. Una perra incumple el código del hampa. A esas alturas Dima se siente ya desbordado por la culpabilidad.

—Entonces quizá por eso se le trabó la lengua al pronunciar la palabra —sugirió Perry, y Hector coincidió en que quizá así fuera.

Perry otra vez en el papel de Dima:

—Un día la policía se hartó ya tanto de ella que la desnudó y la dejó en la puta nieve. No cantó en ningún momento, ¿me oye? Se volvió un poco loca, eso sí. Habla con Dios. Compra muchos iconos. Entierra dinero en el puto jardín y no lo encuentra, ¿qué más da? Es una mujer leal, ¿me entiende? Nunca la dejaré. A la madre de Natasha la quería, pero a Tamara nunca la dejaré. ¿Me oye?

Perry lo oye.

En cuanto Dima empieza a ganar dinero de verdad, manda a Tamara a una clínica de reposo y rehabilitación en Suiza y luego se casa con ella. Al cabo de un año nacen los gemelos. Poco después de la boda se conoce el compromiso nupcial de Olga, la hermana de Tamara, mucho menor y de una belleza espectacular, una buscona de lujo muy valorada entre los *vory*. Y el novio no es otro que el querido discípulo de Dima, Misha, que también ha salido ya de Kolyma.

—La unión de Olga y Misha colma de felicidad a Dima —declaró Perry—. En adelante Dima y Misha serían auténticos hermanos. Conforme a la ley de los *vory*, Misha ya era hijo de Dima, pero con ese matrimonio la relación familiar entre ellos era absoluta. Los hijos de Dima serían los hijos de Misha; los hijos de Misha serían los suyos —añadió, y se recostó en actitud concluyente, como si esperase las preguntas del público.

Pero Hector, que había advertido, sonriente, cómo se refugiaba Perry en su piel académica, prefirió ofrecer un comentario irónico con su propio sello:

—Lo cual no deja de ser una rareza por parte de esos condenados *vory*, ¿no le parece? Tan pronto reniegan del matrimonio, la política, el Estado y toda la pesca, como los encontramos de tiros largos, pavoneándose por el pasillo de la iglesia al son de las campanas. Tómese otro trago de esto. Solo un dedo. ¿Con agua?

A continuación, el ligero trasiego de la botella y la jarra de agua.

—Eso era, pues, aquella gente, ¿no? —reflexionó Perry a destiempo, y tomó un sorbo del whisky aguado—. Todos aquellos tíos y primos tan raros de Antigua. Eran Delincuentes dentro de la Ley, y estaban allí para expresar sus condolencias por la muerte de Misha y Olga.

De nuevo Perry en resuelta actitud profesoral. Perry en función de historiador capsular, y nada más:

Perm se ha quedado pequeño para Dima o para la Hermandad. El negocio está en expansión. Los sindicatos del crimen forman alianzas. Se llega a acuerdos con mafias extranjeras. Y lo mejor de todo: Dima, la *bête intellectuelle* de Kolyma sin la menor formación, ha descubierto un don natural para el blanqueo de beneficios procedentes de actividades delictivas. Cuando la Hermandad de Dima decide introducirse en Estados Unidos, lo envía a él a Nueva York para fundar una cadena de blanqueo radicada en Brighton Beach. Dima se lleva a Misha para imponer su ley. Cuando la Hermandad decide inaugurar una rama europea en el negocio de blanqueo de dinero, designa a Dima para el puesto. Antes de aceptar, Dima, como condición, solicita de nuevo el nombramiento de Misha, esta vez como número dos suyo en Roma. Solicitud concedida. Ahora los Dima y los Misha son en efecto una sola familia: operan juntos en los negocios, actúan juntos, intercambian casas y visitas, admiran mutuamente a sus hijos.

Perry tomó otro sorbo de whisky.

—Eso era en los tiempos del Príncipe anterior —dijo casi con nostalgia—. Para Dima, la época dorada. El Príncipe anterior era un auténtico *vor*. A ojos de Dima, era incapaz de hacer nada malo.

—¿Y qué hay del nuevo Príncipe? —pregunta Hector con tono provocador—. ¿El joven? ¿Alguna idea de por dónde van los tiros?

Perry no le ve la gracia.

—Usted bien lo sabe —gruñe. Y añade—: El Príncipe es la peor perra de todos los tiempos. El traidor entre todos los traidores. Es el Príncipe que entrega a los *vory* al Estado, y eso es lo peor que puede hacer un *vor*. Traicionar a un hombre así es una obligación, no un delito.

—¿Le caen bien esas niñas, Catedrático? —pregunta Dima con un tono de falso distanciamiento, echando atrás la cabeza y fingiendo examinar los paneles desconchados del techo—. ¿Katia? ¿Irina? ¿Le caen bien?

—Claro que sí. Son un encanto.

—¿Y a Gail? ¿También a ella le caen bien?

—Ya sabe usted que sí. Siente mucha lástima por ellas.

—¿Qué le han contado a Gail, las niñas? ¿Sobre la muerte de su padre?

—Que fue un accidente de coche. Hace diez días. En las afueras de Moscú. Una tragedia. El padre y la madre, los dos.

—Claro. Fue una tragedia. Fue un accidente de coche. Un simple accidente de coche. Un accidente de coche normal y corriente. En Rusia hay muchos accidentes de coche así. Cuatro hombres, cuatro Kaláshnikovs, quizá sesenta balas, ¿a quién coño le importa? Eso es un puñetero accidente de coche, Catedrático. Un cadáver, veinte o quizá treinta balas. Mi Misha, mi discípulo, aún joven, cuarenta años. Dima lo presentó ante los *vory*, lo hizo hombre. —Un arrebato de rabia—: ¿Y por qué no protegí a mi Misha? ¿Por qué le dejé ir a Moscú? ¿Por qué dejé que el Príncipe, esa perra, enviara a sus cabrones a matarlo de veinte o treinta balazos? ¿A matar a Olga, la preciosa hermana de mi mujer, Tamara, madre de las hijas de Misha? ¿Por qué no lo protegí? ¡Usted es catedrático! Hágame el favor de explicarme por qué no protegí a mi Misha.

Si ha sido la rabia, no el volumen, lo que ha conferido a su voz una fuerza ultraterrena, es su carácter camaleónico lo que le permite desprenderse de la rabia en favor de una actitud reflexiva muy eslava, dominada por el desaliento.

—Vale. Es posible que la hermana de Tamara, Olga, no fuese tan puñeteramente religiosa —dice, admitiendo un razonamiento que Perry no ha planteado—. Digo a Misha: «Puede que tu Olga mire aún demasiado a otros hombres, tiene un buen culo. A lo mejor te convendría dejar de andar folleteando por ahí, Misha, quedarte más en casa, como hago yo ahora, ocuparte un poco más de ella». —Vuelve a bajar la voz hasta reducirla de nuevo a un susurro—: Treinta puñeteras balas, Catedrático. El Príncipe, esa perra, tiene que pagar por esos treinta tiros a mi Misha.

Perry se había quedado en silencio. Era como si un timbre lejano hubiera anunciado el final de la clase, y él tomara conciencia con retraso. Por un momento dio la impresión de que se sorprendía de su propia presencia ante aquella mesa. A continuación, sacudiéndose en un respingo su cuerpo largo y anguloso, entró de nuevo en el tiempo presente.

—Pues en esencia a eso se reduce —dijo como para resumir—. Dima se ensimismó durante un rato, volvió en sí, pareció desconcertado al verme allí, molesto por mi presencia, y finalmente decidió que yo no era un problema, volvió a olvidarse de mí, se tapó la cara con las manos y murmuró algo para sí en ruso. Después se levantó, se palpó bajo la camisa de raso y sacó de un tirón el pequeño paquete que he incluido en mi documento —prosiguió—. Me lo entregó, me abrazó. Fue un momento emotivo.

—Para los dos.

—Cada uno lo vivió a su manera, pero sí, para los dos. Eso creo.

De pronto pareció tener prisa por regresar junto a Gail.

—¿Alguna instrucción adjunta, con el paquete? —preguntó Hector mientras a su lado el pequeño Luke, clase B, sonreía por encima de las manos melindrosamente entrelazadas.

—Claro. «Lleve esto a sus *apparatchiks*, Catedrático. Un regalo del blanqueador de dinero número uno del mundo. Dígales que quiero juego limpio.» Tal como escribí en mi documento.

—¿Tiene idea de qué contenía el paquete?

—Simples conjeturas, la verdad. Estaba envuelto en algodón y film transparente. Como usted ha visto. Supuse que era una casete, de dictáfono o algo así. Al menos esa impresión daba.

Hector no se dejó convencer.

—Y no intentó abrirlo.

—No, por Dios. Iba dirigido a ustedes. Yo solo me aseguré de que quedara bien sujeto al interior de la tapa del informe.

Pasando despacio las hojas del documento de Perry, Hector movió la cabeza en un distraído gesto de asentimiento.

—Lo llevaba pegado al cuerpo —prosiguió Perry, sintiendo a todas luces la necesidad de eludir el creciente silencio—. Inevitablemente, pensé en Kolyma, en los trucos que debían de inventar. Para ocultar mensajes y demás. El paquete chorreaba. Tuve que secarlo con una toalla cuando regresé al bungalow.

—¿Y no lo abrió?

—Ya he dicho que no. ¿Por qué iba a abrirlo? No tengo por costumbre leer las cartas de los demás. Ni escucharlas.

—¿Ni siquiera antes de pasar por la aduana en Gatwick?

—Claro que no.

—Pero lo palpó.

—Por supuesto. Acabo de decírselo. ¿A qué viene todo esto? A través del film de plástico. Y el algodón. Cuando me lo dio.

—Y cuando se lo dio, ¿qué hizo usted con él?

—Guardarlo en sitio seguro.

—¿Y eso dónde fue?

—¿Cómo dice?

—Ese sitio seguro. ¿Dónde fue?

—En mi neceser. En cuanto llegamos al bungalow, fui derecho al cuarto de baño y lo dejé allí.

—Al lado de su cepillo de dientes, por así decirlo.

—Por así decirlo.

Otro largo silencio. ¿Se les hizo a ellos tan largo como a Perry? Seguramente no.

—¿Por qué? —preguntó Hector por fin.

—Por qué ¿qué?

—En el neceser —respondió Hector con paciencia.

—Pensé que sería lo más seguro.

—¿Cuando pasase por la aduana en Gatwick?

—Sí.

—¿Pensó que es ahí donde todo el mundo guarda sus casetes?

—Solo pensé que... —Se encogió de hombros.

—¿Que llamaría menos la atención en un neceser?

—Algo así.

—¿Lo sabía Gail?

—¿Cómo? Claro que no. No.

—¡Solo faltaría! ¿La grabación está en ruso o en inglés?

—¿Cómo quiere que lo sepa? No la escuché.

—¿Dima no le dijo en qué idioma estaba?

—No me dio descripción alguna, aparte de lo que ya les he dicho. Salud.

Apuró el último trago de whisky muy aguado y plantó el vaso en la mesa con un sonoro golpe, en expresión de perentoriedad. Pero Hector no compartió sus prisas ni remotamente. Todo lo contrario. Volvió a la página anterior del documento de Perry; luego pasó otro par de hojas hacia delante.

—Una vez más, pues: ¿por qué? —insistió Hector.

—Por qué ¿qué?

—¿Por qué hizo una cosa así? ¿Por qué pasó a escondidas por la aduana británica un paquete poco fiable para un maleante ruso? ¿Por qué no tirarlo al Caribe y olvidarse de todo?

—Yo diría que es evidente.

—Para mí sí lo es. Pero nunca habría pensado que lo fuese para usted. ¿Por qué lo considera tan evidente?

Perry buscó, pero al parecer no tenía respuesta a esa pregunta.

—¿Porque ahí está, acaso? —propuso Hector—. ¿No esa la razón por la que escalan los escaladores?

—Eso dicen.

—Gilipolleces, créame. No es por eso: es porque están ahí los escaladores. No le echemos la culpa a la condenada montaña. La culpa es de los escaladores. ¿Coincide conmigo?

—Es posible.

—Son ellos quienes ven la cumbre allí a lo lejos. A la montaña se la trae floja.

—Es posible, sí —una sonrisa poco convincente.

—¿Comentó Dima cuál sería su participación personal, la de usted, en esas negociaciones... si llegaban a producirse? —preguntó Hector después de lo que a Perry se le antojó una dilación interminable.

—Más o menos.

—¿En qué sentido... más o menos?

—Quería que yo estuviese presente.

—Presente ¿por qué?

—Para velar por el juego limpio, se ve.

—¿El juego limpio? No me joda. El juego limpio ¿de quién?

—El de ustedes, mucho me temo —respondió Perry a su pesar—. Quería que yo mediase para obligarlos a cumplir su palabra. Como quizá hayan notado, siente aversión por los *apparatchiks*. Quiere admirarlos porque son caballeros ingleses, pero no se fía porque son *apparatchiks*.

—¿Es esa la impresión que usted tiene? —escrutando a Perry con sus desmesurados ojos grises—. ¿Que somos *apparatchiks*?

—Es posible —admitió Perry una vez más.

Hector se volvió hacia Luke, que seguía igual de envarado junto a él.

—Luke, muchacho, se me hace que tienes una cita. No querríamos entretenerte.

—Claro —dijo Luke, y dirigiendo una imperiosa sonrisa de despedida a Perry, abandonó obedientemente la sala.

El whisky de malta era de la isla de Skye. Hector sirvió dos buenos vasos e invitó a Perry a echarse él mismo el agua.

—En fin, llegó la hora de las preguntas candentes —anunció—. ¿Se siente con ánimos?

¿Cómo no?

—Observamos una discrepancia. Una de padre y muy señor mío.

—Yo no he notado ninguna.

—Yo sí. Tiene que ver con lo que no ha incluido en su óptimo examen escrito, y lo que hasta el momento ha omitido en el oral, por lo demás impecable. ¿Se lo explico yo, o lo hace usted?

Visiblemente incómodo, Perry volvió a encogerse de hombros.

—Usted mismo.

—Será un placer. En ambos ejercicios se ha abstenido de informarnos sobre una cláusula clave en los términos y condiciones tal como se nos transmiten en el paquete que usted, ingeniosamente, pasó a escondidas por el aeropuerto de Gatwick en su neceser o, como decíamos antes, estuche de aseo. Dima insiste… y no «más o menos», como usted sostiene, sino como punto innegociable… y Tamara insiste, lo que, sospecho, es aún más importante pese a las apariencias... en que usted, Perry, esté presente en todas las negociaciones, que se desarrollarán en inglés por consideración a usted. ¿Por casualidad le mencionó Dima esa condición en el transcurso de sus disquisiciones?

—Sí.

—Pero a usted le ha parecido innecesario comentárnoslo.

—Sí.

—¿Eso no se deberá por ventura a que Dima y Tamara especifican asimismo la participación no solo del «Catedrático» Makepiece, sino también de una dama que se complacen en presentar como «madame Gail Perkins»?

—No —respondió Perry, reflejándose la tensión en su voz y su mandíbula.

—¿No? No ¿qué? No, ¿no suprimió usted unilateralmente esa condición en sus exposiciones escrita y oral?

Tan vehemente y precisa fue la respuesta de Perry que resultó obvio que la tenía ya preparada. Pero primero cerró los ojos como si consultase con sus demonios internos.

—Lo haré por Dima. Lo haré incluso por ustedes. Pero lo haré yo solo o no lo haré.

—A pesar de que en esa dispersa diatriba dirigida a nosotros —prosiguió Hector con un tono ajeno a la efectista declaración de Perry—, Dima hace referencia también a un encuentro programado para el próximo mes de junio en París. El día 7, para ser exactos. Un encuentro no con nosotros los despreciados *apparatchiks*, sino con usted y Gail, cosa que se nos antoja un tanto insólita. ¿Puede por ventura aclararlo?

Perry no podía o no quería. Contemplaba la penumbra con expresión ceñuda, manteniendo la larga mano ahuecada ante la boca como si cargase un arma por el cañón.

—Por lo visto, propone una cita —continuó Hector—. O mejor dicho, remite a una cita que ya ha propuesto y a la que, según parece, usted ha accedido. ¿Dónde tendrá lugar?, nos preguntamos. ¿Al pie de la torre Eiffel al sonar las doce de la noche con un ejemplar de ayer de *Le Figaro*?

—No, obviamente no.

—Entonces, ¿dónde?

Después de decir entre dientes «A la mierda, pues», Perry hundió la mano en el bolsillo de la chaqueta, sacó un sobre azul y lo dejó ruidosamente, sin miramientos, en la mesa ovalada. No estaba cerrado. Hector lo cogió, abrió la solapa meticulosamente con las yemas de los dedos blancos y descarnados, extrajo dos tarjetas azules impresas y las desplegó. Luego sacó una hoja de papel blanco, también plegada.

—¿Y para qué son exactamente estas entradas? —dijo tras someterlas, perplejo, a una inspección que en circunstancias normales habría bastado para proporcionar respuesta a su pregunta.

—¿Es que no lo ha leído? Para la final masculina del Abierto francés. Roland Garros, París.

—¿Y cómo han llegado a sus manos?

—Yo estaba pagando la factura del hotel. Gail hacía las maletas. Me las entregó Ambrose.

—¿Junto con esta amable nota de Tamara?

—Así es. Junto con la amable nota de Tamara. Bien deducido.

—La nota de Tamara estaba en el sobre con las entradas, imagino. ¿O iba aparte?

—La nota de Tamara iba en un sobre aparte, que estaba cerrado, y que he destruido —contestó Perry, espesándosele la voz por la ira—. Las dos entradas al estadio de Roland Garros estaban en un sobre sin cerrar. Es el sobre que ahora tiene usted en sus manos. Me deshice del sobre que contenía la carta de Tamara y metí la carta en el sobre de las entradas.

—Fenomenal. ¿Puedo leerla?

La leyó de todos modos:

Lo invitamos y rogamos que venga acompañado de Gail. Será un placer volver a reunirnos con ustedes.

—Por el amor de Dios —musitó Perry.

Sean tan amables de estar en la Allée Marcel-Bernard del complejo de Roland Garros quince (15) minutos antes del inicio del partido. En esa *allée* hay muchas tiendas. Sean tan amables de prestar especial atención al escaparate de Adidas. Haremos ver que es una gran sorpresa encontrarnos allí. Haremos ver que es una coincidencia. Sean tan amables de comentar este asunto con sus funcionarios británicos. Ellos se harán cargo de la situación.

Sean tan amables igualmente de aceptar nuestra hospitalidad en el palco del representante de la compañía La Arena. Conviene que un responsable de la entidad secreta de Gran Bretaña esté en París durante esos días para una conversación muy discreta. Sean tan amables de mediar para que esto sea posible.

En Dios os amamos.

Tamara

—¿Esto es todo?

—Todo.

—Y usted está consternado. Molesto. Cabreado por tener que enseñar sus cartas.

—A decir verdad, estoy que echo las putas muelas —admitió Perry.

—Bien, pues antes de que estalle del todo, permítame ofrecerle cierta información gratis. Puede que no reciba más. —Se había echado hacia delante, inclinándose sobre la mesa, y en sus ojos grises de fanático se observaba un destello de entusiasmo—. Dima tiene previsto firmar en fecha próxima dos convenios de cesión de vital importancia por los que traspasará formalmente todo su sistema de blanqueo de dinero, en extremo ingenioso, a manos más jóvenes: esto es, el Príncipe y su séquito. Hablamos de sumas de dinero astronómicas. La primera firma se celebra en París el lunes, 8 de junio, al día siguiente de ese partido de tenis. La segunda y última firma... terminal, podríamos decir... tendrá lugar en Berna al cabo de tres días, el jueves 11 de junio. En cuanto Dima se haya desprendido de la obra de su vida, o séase, a partir de la firma en Berna el 11 de junio, estará a punto de caramelo para recibir el mismo trato poco cordial ofrecido a su amigo Misha: en otras palabras, mandarlo al otro barrio. Esto lo menciono a modo de paréntesis, para que tome usted conciencia del alcance de los planes de Dima, el desesperado aprieto en que se encuentra y los miles de millones acumulados, literalmente, que hay en juego. Hasta que firme es inmune. Uno no puede pegarle un tiro a su vaca lechera. En cuanto haya firmado, es hombre muerto.

—¿Por qué demonios va a Moscú para el funeral, pues? —objetó Perry con voz distante.

—Bueno, usted y yo no iríamos, ¿verdad que no? —concedió Hector—. Pero nosotros no somos *vory*, y la venganza tiene su precio. También la supervivencia lo tiene. Mientras Dima no firme, está blindado. ¿Podemos centrarnos otra vez en usted?

—Si no hay más remedio.

—No, no lo hay. Acaba de comentar que está usted que echa las putas muelas. Bien, pues creo que no le falta razón para echarlas, y es consigo mismo con quien debe enfadarse, porque en cierto plano... en el plano de las relaciones sociales normales... está comportándose... en circunstancias difíciles, sí, todo hay que decirlo... como un machista de mierda. De nada sirve sulfurarse así. Fíjese en la que ha armado. Gail no ha podido subirse al tren, y arde en deseos. No sé en qué siglo se cree que vive, pero ella tiene tanto derecho como usted a tomar sus propias decisiones. ¿De verdad se ha planteado seriamente privarla de una entrada gratis para la final masculina del Abierto francés? ¿A Gail? ¿Su pareja en el tenis, así como en la vida?

Tapándose de nuevo la boca con la mano ahuecada, Perry ahogó un gemido.

—Eso mismo digo yo. En cuanto al otro plano, el de las relaciones sociales anormales, mi plano, el plano de Luke... el de Dima... lo que sí ha comprendido, y muy acertadamente, es que Gail y usted, por puro azar, se han metido en un campo de minas bien sembrado. Y su primer impulso, como corresponde a una persona honrada de su talante, ha sido apartar a Gail, y mantenerla apartada. También ha llegado a la conclusión, si no me equivoco, de que usted personalmente, por escuchar la propuesta de Dima, por transmitírnosla, y por ser designado árbitro, observador o como quiera que él lo llame, es, conforme a la ley de los *vory*, conforme a la visión de aquellos a quienes Dima se propone denunciar, un caso legítimo para la pena máxima. ¿Está de acuerdo?

De acuerdo.

—Quedaría por verse hasta qué punto Gail es un posible daño colateral. Sin duda usted también ha pensado en eso.

Perry había pensado en eso.

—Así las cosas, enumeremos las grandes preguntas. Gran pregunta número uno: ¿está usted, Perry, moralmente autorizado a no informar a Gail respecto al riesgo que corre? Respuesta, desde mi punto de vista: no. Gran pregunta número dos: una vez informada Gail, ¿está usted moralmente autorizado a privarla de la elección de subirse al tren, habida cuenta de su implicación emocional con las niñas de la familia de Dima, por no hablar ya de sus sentimientos hacia usted? Respuesta, desde mi punto de vista: otra vez no, pero eso podemos discutirlo más tarde. Y la número tres, que resulta un tanto sensiblera pero debe formularse: ¿se siente usted, Perry, se siente ella, Gail, se sienten los dos, como pareja, atraídos por la idea de hacer algo jodidamente peligroso en nombre de su país a cambio de casi nada salvo eso que a grandes rasgos llamamos «honor», muy conscientes de que si alguna vez sueltan prenda, aunque sea a la persona más cercana y querida, los perseguiremos hasta los confines de la tierra? —Introdujo un silencio para dejar hablar a Perry, pero como Perry permaneció callado, prosiguió—: Según consta en su ficha, considera usted que nuestra tierra verde y apacible necesita ser salvada de sí misma con urgencia. Da la casualidad de que esa es una opinión que comparto. He estudiado la enfermedad, he vivido en la ciénaga. Es mi conclusión bien fundada que, como ex gran nación, padecemos de corrupción corporativa a todos los niveles. Y ese no solo es el parecer de un carcamal achacoso. Para mucha gente de mi Agencia, no ver las cosas en blanco y negro es un credo. No me tome por uno de esos. Yo soy un radical tardío y furibundo con cojones. ¿Me sigue?

Un remiso gesto de asentimiento.

—Dima, al igual que yo, le ofrece la oportunidad de hacer algo en lugar de lamentarse y quedarse de brazos cruzados. Usted, por su parte, se muere de ganas y a la vez hace ver que no es así, postura que en esencia considero deshonesta. Por tanto, mi firme recomendación es que telefonee a Gail ahora mismo, acabe con su sufrimiento, le diga que mañana no vaya al trabajo con la excusa de que está enferma o algo así, y cuando usted llegue a Primrose Hill, cuéntele hasta el último detalle, por insignificante que sea, todo lo que le ha escondido hasta ahora. Mañana a las nueve vuelva aquí con ella. Mejor dicho, hoy a las nueve, vista la hora que es. Ollie pasará a recogerlos. Entonces firmarán una declaración aún más draconiana y peor redactada que la que los dos han firmado ya, y nosotros les contaremos el resto de la historia, no todo, sino solo lo estrictamente necesario para no echar a perder sus opciones si, entre los dos, deciden viajar a París, y a la vez lo menos posible por si deciden no ir. Si Gail pone alguna objeción por su cuenta, es asunto de ella, pero le apuesto cien contra nueve a que se subirá al tren y ahí seguirá hasta el final.

Perry levantó por fin la cabeza.

—¿Cómo?

—Cómo ¿qué?

—Salvar a Inglaterra ¿cómo? ¿De qué? Sí, ya, de sí misma. ¿Qué parte de sí misma?

Ahora le tocaba a Hector reflexionar.

—Sencillamente tendrá que aceptar nuestra palabra.

—¿La palabra de su Agencia?

—De momento, sí.

—¿En virtud de qué? ¿No se supone que son ustedes esos caballeros que mienten por el bien del país?

—Esos son los diplomáticos. Nosotros no somos caballeros.

—Así que mienten para salvar el pellejo.

—Se equivoca otra vez. Esos son los políticos. Un mundo totalmente distinto.

8

A mediodía de un soleado domingo, diez horas después de regresar Perry Makepiece a Primrose Hill para hacer las paces con Gail, Luke Weaver renunció a su sitio en la mesa familiar —su mujer, Eloise, había preparado especialmente para la ocasión un orondo pollo de granja y salsa de miga de pan, y su hijo, Ben, había invitado a un compañero de colegio israelí— y, con sus propias disculpas reverberando aún en los oídos, abandonó la casa adosada de obra vista en Parliament Hill que a duras penas podía permitirse, y partió camino de lo que, creía, era la reunión decisiva de su accidentada carrera en los servicios de inteligencia.

Su destino, o eso se permitía saber a Eloise y Ben, era el horrendo cuartel general de la Agencia en Lambeth, a orillas del río, bautizado por Eloise, de extracción aristocrática francesa, como *la Lubyanka-sur-Thamise*. Pero en realidad iba a Bloomsbury, como siempre desde hacía tres meses. El medio de transporte escogido, a pesar de la tensión que empezaba a crecer dentro de él o precisamente debido a ella, no fue el metro ni el autobús, sino el coche de san Fernando, costumbre adquirida durante sus etapas en Moscú, donde tres horas pateándose aceras lloviera o tronara eran lo habitual cuando uno tenía que recoger algo en un buzón clandestino o entrar disimuladamente en un portal abierto para realizar una apresurada entrega de efectivo y material durante un tiempo no superior a treinta segundos.

Para llegar a pie a Bloomsbury desde Parliament Hill, paseo al que Luke solía dedicar una hora larga, tenía por norma elegir un camino distinto cada día, en la medida de lo posible, no con la intención de despistar a hipotéticos perseguidores, bien que la idea siempre le rondaba por la cabeza, sino para saborear los vericuetos de una ciudad que deseaba volver a conocer después de años de servicio en el extranjero.

Y aquel día, con el sol y la necesidad de aclararse las ideas ante la inminente acción, había decidido cruzar el Regent's Park antes de doblar hacia el este y atravesar el centro urbano; con ese fin añadió otra media hora al trayecto. Su estado de ánimo, dominado por la expectación y el entusiasmo, no estaba exento de temor. Apenas había pegado ojo, si es que había llegado a conciliar el sueño en algún momento. Necesitaba enderezar el calidoscopio. Necesitaba ver a personas corrientes, no secretas, ver las flores y el mundo exterior.

«Un "Sí" sin reservas de él, y un "Sí, maldita sea" de ella —había dicho Hector con entusiasmo por el teléfono codificado—. Billy Boy nos concede audiencia a las dos y hay Dios en el cielo.»

Seis meses antes, durante un permiso de Luke en Inglaterra después de tres años en Bogotá, la Reina de Recursos Humanos, conocida en la Agencia con el apodo poco respetuoso de Reina Humana, le anunció que iba camino del paro. Luke no esperaba menos. Así y todo, tardó unos dolorosos segundos en descifrar el mensaje.

—La Agencia sobrevive a la recesión con su proverbial capacidad de recuperación, Luke —le aseguró con tal tono de desenfadado optimismo que podía perdonarse a Luke por imaginar que, lejos de quitárselo del medio, estaban a punto de ofrecerle una Dirección Regional—. La verdad es que en Whitehall nunca nos han tenido en mejor concepto, me complace decir, ni nuestra labor de reclutamiento ha sido nunca más fácil. El ochenta por ciento de nuestra última tanda de jóvenes aspirantes había acabado con sobresaliente cum laude en universidades aceptables y ya nadie se acuerda de Irak. Algunos con sobresaliente cum laude incluso en dos carreras. ¿Te lo puedes creer?

Luke se lo podía creer, pero se abstuvo de comentar que él, con un expediente académico más modesto, se las había arreglado bastante bien durante veinte años.

En la actualidad el único verdadero problema, explicó ella con el mismo tono de resuelta euforia, era que cada día costaba más encontrar un puesto a hombres del calibre y el nivel salarial de Luke, situados ya en su «cota máxima natural». Y a algunos ni siquiera les encontraban puesto, se lamentó. Pero qué iba a hacer ella —díselo— si el joven Jefe prefería un personal sin el lastre de la Guerra Fría a las espaldas. Era una lástima.

Así que lo mejor que podía conseguirle, por desgracia, Luke, pese a su extraordinaria actuación en Bogotá, y tan valiente... y ella, por cierto, no era quién para entrometerse en su vida privada, siempre y cuando esta no incidiese en su trabajo, cosa que no ocurría, a la vista estaba —dicho todo ello atropelladamente a modo de paréntesis—... era una vacante temporal en Administración hasta que la titular se reintegrase una vez cumplida la baja por maternidad.

Entretanto, no sería mala idea que hablara con los del Departamento de Reinserción para ver qué podían ofrecerle en el gran mundo exterior, donde, contrariamente al sinfín de tonterías que se leían en los periódicos, el panorama no era tan negro ni mucho menos. Gracias al terrorismo, y la amenaza de malestar social, el sector de la seguridad privada iba viento en popa. Algunos de sus mejores ex agentes ganaban el doble que en la Agencia, y les encantaba su trabajo. Con un historial de operaciones en el extranjero como el suyo —y su vida privada ya por buen camino, como era el caso, según contaban, aunque eso a ella ni le iba ni le venía—, sin duda Luke sería un valioso elemento para su siguiente jefe.

—¿Y no necesitas terapia postraumática ni nada de eso? —preguntó solícitamente cuando él ya se marchaba.

No de ti, gracias, pensó Luke. Y mi vida privada no va por buen camino.

El Departamento de Administración desarrollaba su aciaga existencia en la planta baja, y Luke tenía el escritorio tan cerca de la calle como podía uno estar sin verse de patas en ella. Después de tres años en la capital mundial del secuestro, no se adaptaba con facilidad a cuestiones como las dietas por kilometraje para el personal de bajo rango destinado en el propio país, pero hacía lo que podía. Por eso mismo fue mayor su sorpresa cuando, transcurrido un mes desde el inicio de su condena, cogió el auricular del teléfono que casi nunca sonaba y oyó la voz de Hector Meredith, que lo emplazaba para comer con él de inmediato en su club de Londres, conocidamente caduco.

—¿Hoy, Hector? Vaya.

—Ven temprano y que no se entere ni Dios. Di que te ha venido la regla o algo así.

—¿Qué es temprano?

—Las once.

—¿Las once? ¿Para el almuerzo?

—¿No tienes hambre?

Resultó, no obstante, que la elección de hora y lugar no era tan desatinada como habría podido pensarse. Un día laborable, a las once de la mañana, en un club de Pall Mall en franca decadencia resuenan el zumbido de las aspiradoras, el cantarín parloteo de los inmigrantes mal pagados que preparan las mesas para la comida, y poco más. El vestíbulo con columnas estaba vacío salvo por el decrépito conserje en su garita y una mujer negra que fregaba el suelo de mármol. Hector, sentado con las largas piernas cruzadas en un viejo trono tallado, leía el *Financial Times.*

En una Agencia de nómadas comprometidos a guardar sus secretos, siempre era difícil acceder a información sólida sobre un colega. Pero incluso desde esa restringida perspectiva, el otrora subdirector para Europa Occidental, más tarde subdirector para Rusia, más tarde subdirector para África y el sureste asiático y ahora, misteriosamente, director de Proyectos Especiales, era un enigma andante o, como lo habían expresado algunos de sus colegas, un heterodoxo.

Quince años atrás, Luke y Hector habían compartido durante tres meses un curso de inmersión en el idioma ruso ofrecido por una anciana princesa en su mansión del viejo Hampstead, revestida de hiedra, a menos de diez minutos de donde Luke vivía ahora. Al anochecer, compartían un catártico paseo por el parque. En aquellos tiempos Hector avanzaba deprisa, física y profesionalmente. Con sus larguísimas piernas, daba tales zancadas que el pequeño Luke a duras penas lograba seguirle el paso. Su conversación, que sazonaba de palabras malsonantes y a menudo, para Luke, era inalcanzable en todos los sentidos, saltaba de los «dos mayores timadores de la historia» —Karl Marx y Sigmund Freud— a la acuciante necesidad de una forma de patriotismo británico acorde con la conciencia contemporánea, y normalmente esto lo remataba con uno de sus característicos giros de ciento ochenta grados, para inquirir qué significaba en todo caso «conciencia».

Después sus caminos se habían cruzado en raras ocasiones. Mientras que la trayectoria de Luke en el extranjero siguió el curso previsible —Moscú, Praga, Amán, otra vez Moscú, con períodos en la Oficina Central entremedias, y finalmente Bogotá—, la rápida ascensión de Hector a la cuarta planta pareció obedecer a un designio divino, y su distanciamiento, por lo que se refería a Luke, fue absoluto.

Pero con el tiempo el turbulento espíritu de la contradicción que anidaba en Hector hizo amago de levantar la cabeza. En la Agencia, una nueva hornada de traficantes de influencias empezaba a ejercer presión para hacer oír más su voz en la comunidad de Westminster. Hector, durante una reunión a puerta cerrada con altos cargos —en la que por lo visto la puerta no estaba tan cerrada como debería—, fustigó a los bufones de la cuarta planta «dispuestos a sacrificar el sagrado deber de la Agencia, esto es, cantar al poder las verdades del barquero».

Cuando apenas se había posado la polvareda, Hector, a cargo de una borrascosa investigación en torno a una pifia operativa, salió en defensa de los responsables directos de la operación frente a los planificadores de los Servicios Conjuntos, cuya visibilidad, sostuvo, había quedado «anormalmente limitada porque tenían la cabeza metida en el culo americano».

Después, en algún momento de 2003, desapareció, como no era de extrañar. Sin fiesta de despedida, sin necrológica en el boletín mensual, sin condecoración anónima, sin dirección de reenvío. Su firma codificada voló primero de las órdenes operacionales. Luego voló de las listas de distribución. Luego de la libreta de direcciones del circuito cerrado de correo electrónico y, por último, de la guía de teléfonos codificados, lo que equivalía a una esquela mortuoria.

Y en sustitución del hombre de carne y hueso surgieron los inevitables rumores:

Había dirigido una sublevación desde las plantas superiores a causa de Irak y, en agradecimiento por sus molestias, lo habían despachado. Falso, dijeron otros. Fue a causa del bombardeo de Afganistán, y no lo despacharon, dimitió.

En una encarnizada discusión, había insultado a la cara al secretario del Gabinete, llamándolo «cabrón embustero». También falso, dijo un bando distinto. Fue al fiscal general, y los epítetos eran «lameculos y blandengue».

Otros con pruebas más consistentes en que apoyarse lo atribuyeron a la tragedia personal que se había abatido sobre Hector poco antes de abandonar la Agencia, cuando su descarriado hijo único, Adrian, no por primera vez, tuvo un accidente de circulación al volante de un coche robado, a alta velocidad y bajo los efectos de drogas de clase A. Milagrosamente, la única víctima fue el propio Adrian, con lesiones en el pecho y la cara. Pero una joven madre y su bebé se habían librado por centímetros, y no fue agradable leer HORROR EN LAS CALLES: EL HIJO DE UN ALTO FUNCIONARIO SE DA A LA FUGA EN HIGH STREET. Se tomaron en consideración varios delitos anteriores. Quebrantado por el suceso, según los rumores, Hector se retiró del mundo secreto para dar apoyo a su hijo durante su estancia en la cárcel.

Pero si bien podía vérsele algún mérito a esta versión —al menos tenía a su favor una parte de información sólida—, eso por sí solo no lo explicaba todo, porque a los pocos meses después de su desaparición fue el rostro del propio Hector el que asomó a las páginas de la prensa amarilla, no ya como el apenado padre de Adrian, sino como el intrépido guerrero solitario en lucha por salvar a una empresa familiar con mucha solera de las garras de ciertos individuos a quienes tildó de BUITRES CAPITALISTAS, asegurándose así el máximo sensacionalismo en los titulares.

Durante semanas el público de Hector se vio obsequiado con conmovedoras historias sobre la antedicha empresa de gran solera, un negocio moderadamente próspero, dedicado a la importación de grano, con sede en los muelles, sesenta y cinco empleados con muchos años de antigüedad, todos accionistas, «desconectados a bote pronto de su máquina de respiración asistida», según Hector, quien, también a bote pronto, había descubierto un don para las relaciones públicas: «Los especuladores y ventajistas están ante nuestras puertas, y sesenta y cinco de los mejores hombres y mujeres de Inglaterra están a punto de verse arrojados al basurero», informó a la prensa. Y cómo no, en menos de un mes, los titulares proclamaron: MEREDITH AHUYENTA A LOS BUITRES CAPITALISTAS: LA EMPRESA FAMILIAR SE IMPONE EN LA PUJA POR LA COMPRA.

Y al cabo de un año Hector ocupaba su antiguo despacho de la cuarta planta, en medio de cierto «follón», como a él le gustaba llamarlo.

Qué argumentos había esgrimido Hector para conseguir la readmisión, si la Agencia se había postrado de rodillas ante él, y en qué consistían, ya puestos, las funciones de un llamado director de Proyectos Especiales eran misterios que Luke no podía por menos que plantearse mientras ascendía a paso de tortuga detrás de él por la esplendorosa escalera de su casposo club, dejando atrás los retratos descascarillados de sus héroes imperiales, y entraba en la casposa biblioteca llena de libros que nadie leía. Y siguió planteándoselo cuando Hector cerró la gran puerta de caoba, echó la llave, se la metió en el bolsillo, abrió los broches de un viejo maletín marrón y, después de lanzar a Luke un sobre cerrado de la Agencia, sin sellar, se acercó parsimoniosamente a la ventana de guillotina, alta hasta el techo, con vistas al St. James's Park.

—He pensado que tal vez te convenga más algo así que andar mariconeando en Administración —comentó Hector despreocupadamente, recortándose su silueta angulosa contra los mugrientos visillos.

El sobre de la Agencia contenía una carta, impresa, de la Reina de Recursos Humanos, la misma que hacía solo dos meses había dictado sentencia contra Luke. En una prosa enerve, lo trasladaba con efecto inmediato y sin explicaciones al puesto de coordinador de un organismo embrionario que se conocería como Grupo de Sondeo de Contraprestaciones, bajo la responsabilidad del director de Proyectos Especiales. Sus atribuciones consistirían en «analizar de manera proactiva qué costes operacionales pueden recuperarse de los departamentos que se han beneficiado sustancialmente del producto de las operaciones de la Agencia». El nombramiento incluía una ampliación de contrato de dieciocho meses, que se sumarían a sus años de servicio con vistas a los derechos de jubilación. Para cualquier duda, escribir a esta dirección de correo electrónico.

—¿Te parece razonable? —preguntó Hector, aún ante la ventana de guillotina.

Atónito, Luke respondió que lo ayudaría a pagar la hipoteca o algo a este tenor.

—¿Te gusta lo de «proactivo»? ¿Lo de «proactivo» te atrae?

—No mucho —contestó Luke, y se echó a reír, desconcertado.

—A la Reina Humana le encanta eso de «proactivo» —afirmó Hector—. Solo de oírlo se pone como una moto. Añádele «Sondeo», y la tienes en el bote.

¿Debía Luke seguirle la corriente? ¿Qué demonios se proponía, haciéndolo ir a su espantoso club a las once de la mañana, entregándole una carta que ni siquiera le correspondía a él entregarle, y dejando caer chistes impertinentes sobre el léxico de la Reina Humana?

—He oído que pasaste algún que otro mal rato en Bogotá —dijo Hector.

—Bueno, tuve mis vaivenes —contestó Luke a la defensiva.

—¿Como follarte a la mujer de tu número dos? ¿Te refieres a esa clase de vaivén?

Luke fijó la mirada en la carta, todavía en su mano, y vio que empezaba a temblar pero, en una demostración de dominio de sí mismo, logró permanecer en silencio.

—¿O hablas de la clase de vaivén que se deriva de ser secuestrado a punta de metralleta por un capo de la droga, un mierda que teóricamente era tu topo? —prosiguió Hector—. ¿Es esa clase de vaivén?

—Diría que los dos —respondió Luke, tenso.

—Dime una cosa, si no te importa: ¿qué fue primero, el secuestro o el folleteo?

—El folleteo, lamentablemente.

—Lamentablemente ¿por qué? ¿Porque mientras estabas a merced de ese capo de la droga tuyo en su reducto de la selva, la buena de tu mujer, allá en Bogotá, se enteró de que habías estado follándote a la vecina?

—Sí, por eso. Se enteró.

—Con lo que cuando huiste de la hospitalidad de ese capo de la droga tuyo y conseguiste volver a casa después de unos días de estrecho contacto con la naturaleza en estado puro, ¿no te recibieron como a un héroe, que era lo que esperabas?

—No, exacto.

—¿Lo contaste todo?

—¿Al capo de la droga?

—A Eloise.

—Bueno, todo todo, no —contestó Luke, sin saber muy bien por qué le seguía el juego.

—Admitiste todo lo que ella ya sabía, o iba a averiguar con toda seguridad —apuntó Hector con tono de aprobación—. La declaración parcial presentada como la confesión plena y sincera. ¿Lo he interpretado bien?

—Supongo.

—No estoy hurgando en tu vida, Luke, muchacho. No te juzgo. Solo quiero tener las cosas claras. Cuando corrían tiempos mejores, robamos unos cuantos buenos caballos juntos. Desde mi óptica, eres un buen funcionario y por eso estás aquí. ¿Qué te parece? En conjunto. La carta que tienes en la mano. ¿Y por lo demás?

—¿Por lo demás? Bueno, supongo que estoy un poco perplejo.

—Perplejo ¿por qué exactamente?

—A ver, para empezar, ¿a qué viene tanta urgencia? Sí, bien, es con efecto inmediato, pero el puesto no existe.

—No tiene por qué existir. La narración es de una claridad diáfana: la despensa está en las últimas, así que el Jefe va al Tesoro con el platillo de las limosnas y pide más dinero. El Tesoro no da su brazo a torcer. Estamos a dos velas. Sácaselo a todos esos mamones que han recurrido de balde a tus servicios. A mí me pareció que cuadraba bastante bien, teniendo en cuenta los tiempos que corren.

—No dudo que sea una buena idea —dijo Luke con toda seriedad, a esas alturas más desorientado que nunca desde su regreso no demasiado triunfal a Inglaterra.

—En fin, si a ti no te cuadra, este es el momento de hablar claro, caramba. En esta situación no hay segundas oportunidades, créeme.

—Me cuadra, claro que sí. Y te estoy muy agradecido, Hector. Gracias por pensar en mí. Gracias por echarme un cable.

—La idea de la Reina Humana, bendita sea, es que tengas tu propia mesa. Unas pocas puertas más allá de Recursos Financieros. En fin, ahí no voy a poner pegas. Además, sería una descortesía por mi parte. Pero mi consejo es que huyas de Recursos Financieros como de la peste. Ellos no quieren que tú curiosees en sus asuntos, y nosotros no queremos que ellos curioseen en los nuestros. ¿Verdad que no queremos?

—Me imagino que no.

—Aunque tampoco pasarás mucho tiempo en la oficina. Andarás de aquí para allá, removiendo cielo y tierra en Whitehall, dando la vara en los ministerios con pasta. Te dejas ver un par de veces por semana, me informas sobre tus avances, te sacas de la manga algún que otro gasto de representación, y a eso se reducirá tu tarea. ¿Sigues interesado?

—La verdad es que no.

—¿Por qué no?

—Veamos, para empezar, ¿por qué aquí? ¿Por qué no mandarme un e-mail a la planta baja o llamarme por la línea interna?

Hector nunca había aceptado bien las críticas, recordó Luke, y no las aceptó en ese momento.

—De acuerdo, maldita sea. ¡Qué coño! Supón, pues, que antes te he mandado un e-mail. O que te he llamado. ¿Entonces sí te interesaría? ¿La oferta de la Reina Humana tal cual la ves ahí, caramba?

Con cierto retraso, un panorama distinto y más alentador empezaba a cobrar forma en la imaginación de Luke.

—Si la pregunta... una pregunta hipotética... es si aceptaría la oferta de la Reina Humana tal como me la presenta en la carta, mi respuesta es sí. Si la pregunta... también hipotética... es si esto me olería a cuerno quemado en caso de encontrar la carta encima de mi mesa en la oficina, o en mi pantalla, la respuesta es no.

—¿Palabra de honor?

—Palabra de honor.

Los interrumpieron unas vehementes sacudidas en el picaporte, seguidas de un airado aporreo. Con un hastiado «¡Ya podrían irse a la mierda!», Hector indicó a Luke que se perdiera de vista entre las estanterías, descorrió el pestillo y asomó la cabeza por la puerta.

—Perdona, muchacho, pero hoy no, sintiéndolo mucho —lo oyó decir Luke—. Estamos haciendo inventario, extraoficialmente. La putada de siempre. Los socios se llevan libros sin firmar en la ficha. Espero que no seas tú uno de ellos. Prueba el viernes. Diría que es la primera vez en la vida que me alegro de ser el puto bibliotecario honorario —prosiguió, sin molestarse mucho en bajar la voz cuando cerró la puerta y volvió a echar el pestillo—. Ya puedes salir. Y por si acaso piensas que soy el cabecilla de una conspiración septembrista, mejor será que leas también esta otra carta; luego devuélvemela y me la tragaré.

Este era un sobre azul claro, y ostensiblemente opaco. Llevaba en la solapa un león azul y un unicornio rampante, grabados en exquisito relieve, y dentro una hoja de papel de carta azul a juego, de las más pequeñas, con el solemne membrete: De la oficina del secretariado.

> Querido Luke:
>
> Esta es para asegurarte que la muy privada conversación que estás manteniendo hoy con nuestro mutuo colega durante el almuerzo en su club tiene lugar con mi aprobación oficiosa.
>
> Siempre tuyo,

Seguía una firma muy pequeña, que parecía arrancada a punta de pistola: William J. Matlock (jefe de secretariado), más conocido como Billy Boy Matlock —o Matlock el Matón, si uno lo prefería, como era el caso de quienes habían entrado en conflicto con él—, el apagafuegos más antiguo e implacable de la Agencia y mano izquierda del mismísimo Jefe.

—Puras gilipolleces, la verdad, pero ¿qué quieres que haga ese pobre capullo? —comentó Hector mientras devolvía la carta a su sobre y se guardaba el sobre en un bolsillo interior de la raída americana—. Saben que tengo razón, no quieren que la tenga, no saben qué hacer si la tengo. No quieren que mee dentro, ni quieren que mee fuera. Encerrarme a cal y canto y amordazarme es la única solución, pero yo a eso no me presto así como así, ni ahora ni nunca. Tú tampoco, por lo que cuentan... ¿Por qué no te devoraron los tigres o lo que sea que tengan por allí?

—Había sobre todo insectos.

—¿Y sanguijuelas?

—De eso también.

—No te quedes ahí pasmado. Acomoda las posaderas.

Obedientemente, Luke se sentó. Hector, en cambio, continuó en pie, con las manos hundidas en los bolsillos, los hombros encorvados, mirando ceñudo la chimenea apagada, con sus pinzas y atizadores de latón antiguos y el faldón de cuero agrietado. Y Luke pensó que el ambiente en la biblioteca se había vuelto opresivo, si no amenazador. Y quizá Hector lo percibía también, porque no exhibía ya el desenfado de antes, y su rostro enfermizo y consumido adquirió una expresión tan lúgubre como la de un enterrador.

—Quiero preguntarte una cosa —anunció de pronto, más a la chimenea que a Luke.

—Adelante.

—¿Qué es lo más brutal, lo más espantoso, que has visto en la puta vida? Donde sea, y dejemos de lado el extremo dañino de un Uzi en manos de un señor de la droga apuntándote a la cara. ¿Los niños famélicos del Congo, con la tripa hinchada y las manos amputadas, enloquecidos de hambre, demasiado cansados para llorar? ¿Padres castrados con la polla metida en la boca, las cuencas de los ojos llenas de moscas? ¿Mujeres con bayonetas clavadas en el chocho?

Como Luke no había servido en el Congo, tuvo que dar por sentado que Hector describía una experiencia propia.

—Teníamos nuestros equivalentes —dijo.

—¿Como por ejemplo? Dime un par.

—El gobierno colombiano en plena orgía. Con ayuda de los americanos, cómo no. Aldeas incendiadas. Violaciones en grupo, torturas, gente descuartizada a hachazos. Todos muertos, menos el único superviviente, y a este lo dejan para que corra la voz.

—Ya. En fin, los dos hemos visto un poco de mundo, pues —admitió Hector—. No nos la hemos estado meneando.

—No.

—Y alrededor el chapoteo del dinero sucio, los beneficios del dolor... también eso lo hemos visto. Solo en Colombia, miles de millones. Tú eso también lo has visto. Sabe Dios cuánto tendría ese capo tuyo. —No esperó respuesta—. En el Congo, miles de millones. En Afganistán, miles de millones. Una octava parte de la economía de este puto mundo: más negra que la boca de un túnel. Los dos lo sabemos.

—Sí. Lo sabemos.

—Dinero manchado de sangre. A eso se reduce todo.

—Sí.

—No importa dónde. Puede estar en una caja debajo de la cama de un señor de la guerra en Somalia o en un banco de la City en Londres al lado del oporto añejo. No cambia de color. Sigue siendo dinero manchado de sangre.

—Supongo que sí.

—Sin glamour, sin excusas bonitas. Los beneficios de la extorsión, el narcotráfico, el asesinato, la intimidación, las violaciones masivas, la esclavitud. Dinero manchado de sangre. Interrúmpeme si exagero.

—No exageras, eso seguro.

—Solo hay cuatro maneras de acabar con eso. Una: vas a por los individuos que lo hacen. Los capturas, los matas o los enchironas. Si puedes. Dos: vas a por el producto. Lo interceptas, impides que llegue a las calles o al mercado. Si puedes. Tres: atajas los beneficios, llevas a esos cabrones a la quiebra.

Un silencio inquietante mientras Hector reflexionaba aparentemente sobre asuntos muy por encima de la franja salarial de Luke. ¿Pensaba en los traficantes de heroína que habían convertido a su hijo en adicto y en carne de presidio? ¿O en los «buitres capitalistas» que habían intentado llevar a la quiebra a su empresa familiar, y arrojar al basurero a sesenta y cinco de los mejores hombres y mujeres de Inglaterra?

—Por último, tenemos la cuarta manera, la manera verdaderamente mala —decía Hector—. La más practicada, la más fácil, la más cómoda, la más habitual y la más discreta. Que les zurzan a los que pasan hambre, a las víctimas de violaciones y torturas, a los adictos que pierden la vida. Al diablo el coste humano. El dinero no huele a nada siempre y cuando haya de sobra y sea nuestro. Pensemos a lo grande, eso ante todo. Cojamos los peces pequeños pero dejemos a los tiburones en el agua. ¿Que resulta que un fulano blanquea un par de millones? Es un condenado sinvergüenza. Llamemos a los reguladores y pongámosle los grilletes. Pero ¿y si son miles de millones? Eso ya son palabras mayores. Miles de millones son una estadística. —Cerrando los ojos mientras se abismaba en sus propios pensamientos, Hector pareció por un momento su propia máscara mortuoria, o esa impresión tuvo Luke—. No tienes que darme la razón en nada de esto, Lukie —dijo afablemente al salir de su ensoñación—. La puerta está abierta de par en par. Con mi reputación, más de uno ya se habría largado.

Luke consideró que esa era una elección de metáfora un tanto irónica, ya que Hector tenía la llave en su bolsillo, pero se guardó la observación para sí.

—Puedes volver a la oficina después de comer y decirle a la Reina Humana: muchísimas gracias, pero estaré más a gusto si completo mi tiempo de servicio en la planta baja. Recibes tu pensión, te mantienes a distancia de los capos de la droga y de las mujeres de los colegas, y te quedas tumbado escupiendo al techo el resto de tu vida. Y aquí paz y después gloria.

Luke consiguió esbozar una sonrisa.

—Mi problema es que no se me da muy bien escupir al techo —dijo.

Pero era imposible frenar a Hector en su perorata de vendedor agresivo.

—Estoy ofreciéndote una calle de un solo sentido que no lleva a ninguna parte —insistió—. Si te apuntas, la habrás cagado de todas todas. Si perdemos, seremos dos soplones fracasados que intentaron ensuciar el propio nido. Si ganamos, seremos los leprosos de la selva de Whitehall-Westminster y todas las estaciones que hay en el medio. Por no hablar de la Agencia que nos esforzamos en amar, honrar y obedecer.

—¿No voy a recibir más información?

—Por tu propia protección y la mía, no. Y ni un solo casquete a menos que pases antes por el altar.

Estaban ante la puerta. Hector había sacado la llave y se disponía a abrir.

—Y en cuanto a Billy Boy... —dijo.

—¿Qué?

—Va a echarte el brazo al hombro. Por fuerza. El rollo ese del palo y la zanahoria. «¿Qué ha estado contándote ese chiflado de Meredith? ¿Qué se trae entre manos? ¿Dónde? ¿A quién ha contratado?» Si eso llega a ocurrir, antes habla conmigo y después habla conmigo otra vez. En esto nadie es agua clara. Todo el mundo es culpable hasta que se demuestre lo contrario. ¿Conforme?

—Hasta la fecha he salido bastante airoso en las repreguntas —contestó Luke, pensando que había llegado el momento de reafirmarse.

—Es lo mismo —dijo Hector, aún esperando respuesta.

—¿Va de rusos, por casualidad? —preguntó Luke, esperanzado en lo que después consideró un momento de inspiración. Era rusófilo, y siempre había tenido clavada la espina de verse apartado del circuito a causa de un supuesto exceso de afecto por el objetivo.

—Podría ser. Podría ser cualquier cosa, joder —replicó Hector mientras en sus grandes ojos grises volvía a prender el fuego del creyente.

¿Acaso Luke dijo que sí a ese trabajo en algún momento? ¿En algún momento dijo —se preguntaba ahora en retrospectiva—: «Sí, Hector, me subo al tren, con una venda en los ojos y las manos atadas, igual que aquella noche en Colombia, y me incorporo a tu cruzada misteriosa», o algo por el estilo?

No, no lo dijo.

Incluso cuando se sentaron a la mesa para disfrutar de lo

que Hector describió sin mayor empacho como el segundo peor almuerzo del mundo, hallándose aún vacante el primer premio, Luke, para ser sincero consigo mismo, albergaba todavía la duda de si aquello era o no una invitación a unirse a la clase de guerra privada a la que de vez en cuando se veía arrastrada la Agencia a sabiendas de que no le convenía, siempre con resultados catastróficos.

Las iniciales tentativas de Hector en el plano de la conversación cortés no sirvieron para aplacar esas inquietudes. Sentado en la periferia del sepulcral comedor de su club, en la mesa más cercana al bullicio de la cocina, obsequió a Luke con una clase magistral sobre el uso del discurso indirecto en espacios públicos.

Ante la anguila ahumada, se limitó a interesarse por la familia de Luke, mencionando como de pasada los nombres de su mujer y su hijo, para Luke una señal más de que había leído su expediente. Cuando llegaron al pastel de carne y la típica col hervida de comedor escolar, en un ruidoso carrito plateado que empujaba un viejo negro e irascible con una chaqueta de caza roja, Hector pasó a hablar del tema más íntimo, pero igualmente inocuo, de los planes nupciales de Jenny —siendo Jenny, como se vio, su querida hija—, a los que había renunciado recientemente, según Hector, porque el fulano con quien andaba había resultado ser un mierda sin paliativos.

—Por parte de Jenny no era amor, sino adicción... Igual que Adrian, solo que en el caso de ella no eran las drogas, gracias a Dios. El fulano es un sádico; ella tiene poco carácter. El vendedor servicial, la compradora dócil, pensamos. Nos lo callamos. En casos así, ¿qué vas a decir? No sirve de nada. Les compramos una casita encantadora en Bloomsbury, totalmente montada. Ese mamón, el muy hortera, necesitaba una moqueta tupida, de ocho centímetros, y Jenny, claro, la necesitaba también. Yo personalmente la detesto, pero ¿qué le íbamos a hacer? A un par de minutos a pie del Museo Británico, y perfecto para Trotski y el doctorado en filosofía de Jenny. Pero la buena de Jenny se quitó de encima a ese cerdo, a Dios gracias, un sobresaliente para ella. Conseguimos un precio muy razonable gracias a la recesión: el dueño estaba arruinado. No perderé dinero. El jardín es agradable, no muy grande.

El viejo camarero había vuelto con una jarra de crema, más a destiempo imposible. Despedido por Hector, masculló una imprecación y, arrastrando los pies, se encaminó hacia la mesa contigua, a siete u ocho metros.

—Además, dispone de un buen sótano, cosa que ya no se ve mucho hoy día. Huele un poco. Sin llegar a molestar. Antes alguien guardaba allí sus vinos. No hay paredes medianeras. No es una calle de mucho tráfico. Afortunadamente ese fulano no la dejó preñada. Conociendo a Jenny, seguro que no tomaba precauciones.

—Al final todo ha sido para bien, parece —comentó Luke por cortesía.

—Sí, eso parece, ¿no? —convino Hector, inclinándose para asegurarse de que Luke lo oía por encima del estrépito de la cocina. A esas alturas, Luke casi empezaba a preguntarse si Hector realmente tenía una hija—. He pensado que quizá a ti te interesaría ocupar la casa, libre de alquiler, durante un tiempo. Jenny no se acercará por allí, como es comprensible, pero conviene que alguien la habite. Enseguida te daré la llave. Por cierto, ¿te acuerdas de Ollie Devereux? ¿Hijo de un viajante de comercio de la Rusia Blanca establecido en Ginebra y una vendedora de pescado con patatas fritas de Harrow? ¿Uno que parece un crío de dieciséis años que va para cuarenta y cinco? ¿El que te sacó de un apuro cuando la cagaste con aquella escucha en un hotel de San Petersburgo hace ya años?

Luke se acordaba bien de Ollie Devereux.

—Idiomas, francés, ruso e italiano, por si los necesitamos, y el mejor factótum del sector. Le pagarás en efectivo. También te daré parte de eso. Empiezas mañana por la mañana a las nueve en punto. Así tendrás tiempo de recoger las cosas de tu mesa en Administración y llevarte los clips y las grapas al tercer piso. Ah, sí, y se instalará contigo una mujer encantadora que se llama Yvonne, el apellido no viene al caso: un sabueso profesional, parece una mosquita muerta pero los tiene bien puestos.

Reapareció el carrito plateado. Hector recomendó el pudin de pan con mantequilla del club. Luke dijo que era su postre preferido. Y ahora esa crema de antes sí vendría de perlas, gracias. El carrito se alejó en medio de una nube de ira geriátrica.

—Y te ruego que te consideres uno de los pocos elegidos, desde hace un par de horas —dijo Hector, limpiándose la boca con una servilleta de damasco apolillada—. Serías el séptimo en la lista, incluido Ollie... si existiera dicha lista, claro. No quiero a un octavo sin mi consentimiento. ¿Trato hecho?

—Trato hecho —contestó Luke esta vez.

Así que quizá había dicho «Sí», a fin de cuentas.

Esa tarde, bajo la mirada glacial de los otros cautivos de Administración, y aún mareado por los efectos del pésimo burdeos del club, Luke recogió lo que Hector había descrito como «sus clips y sus grapas» y los trasladó al aislamiento del tercer piso, donde una habitación deslucida pero aceptable, con el rótulo SONDEO DE CONTRAPRESTACIONES en la puerta, aguardaba efectivamente a su teórico ocupante. Llevaba una vieja chaqueta de punto, y algo lo indujo a colgarla en el respaldo de la silla, donde aún permanecía a día de hoy, como el fantasma de su otra identidad, allí presente siempre que se dejaba caer por la oficina un viernes por la tarde para saludar alegremente a todo aquel con quien se tropezaba en el pasillo, o presentar sus imaginarios gastos semanales, que una vez saldados ingresaba religiosamente en la cuenta de la casa de Bloomsbury.

Y justo a la mañana siguiente —por entonces empezaba a dormir bien de nuevo— recorrió por primera vez a pie el camino hasta Bloomsbury, exactamente como lo recorría ahora, solo que el día de su primer viaje una lluvia torrencial azotaba Londres, obligándolo a usar ropa impermeable de la cabeza a los pies, además de sombrero.

Empezó por el reconocimiento de la calle, lo que no representó mayor problema con semejante diluvio, pero existen ciertos hábitos operacionales que uno no puede cambiar, por poco que duerma y aunque camine hasta el agotamiento: una pasada de norte a sur, otra desde una calle transversal que desembocaba justo enfrente del objetivo, el número 9.

Y la casa en sí era tan bonita como había prometido Hector, incluso bajo el aguacero: tres plantas, finales del siglo XVIII, fachada de típico ladrillo rojo londinense, sin voladizos, escalinata blanca pintada no hacía mucho, puerta de color azul real —la pintura también reciente— con un tragaluz semicircular encima, flanqueada por dos ventanas de guillotina, y en el sótano ventanas a ambos lados de la escalinata.

Pero sin escalera independiente para el sótano, advirtió Luke, tomando buena nota, mientras ascendía por los peldaños, hacía girar la llave en la cerradura y entraba. Se detuvo en el felpudo; primero aguzó el oído y luego se quitó la ropa mojada y sacó un par de zapatillas secas de la bolsa que llevaba bajo el impermeable.

El suelo del vestíbulo recién revestido de moqueta de pelo largo, en estridente color bermellón: legado del cerdo que Jenny se quitó de encima justo a tiempo. Una butaca con dosel antigua, retapizada en llamativo cuero verde. Un espejo de época con el baño de oro magníficamente restaurado. Hector no había reparado en gastos para su querida Jenny, y cabía suponer que después del éxito de su incursión contra los Buitres Capitalistas, todo aquello estaba al alcance de su bolsillo. Dos escaleras, una ascendente, otra descendente, también enmoquetadas. Levantó la voz para preguntar «¿Hay alguien?» y no oyó nada. Abrió la puerta del salón. La chimenea original. Grabados de Roberts, un sofá y sillones con fundas caras. En la cocina, electrodomésticos de gama alta, una mesa de madera de pino envejecida. Abrió la puerta del sótano y volvió a levantar la voz en dirección a los peldaños de piedra: «Hola, disculpen». No hubo respuesta.

Subió a la primera planta sin oír sus propios pasos. En el rellano había dos puertas, la de su izquierda reforzada con una lámina de acero y cerraduras de latón a ambos lados a la altura del hombro. La puerta a su derecha era una puerta corriente. Dos camas individuales, sin hacer, un pequeño cuarto de baño contiguo.

Una segunda llave colgaba del llavero que Hector le había entregado. Dirigiéndose a la puerta de la izquierda, descorrió los cerrojos y entró en una habitación totalmente a oscuras que olía a desodorante de mujer, el que antes prefería Eloise. Buscó a tientas el interruptor. Tupidas cortinas de terciopelo rojo, que apenas sobresalían, corridas y sujetas entre sí con enormes imperdibles. Sin razón aparente, le recordaron sus semanas de recuperación en el hospital americano de Bogotá. No había cama. En el centro de la habitación, una austera mesa con caballetes, acompañada de una butaca giratoria, un ordenador y una lámpara de lectura. En la pared, frente él, descendían hasta el suelo cuatro persianas negras de hule, acopladas al ángulo del techo.

Regresando al rellano, se inclinó sobre la balaustrada y nuevamente levantó la voz: «¿Hay alguien?». Tampoco en esta ocasión obtuvo respuesta. Volvió al dormitorio, subió las persianas negras una por una hasta que quedaron enrolladas en sus alojamientos del techo. Al principio, pensó que tenía ante los ojos el plano de un proyecto arquitectónico, dibujado a todo lo ancho de la pared. Pero un proyecto ¿de qué? Luego pensó que debía de ser una interminable sucesión de cálculos. Pero para calcular ¿qué?

Examinó las líneas de colores y leyó la minuciosa letra caligráfica, palabras que inicialmente le parecieron topónimos de poblaciones. Pero ¿cómo podían ser poblaciones con nombres como Pastor, Obispo, Sacerdote y Cura? Líneas de puntos junto a rayas continuas. Trazos negros que se degradaban hasta convertirse en grises y finalmente desaparecer. Líneas de colores malva y azul que convergían en un núcleo situado más o menos al sur del centro, ¿o acaso partían de allí?

Y todas ellas con tantos recovecos, tantas vueltas y revueltas, tantos giros y cambios de dirección, arriba, abajo, a un lado y arriba otra vez, que si su hijo, Ben, en una de sus inexplicables rabietas, se hubiese refugiado en esa misma habitación, cogido una caja de ceras de colores y recorrido la pared con ellas, zigzagueando de aquí para allá, el efecto final no habría sido muy distinto.

—¿Te gusta? —preguntó Hector, de pie a sus espaldas.

—¿Seguro que está del derecho? —contestó Luke, decidido a no exteriorizar su sorpresa.

—Ella lo llama *La anarquía del dinero*. En mi opinión, podría exponerse en la Tate Modern.

—¿Ella? ¿Quién?

—Yvonne. Nuestra Dama de Hierro. Viene sobre todo por las tardes. Esta es su habitación. La tuya está arriba.

Juntos subieron a un desván reformado, con vigas vistas y mansardas. Una mesa con caballetes igual que la de Yvonne. A Hector no le entusiasmaban los escritorios con cajonera. Un ordenador de sobremesa, no un terminal.

—No usamos teléfono fijo, ni codificado ni de ningún tipo —explicó Hector con la contenida vehemencia que Luke empezaba a esperar de él—. Nada de injustificadas líneas directas a la Oficina Central, nada de conexiones de correo electrónico, ni codificadas, ni decodificadas, ni en vinagre. No hay más documentos que los lápices USB naranja de Ollie. —Sostenía un lápiz de memoria corriente con un «7» escrito en la cubierta de plástico naranja—. Cada lápiz en danza ha de estar localizado en todo momento, ¿queda claro? Control de entrada, control de salida. Ollie organiza el movimiento, lleva el registro. Pasa un par de días con Yvonne y le pillarás el tranquillo. Las demás preguntas ya irán resolviéndose conforme surjan. ¿Algún problema?

—No creo.

—Yo tampoco. Así que relájate, piensa en Inglaterra, no malgastes el tiempo y no la cagues.

Y piensa también en nuestra Dama de Hierro. Sabueso profesional, que los tiene bien puestos y usa el desodorante caro de Eloise.

Era un consejo que Luke había procurado aplicar a rajatabla durante los últimos tres meses, y rezó fervientemente para no apartarse de él tampoco aquel día. En dos ocasiones Billy Boy lo había emplazado ante su presencia, para halagarlo o amenazarlo, o ambas cosas. En las dos ocasiones Luke había contestado con evasivas y circunloquios y mentido conforme a las instrucciones de Hector, y había sobrevivido. No había sido fácil.

«Yvonne no existe ni en el cielo ni aquí en la tierra —había decretado Hector desde el primer día—. No existe, ni existirá. ¿Está claro? Ese es el mensaje esencial, y el mensaje accesorio. Y si Billy Boy te cuelga de la araña de luces atado por los huevos, ella sigue sin existir.»

¿Que no existe? ¿Que no existe ni existirá esa joven recatada con gabardina oscura larga y capucha en punta, allí de pie en el portal la primerísima noche del primerísimo día de Luke, sin maquillar, sosteniendo una cartera entre los dos brazos como si acabara de rescatarla del diluvio?

—Hola. Soy Yvonne.

—Luke. ¡Pasa, por Dios!

Un chorreante apretón de manos mientras la apremian a entrar en el vestíbulo. Ollie, el mejor factótum del sector, va a buscar una percha donde colgar la gabardina, y luego la deja en el cuarto de baño para que gotee en el suelo de baldosas. Se ha iniciado una relación laboral de tres meses que no existe. Las restricciones de Hector respecto al uso de papel no se extendían a la voluminosa cartera de Yvonne, como descubrió Luke esa misma noche. Eso era porque todo lo que Yvonne les llevaba allí en su cartera volvía a salir en ella el mismo día. Y también eso se debía a que Yvonne no era una simple investigadora, sino una fuente de información clandestina.

Un día su cartera podía contener una gruesa carpeta del Banco de Inglaterra. Otro día era de la Autoridad de Servicios Financieros, Hacienda, la Agencia contra el Crimen Organizado y los Delitos Graves. Y un trascendental viernes por la noche, inolvidable, fue una pila de seis gruesos volúmenes y dos docenas de cintas de audio, material suficiente para llenar la cartera a reventar, procedentes de los sacrosantos archivos de la mismísima Sede de Comunicaciones del Gobierno. Ollie, Luke e Yvonne se pasaron todo el fin de semana copiando, fotografiando y replicando el material de todas las maneras a su alcance, para que Yvonne pudiera devolverlo a sus legítimos dueños el lunes al despuntar el alba.

Si se hacía con el botín lícita o furtivamente, si lo obtenía mediante el hurto o el engatusamiento de colegas y cómplices, Luke lo ignoraba aún a fecha de hoy. Solo sabía que tan pronto como ella aparecía, Ollie se llevaba rápidamente la cartera a su guarida detrás de la cocina para escanear el contenido, pasarlo a un lápiz USB y devolver la cartera a Yvonne; y a su vez Yvonne, al final del día, regresaba al departamento de Whitehall, cualquiera que fuese, en el que desempeñaba oficialmente sus funciones.

Porque también eso era un misterio, jamás revelado en las largas tardes en que Luke e Yvonne permanecían allí enclaustrados, juntos, cotejando los nombres ilustres de Buitres Capitalistas con transferencias de miles de millones de dólares realizadas a la velocidad de la luz a lo largo y ancho de tres continentes en un solo día; o juntos en la cocina a la hora del almuerzo, ante la sopa de Ollie, siendo la de tomate una de sus especialidades, aunque la de cebolla tampoco le quedaba mal. Y su guiso de cangrejo, que llevaba a la casa en un termo, ya medio cocinado, y acababa de preparar en el fogón de gas, era un milagro por consenso. Pero en lo que se refiere a Billy Boy, Yvonne no existe ni existirá nunca. Semanas de adiestramiento en el arte de resistir bajo interrogatorio así lo dicen; también un mes en cuclillas, esposado, en el reducto de un señor de la droga loco, en plena selva, mientras tu mujer descubre que eres un mujeriego compulsivo.

—¿Qué tenemos aquí en materia de soplones, pues, Luke? —pregunta Matlock a Luke ante una agradable taza de té en el cómodo rincón de su amplio despacho en *Lubyanka-sur-Thamise*, tras invitarlo a pasarse por allí a charlar, sin necesidad de decírselo a Hector—. Tú sabes lo tuyo de informantes. Precisamente el otro día pensé en ti cuando se planteó la necesidad de encontrar a un nuevo supervisor jefe para la formación de agentes. Un buen contrato de cinco años, para alguien de tu edad —dice Matlock con su campechano acento de las Midlands.

—Para serte del todo sincero, Billy, sé tan poco como tú —contesta Luke, consciente de que Yvonne no existe, ni existirá, aun cuando Billy Boy lo cuelgue de la araña de luces atado por los huevos, que fue una de las pocas cosas que a los chicos del señor de la droga no se les ocurrió hacerle—. Hector saca la información de la nada, así sin más, te lo juro. Es asombroso —añade con la debida perplejidad.

Da la impresión de que Matlock no oye la respuesta, o quizá no le interesa oírla, porque la jovialidad desaparece de su voz como si nunca hubiera estado.

—Aunque, ojo, un puesto de supervisor como ese es un arma de doble filo. Buscaríamos a un agente veterano cuya carrera sirviera de modelo a nuestros reclutas, jóvenes e idealistas. Hombres y mujeres, de más está decir. Habría que convencer al Consejo de que el candidato no es susceptible ni remotamente de ser acusado de conducta indebida. Y la responsabilidad de asesorarlo recaería en el Secretariado, como es lógico y natural. En tu caso, quizá tendríamos que plantearnos cierta reestructuración creativa del currículo.

—Eso sería muy generoso, Billy.

—Ya puedes decirlo, Luke —convino Matlock—. Ya puedes decirlo. Y también dependería hasta cierto punto de tu actual comportamiento.

¿Quién era Yvonne? Durante el primero de esos tres meses Luke se había trastocado un poco por ella, ahora podía decirlo, podía reconocerlo. Le atraía su recato y su reserva, que anhelaba compartir. Su cuerpo discretamente perfumado, en el supuesto de que algún día accediera a mostrárselo, debía de rayar en lo clásico, Luke se lo imaginaba perfectamente. Sin embargo podían pasarse interminables horas sentados juntos, codo con codo ante la pantalla del ordenador, o examinando el mural digno de la Tate Modern, percibiendo su mutuo calor corporal, rozándose las manos sin querer. Podían compartir cada giro y cada viraje en la persecución, cada rastro falso, cada callejón sin salida y cada triunfo pasajero; todo a una distancia de escasos centímetros el uno del otro, en el dormitorio de la primera planta de una casa secreta que durante la mayor parte del día ocupaban solo ellos dos.

Y aun así, nada: hasta una noche en que estaban sentados a la mesa de la cocina, exhaustos y solos, disfrutando de un tazón de sopa de Ollie y, a sugerencia de Luke, un trago del whisky de Hector, el de Islay. Sorprendiéndose a sí mismo, preguntó a Yvonne a bocajarro qué vida llevaba fuera de allí, y si tenía a alguien que le ofreciese apoyo en sus estresantes esfuerzos, a lo que añadió, con aquella sonrisa triste tan suya, de la que se avergonzó de inmediato, que al fin y al cabo el peligro estaba en las respuestas, ¿o no?, nunca en las preguntas, no sé si me explico.

La respuesta tardó un rato en cobrar forma:

—Estoy al servicio de la administración pública —dijo ella con la voz robótica de alguien que habla a la cámara en un concurso—. No me llamo Yvonne. Dónde trabajo no es asunto tuyo. Pero no creo que estés preguntándome eso. Soy un hallazgo de Hector, como supongo que lo eres tú también. Pero tampoco creo que estés preguntándome eso. Estás preguntándome por mi orientación. Y de paso si quiero acostarme contigo.

—¡Yvonne, no era esa mi intención ni mucho menos! —protestó Luke, faltando a la verdad.

—Y para tu información, estoy casada con un hombre a quien amo, tenemos una hija de tres años, y no ando follando por ahí ni siquiera con personas tan agradables como tú. Así que sigamos con la sopa, ¿quieres? —propuso ella, ante lo que, asombrosamente, los dos prorrumpieron en catárticas carcajadas y, eliminada la tensión, regresaron en paz a sus respectivos rincones.

¿Y Hector quién era, después de tres meses con él, aunque fuese con presencias esporádicas? ¿Hector, el de la mirada enfebrecida y las diatribas escatológicas contra los sinvergüenzas de la City, origen de todos nuestros males? Según la rumorología de la Agencia, Hector, para salvar la vida de su empresa familiar, había recurrido a métodos perfeccionados a lo largo de media vida en la magia negra, y considerados, incluso desde el alevoso punto de vista de la City, sucios. ¿Se inspiraba, pues, en la venganza su actuación contra los malhechores de la City? ¿O en la culpabilidad? A Ollie, que no solía prestarse al chismorreo, no le cabía duda: la experiencia de Hector con las malas prácticas de la City —y su propia utilización de estas, dijo Ollie— lo había convertido de la noche a la mañana en un ángel vengador. «Es un voto que ha hecho —les confió una noche en la cocina mientras aguardaban una de las apariciones tardías de Hector—. Va a salvar al mundo antes de abandonarlo aunque le cueste la vida.»

Pero la verdad era que Luke siempre se había dejado arrastrar por las preocupaciones. Desde la infancia se preocupaba indiscriminadamente, poco más o menos de la misma manera que se enamoraba.

Podía preocuparse tanto por si su reloj se adelantaba o atrasaba diez segundos como por los derroteros de un matrimonio que estaba anulado en todas las habitaciones excepto la cocina.

Se preocupaba de si las pataletas de Ben escondían algo aparte de los dolores del crecimiento, y de si Ben no quería a su padre por orden de su madre.

Se preocupaba por el hecho de sentirse en paz cuando trabajaba, y de ser un cúmulo de cabos inconexos cuando no trabajaba, incluso en ese momento, mientras caminaba a solas.

Se preocupaba por si debería haberse tragado el orgullo y aceptado el psicólogo ofrecido por la Reina Humana.

Se preocupaba por Gail, y por su deseo hacia ella, o hacia alguna chica como ella: una chica con verdadera luz en la cara en lugar de la sombra que seguía a Eloise a todas partes incluso cuando la iluminaba el sol.

Se preocupaba por Perry y procuraba no envidiarlo. Se preocupaba ante la duda de qué parte de él se impondría en una situación de emergencia operacional: sería el intrépido montañero o el moralista universitario con poco mundo, y en todo caso, ¿había alguna diferencia?

Se preocupaba por el inminente duelo entre Hector y Billy Boy Matlock, y por cuál de ellos perdería antes los estribos, o lo haría ver.

Al abandonar el refugio del Regent's Park, se adentró en la muchedumbre de compradores dominicales en busca de alguna ganga. Cálmate, se dijo. Todo saldrá bien. Hector está al frente, no tú.

Iba tomando nota de los jalones que dejaba atrás. Desde Colombia, los jalones eran importantes para él. Si llegaban a secuestrarlo, esas serían las últimas cosas que vería antes de ponerle la venda en los ojos.

El restaurante chino.

El club nocturno Big Archway.

La librería Gentle Reader.

Este es el café molido que olí mientras forcejeaba con mis agresores.

Esos son los últimos pinos nevados que vi en el escaparate de la tienda de material artístico antes de perder el conocimiento de un golpe.

Este es el número 9, la casa donde volví a nacer, tres peldaños hasta la puerta de entrada y actúa como un vecino cualquiera.

9

No hubo formalidades entre Hector y Matlock, ni cordiales ni de ningún otro tipo, y quizá nunca las había habido: solo el gesto de saludo y el silencioso apretón de manos propios de dos veteranos contrincantes preparándose para otro asalto. Matlock llegó a pie, después de acercarlo su chófer hasta la esquina.

—Una moqueta Wilton muy bonita, Hector —comentó, y con parsimonia echó una ojeada alrededor, confirmando al parecer sus peores sospechas—. Wilton es insuperable, sobre todo en lo que se refiere a la relación calidad/precio. Buenos días, Luke. Estáis solo vosotros dos, ¿no? —entregando el abrigo a Hector.

—El resto del personal se ha ido a las carreras —contestó Hector mientras lo colgaba.

Matlock el Matón era un hombre de espaldas anchas —un auténtico gorila, como inducía a pensar su apodo—, frente amplia y aspecto a primera vista paternal, siempre medio contraído e inclinado hacia delante, en una postura que a Luke le recordaba la de un delantero de rugby entrado en años. Su acento de las Midlands, según los chismorreos de la planta baja, era más perceptible desde la llegada del Nuevo Laborismo, pero empezaba a remitir ante la perspectiva de derrota electoral.

—Trabajaremos en el sótano, si no tienes inconveniente, Billy —dijo Hector.

—¿Inconveniente? No me queda otra elección, Hector, pero gracias por preguntarlo —respondió Matlock, ni cortés ni groseramente, y los precedió escalera abajo—. Por cierto, ¿cuánto pagamos por esta casa?

—No la pagáis vosotros. De momento, corre de mi cuenta.

—Eres tú quien está en la nómina de la Agencia, no al revés.

—En cuanto des luz verde a la operación, presentaré la factura.

—Y yo la comprobaré —dijo Matlock—. Conque te has dado a la bebida, ¿eh?

—Antes esto era una bodega.

Ocuparon sus lugares. Matlock se situó a la cabecera de la mesa. Hector, por lo general un tecnófobo recalcitrante, se situó a la izquierda de Matlock con la intención de ponerse delante de una grabadora y una consola de control. Y a la izquierda de Hector se sentó Luke. Así, los tres veían bien la pantalla de plasma que Ollie, ahora ausente, había instalado la noche anterior.

—¿Has tenido tiempo de revisar todo el material que te endilgamos, Billy? —preguntó Hector con tono jovial—. Ah, y perdona si por culpa de eso has tenido que privarte de tu golf.

—Si con eso de «todo», te refieres a lo que me mandaste, sí, Hector, lo he revisado, gracias —contestó Matlock—. Aunque tratándose de ti, como he podido ver con el tiempo, la palabra «todo» es un término un tanto relativo. Por cierto, no juego al golf, y no me apasionan los resúmenes, si puedo evitarlos. Y menos aún los tuyos. Habría preferido un poco más de materia prima y un poco menos de presión.

—En ese caso, ¿qué tal si te enseñamos ahora parte de esa materia prima, y en paz? —propuso Hector con igual gentileza—. Aún hablamos ruso, supongo, ¿no, Billy?

—A no ser que el tuyo se haya oxidado mientras te dedicabas a amasar fortuna, sí, creo que lo hablamos.

Son un viejo matrimonio, pensó Luke, mientras Hector pulsaba el botón de reproducción de la grabadora. Cada discusión entre ellos es repetición de otra anterior.

Para Luke, el mero sonido de la voz de Dima ejercía el mismo efecto que el principio de una película en tecnicolor. Cada vez que escuchaba la cinta introducida en el país dentro de un neceser por el ingenuo de Perry, se representaba a Dima en cuclillas entre los árboles del bosque que rodeaba Las Tres Chimeneas, sosteniendo un dictáfono firmemente en la mano, tan delicada contra todo pronóstico, a distancia suficiente de la casa para eludir los micrófonos reales o imaginarios de Tamara, pero relativamente cerca con la idea de volver corriendo si ella reclamaba a gritos su presencia para atender el teléfono una vez más.

Oía los tres vientos pugnar sobre la calva reluciente de Dima. Veía agitarse las copas de los árboles por encima de él. Oía el fragor del follaje y un borboteo de agua, y sabía que era la misma lluvia tropical bajo la que se había calado él en los bosques colombianos. ¿Habría grabado Dima esa cinta en una sola sesión o en varias? ¿Tuvo que fortalecerse a golpe de vodka entre sesiones para vencer sus inhibiciones de *vor*? De pronto su bramido ruso pasa al inglés, quizá para recordarse quiénes son sus confesores. De pronto apela a Perry. De pronto a un puñado de Perrys:

> ¡Caballeros ingleses! ¡Por favor! ¡Ustedes practican el juego limpio, ustedes tienen un país de ley! ¡Ustedes son puros! Confío en ustedes. ¡Ustedes también confiarán en Dima!

Luego vuelta a su ruso materno, pero tan atento a las sutilezas gramaticales, tan exquisito en la elección de palabras y en la vocalización, que el propósito, imagina Luke, es limpiarse de la mancha contraída en Kolyma en previsión de un futuro alterne con los caballeros de Ascot y sus señoras:

> El hombre a quien llaman Dima, el número uno en blanqueo de dinero al servicio de los Siete Hermanos, cerebro financiero del retrógrado usurpador que se hace llamar «Príncipe», presenta sus saludos al famoso Servicio Secreto inglés y desea hacer el siguiente ofrecimiento de valiosa información a cambio de garantías fiables por parte del gobierno británico. Ejemplo.

A continuación solo hablan los vientos, y Luke imagina a Dima enjugándose el sudor y las lágrimas con un gran pañuelo de seda —glosa personal de Luke, pero Perry ha mencionado repetidamente un pañuelo— antes de tomar otro trago de la botella y proceder al acto de traición total e irreversible.

> Ejemplo. Las operaciones de la organización criminal del Príncipe, ahora conocida como los Siete Hermanos, incluyen:
>
> Uno: importaciones y recalificación de petróleo embargado en Oriente Próximo. Conozco esas transacciones. Hay involucrados muchos italianos corruptos y muchos abogados británicos.
>
> Dos: inyección de dinero negro en multimillonarias compras e inversiones en el sector petrolero. En eso mi amigo Mijaíl, llamado Misha, era el especialista de las siete hermandades de *vory*. Por eso vivía también en Roma.

Volvió a quebrársele la voz, y quizá brindó en silencio por el difunto Misha, para continuar de inmediato con renovado entusiasmo en un inglés roto:

> Ejemplo tres: mercado negro de la madera, África. Primero convertimos la madera negra en madera blanca. Después convertimos el dinero negro en dinero blanco. Es normal. Es sen-

cillo. Muchos, muchos delincuentes rusos en el África tropical. También diamantes negros, un nuevo tráfico muy interesante para las hermandades.

Todavía en inglés:

> Cuatro: medicamentos de imitación, fabricados en la India. Pésimos, no curan, provocan vómitos, tal vez matan. El Estado oficial de Rusia tiene relaciones muy interesantes con el Estado oficial de la India. También relaciones muy interesantes entre las hermandades indias y rusas. El que llaman Dima conoce muchos nombres interesantes, también ingleses, en relación con estas conexiones verticales y ciertos acuerdos económicos privados, con base en Suiza.

Luke, con su propensión a las preocupaciones, sufre en nombre de Hector la crisis de confianza propia de todo representante teatral.

—¿A este volumen te va bien, Billy? —pregunta Hector a la vez que detiene la cinta.

—Ese volumen es perfecto —responde Matlock, poniendo en la palabra «volumen» justo el énfasis necesario para insinuar que el contenido ya es otro cantar.

—Sigamos, pues —dice Hector un poco demasiado dócilmente para el gusto de Luke cuando Dima vuelve, agradecido, a su ruso materno:

> Ejemplo: en Turquía, Creta, Chipre, en Madeira, en muchos centros turísticos costeros: hoteles negros, sin huéspedes, veinte millones de dólares negros por semana. Este dinero también es blanqueado por el que llaman Dima. Son cómplices algunas supuestas empresas inmobiliarias británicas.
>
> Ejemplo: relación personal corrupta entre funcionarios de la Unión Europea y contratistas deshonestos del sector cárnico. Estos contratistas deben certificar carne italiana de alta calidad,

muy cara, para exportar a la República Rusa. Mi amigo Misha también fue responsable personalmente de este acuerdo.

Hector para otra vez la grabadora. Matlock ha levantado la mano.

—¿En qué puedo ayudarte, Billy?

—Está leyendo.

—¿Qué hay de malo en que lea?

—Nada. Siempre y cuando sepamos de dónde lee.

—Tenemos entendido que su mujer Tamara le escribió parte del texto.

—Ella le indicó lo que debía decir, ¿no? —preguntó Matlock—. Eso no acaba de gustarme, creo. ¿Y quién se lo indicó a ella?

—¿Quieres que haga correr la cinta hacia delante? Aquí solo habla sobre ciertos colegas nuestros de la Unión Europea que envenenan a la gente. Si no cae dentro de nuestras atribuciones, no tienes más que decirlo.

—Ten la amabilidad de continuar como hasta ahora, Hector. En adelante me reservaré mis comentarios hasta más avanzada la función. No estoy muy seguro de si se nos ha solicitado o no información sobre ventas de carne a Rusia, a decir verdad, pero procuraré averiguarlo, no te quepa duda.

Para Luke, la historia que Dima estaba a punto de contar era una verdadera aberración. No se le habían embotado los sentidos a causa de las experiencias de la vida. Pero era difícil adivinar qué conclusión extraería Matlock de aquello. El arma elegida por Dima es una vez más el inglés de Tamara:

> El sistema corrupto es como sigue. Primero, a través de funcionarios corruptos de Moscú, el Príncipe consigue que cierta carne se clasifique como «carne para la beneficencia».

Para considerarse destinada a la beneficencia, una carne debe distribuirse solo entre los sectores necesitados de la sociedad rusa. Por tanto, la carne dirigida fraudulentamente a la beneficencia no está gravada por los impuestos rusos. Segundo: mi amigo Misha, que está muerto, compra muchas piezas de carne en Bulgaria. Es peligroso comer esa carne, malísima, muy barata. Tercero: mi amigo Misha consigue, por mediación de funcionarios muy corruptos de Bruselas, que todas las piezas de carne búlgara se marquen una por una con el sello de certificación de la Unión Europea, identificándola como carne de alta calidad, excelente, la mejor carne italiana conforme a la normativa europea. Por este servicio delictivo, yo personalmente, Dima, ingreso cien euros por pieza de carne en la cuenta suiza del funcionario de Bruselas muy corrupto, veinte euros por pieza en la cuenta suiza del funcionario de Moscú muy corrupto. Beneficio neto para el Príncipe, una vez deducidos los gastos generales: mil doscientos euros por pieza. A lo mejor, por culpa de esa carne búlgara malísima, enfermaron y murieron cincuenta rusos, incluidos niños. Y eso es solo un cálculo aproximado. Fuentes oficiales desmienten esta información. Sé los nombres de estos funcionarios muy corruptos, también sus números de cuenta en bancos suizos.

Y una tensa posdata, declamada en tono grandilocuente:

Es opinión personal de mi esposa, Tamara L'vovna, que la distribución inmoral de mala carne búlgara por funcionarios europeos y rusos criminalmente corruptos debe ser motivo de preocupación para todo cristiano de buen corazón en el mundo entero. Es la voluntad de Dios.

La inconcebible intervención de Dios en la situación había creado un pequeño paréntesis.

—¿A alguien le importaría aclararme qué es un «hotel negro»? —preguntó Matlock al aire, manteniendo la mirada al frente—. Resulta que yo voy de vacaciones a Madeira, y nunca me ha parecido que mi hotel tenga nada de negro.

Movido por la necesidad de proteger a Hector en su versión amansada, Luke asumió el papel de ese «alguien» que explicaría a Matlock qué era un hotel negro:

—Verás, Billy. Compras una parcela de tierra de primera, generalmente al lado del mar. Pagas al contado, construyes un complejo hotelero de cinco estrellas. Tal vez varios. Todo al contado. Y añades unos cincuenta bungalows si te queda sitio. Llevas los mejores muebles, cubertería, porcelana, ropa blanca. A partir de ese momento los hoteles y los bungalows están llenos. Solo que allí nunca se aloja nadie, ¿entiendes? Si llama una agencia de viajes: lo sentimos, está todo reservado. Una vez al mes se presenta en el banco un furgón de una compañía de seguridad y descarga todo el dinero recaudado por el alojamiento en habitaciones y bungalows, y en restaurantes, casinos, clubes nocturnos y bares. Al cabo de un par de años, los complejos están en óptimas condiciones para venderse, con un historial comercial excelente.

No hubo respuesta, aparte de una sonrisa paternal en el rostro de Matlock, elevada a su intensidad máxima.

—Y no hablamos solo de los complejos hoteleros. También están esos pueblos vacacionales blancos y extrañamente vacíos... tienes que haberlos visto, esos que descienden por los valles turcos hasta el mar..., y docenas de villas, obviamente. En resumidas cuentas, casi cualquier cosa alquilable. También coches, siempre y cuando sea posible falsear el papeleo.

—¿Cómo te encuentras hoy, Luke?

—Bien, Billy, gracias.

—Estamos pensando en proponerte para una medalla, por un acto de valor más allá del cumplimiento del deber, ¿lo sabías?

—No, primera noticia.

—Pues así es. Una medalla secreta, eso sí; nada público. No

podrás lucirla en el pecho el Día de los Caídos, eso no. Sería arriesgado. Además, iría contra la tradición.

—Claro —convino Luke, confuso, pensando por una parte que quizá una medalla fuese lo único que sacase a Eloise de la depresión, y por otra que aquello era una más de las artimañas de Matlock.

Así y todo, se disponía a ofrecer una respuesta adecuada —expresar sorpresa, agradecimiento, satisfacción— cuando advirtió que Matlock había perdido todo interés en él.

—Lo que he oído hasta ahora, Hector, quitando la paja, como a mí me gusta, es, en mi humilde opinión, una clara muestra de fechoría internacional. De acuerdo, admito que la Agencia, oficialmente, tiene interés en las fechorías internacionales y el blanqueo de dinero. Luchamos por conseguir una parte de ese pastel cuando corrían tiempos difíciles, y ahora nos lo endosan. Me refiero al desafortunado y estéril período entre la caída del Muro de Berlín y el favor que nos hizo Osama bin Laden el 11 de septiembre. Luchamos por una parte del mercado de blanqueo de dinero del mismo modo que luchamos por una tajada mayor en Irlanda del Norte, y por cualquier otro logro discreto para justificar nuestra existencia. Pero eso era antes, Hector. Y gracias, pero esto es ahora, y a día de hoy, que es donde vivimos, te guste o no, tu Agencia, que es también la mía, tiene cosas mucho mejores que hacer con su tiempo y sus recursos que pillarse los dedos en los complejísimos engranajes de las finanzas de la City londinense.

Matlock se interrumpió, esperando algo —a saber qué, pensó Luke, a menos que fueran aplausos—, pero Hector, a juzgar por su expresión glacial, no estaba dispuesto ni mucho menos a ofrecérselos, así que Matlock tomó aliento y continuó.

—A día de hoy, además, hay en este país una entidad hermana, muy grande, plenamente integrada y con financiación de sobra, que dedica sus esfuerzos, si es que puede llamárselos así, a delitos graves y al crimen organizado, que deduzco que es lo que pretendes desvelar aquí. Por no hablar ya de la Interpol, o diversos organismos norteamericanos rivales que se pisan mutuamente el terreno al mismo tiempo que se guardan mucho de menoscabar la prosperidad de esa gran nación. A lo que voy, Hector... y déjame acabar, te lo ruego... a lo que voy es a esto: no entiendo para qué se me ha emplazado aquí casi sin previo aviso. Todos sabemos que el asunto que tienes entre manos es urgente. Pero ¿para quién lo es? De eso ya no estoy tan seguro. Incluso puede que sea verdad. Aun así, ¿nos compete a nosotros, Hector?

Obviamente era una pregunta retórica, porque prosiguió.

—¿O acaso, Hector, estás invadiendo, por tu propia cuenta y riesgo, el terreno en extremo espinoso de una organización hermana con la que a lo largo de dolorosos meses mi Secretariado y yo hemos negociado líneas de demarcación, fijadas por fin no sin grandes dificultades? Porque de ser así, te aconsejo lo siguiente: recoge ese material que acabas de enseñarme, y cualquier otro material de la misma índole que se halle en tu poder y, con efecto inmediato, entrégalo a esa organización hermana nuestra con una sentida carta de disculpa por invadir sus sacrosantas áreas de competencia. Y una vez hecho eso, te recomiendo que os concedáis, tú y Luke, y quien quiera que tengáis escondido en el armario, dos semanas de bien merecida baja por enfermedad.

¿Se había agotado por fin la legendaria desfachatez de Hector?, se preguntó Luke con inquietud. ¿Le había pasado una factura excesiva la tensión de captar a Gail y Perry para la causa? ¿O estaba tan abstraído en los elevados fines de su misión que había perdido el control de la táctica?

Como aletargado, Hector extendió un dedo, cabeceó y dejó escapar un suspiro, y una vez más hizo avanzar la cinta.

Dima tranquilo. Dima leyendo, le gustase o no a Billy Boy. Dima poderoso y digno, recitando a partir del guión con su mejor ruso ceremonial:

> Ejemplo: detalles del pacto muy secreto en Sochi 2000 entre siete hermandades *vory* en vías de unirse, firmado por los Siete Hermanos y llamado la «Entente». Con arreglo a este pacto, en el que ha mediado personalmente el Príncipe, esa perra usurpadora, con la cercana connivencia del Kremlin, los siete signatarios acuerdan:
>
> Uno: aprovechar y compartir los cauces monetarios de probada eficacia creados por aquel a quien llaman Dima, en adelante blanqueador de dinero número uno al servicio de las siete hermandades.
>
> Dos: todas las cuentas bancarias conjuntas serán gestionadas bajo el código de honor de los *vory*, y cualquier desviación se castigará con la muerte de la parte culpable, acompañada de la exclusión permanente de la hermandad responsable.
>
> Tres: se establecerá respetabilidad empresarial en las siguientes seis capitales financieras: Toronto, París, Roma, Berna, Nicosia, Londres. Destino final de todo el dinero blanqueado: Londres. Mayor centro de respetabilidad: Londres. Mejores perspectivas para entidad bancaria a largo plazo: Londres. Mejor panorama para ahorrar y conservar: Londres. Esto también forma parte del acuerdo.
>
> Cuatro: la labor de enmascarar los orígenes del dinero negro y encauzarlo hacia paraísos seguros seguirá siendo la principal y única responsabilidad de aquel a quien llaman Dima.
>
> Cinco: para cualquier otro movimiento importante de dinero, este Dima tendrá poderes de primera firma. Cada signatario de la «Entente» nombrará un enviado limpio. Este enviado limpio solo tendrá derechos de segunda firma.
>
> Seis: para realizar cualquier cambio sustancial en el sistema antedicho, se exigirá, conforme a la ley de los *vory*, que los siete enviados limpios se hallen presentes a la vez.

Siete: se reconoce por tanto la preeminencia de aquel a quien llaman Dima como artífice principal de todas las estructuras de blanqueo de dinero acordadas con arreglo a la «Entente» de Sochi 2000.

—Y amén, podríamos decir —musita Hector, y una vez más apaga la grabadora y observa a Matlock en espera de una reacción. Luke también lo mira, y se encuentra, cómo no, con la indulgente sonrisa de Matlock.

—¿Sabes qué te digo, Hector? Una cosa así podría habérmela inventado yo —afirma, moviendo la cabeza en lo que debe interpretarse como un gesto de admiración—. Fantástico, no se me ocurre otra palabra. Fluido, imaginativo, y se sitúa a sí mismo en lo alto. ¿Cómo va a poner alguien en tela de juicio la veracidad de una declaración global tan magnífica? De entrada, le daría un Oscar. ¿A qué se refiere con eso de «enviado limpio»?

—Limpio: en el sentido de pasado limpio. Sin condenas previas, ni penales ni éticas. Contables, abogados, policías pluriempleados y agentes de los servicios de inteligencia, cualquier elemento de la Hermandad que pueda viajar, firmar con su nombre, deba lealtad a la Hermandad y sepa que despertará con los huevos en la boca si mete mano en la caja.

Mostrándose a ojos de Luke más como un abogado de familia agobiado por las preocupaciones que como el hombre irrefrenable que era, Hector consulta una tarjeta manoseada donde al parecer ha anotado un esquema para la reunión y de nuevo hace correr la cinta.

«Mapa», brama Dima en ruso.

—Mierda, me he pasado —masculla Hector, y rebobina un poco.

> También a condición de unas garantías británicas fiables, se incluirá un «mapa» muy secreto, muy importante.

Continúa Dima leyendo apresuradamente, como antes, del guión en ruso:

> En este «mapa» constarán las rutas internacionales de todo el dinero negro bajo el control de aquel a quien llaman Dima, que ahora les habla.

A petición de Matlock, Hector detiene la cinta de nuevo.

—No está hablando de un mapa, sino de un «diagrama de flechas» —se queja Matlock con el tono de quien corrige las imprecisiones léxicas de Dima—. Y respecto a los «diagramas de flechas», si me permitís, diré solo una cosa. Ya he visto «diagramas de flechas» más que suficientes para toda mi vida. Por lo general, parecen rollos de alambre de espino multicolores que, según mi experiencia, no llevan a ningún sitio conocido. Dicho en otras palabras, son inservibles, o esa es mi opinión —añade ufano—. Los incluyo en la misma categoría que las declaraciones sobre imaginarios congresos criminales celebrados en el año 2000 a orillas del Mar Negro.

Tendrías que ver el «gráfico de flechas» de Yvonne, eso sí es un delirio, querría decirle Luke en un arrebato de pesarosa hilaridad.

Matlock, cuando está en racha ganadora, no abandona así como así. Cabecea y esboza una melancólica sonrisa.

—¿Quieres que te diga una cosa, Hector? Si me hubieran dado un billete de cinco libras por cada vez que se la han pegado a la Agencia con material de estraperlo procedente de fuentes sin certificar a lo largo de los años... no todas en mi etapa, me complace decir... ahora sería rico. Gráficos de flechas, tramas de Bilderberg, conspiraciones mundiales, ese viejo cobertizo verde de Siberia lleno de bombas de hidrógeno oxidadas...

para mí es todo lo mismo. No digo rico a los niveles de sus ingeniosos inventores, quizá, ni al tuyo. Pero para una persona como yo, sería nadar en la abundancia, eso te lo aseguro.

¿Por qué demonios Hector no pone a Matlock el Matón en su sitio? Pero da la impresión de que Hector ya no tiene arrestos para contraatacar. Peor aún, para desesperación de Luke, no se toma la molestia de reproducir la última parte del histórico ofrecimiento de Dima. Apaga la grabadora, como diciendo «ya lo he intentado, no ha servido», y con una sonrisa apesadumbrada y un compungido «en fin, tal vez te venga mejor ver unas imágenes, Billy», coge el mando a distancia de la pantalla de plasma y baja la intensidad de la luz.

En la penumbra, una videocámara de aficionado recorre temblorosamente las almenas de una fortaleza medieval; luego desciende al malecón de un puerto antiguo lleno de veleros de lujo. Oscurece, la cámara es de mala calidad, insuficiente para la luz menguante. Un yate de lujo azul y oro, de treinta metros, permanece anclado fuera del puerto. Está decorado con bombillas de colores, y se ve luz en los ojos de buey. Una lejana música de baile nos llega por encima del agua. ¿Será la celebración de un cumpleaños o una boda? En la popa cuelgan las banderas de Suiza, Gran Bretaña y Rusia. En su mástil, un lobo dorado cruza de un salto un campo carmesí.

La cámara se acerca a la proa. El nombre del barco, grabado en elegantes letras doradas, es *Princesa Tatiana*, en alfabeto latino y en cirílico.

Hector comenta las imágenes con tono inexpresivo, desapasionado:

—Pertenece a una empresa recién fundada que se llama Primer Banco de Crédito La Arena de Toronto, registrado en Chipre, propiedad de una fundación de Liechtenstein que a su vez es propiedad de una empresa registrada en Chipre —anuncia con voz apagada—. Por tanto, se trata de un sistema de propiedad circular. Se lo das a una empresa y luego lo recuperas de la empresa. Hasta hace poco se llamaba *Princesa Anastasia*, que era el nombre de la anterior chorba del Príncipe. Su nueva chorba se llama Tatiana: extraigamos, pues, conclusiones. Dado que el Príncipe se encuentra actualmente recluido en Rusia por razones de salud, el barco está alquilado a un consorcio internacional llamado, curiosamente, Primera Arena Internacional de Crédito, una entidad totalmente distinta, registrada, te sorprenderá oír, en Chipre.

—¿Y qué le pasa? —pregunta Matlock con actitud hostil.

—¿A quién?

—Al Príncipe. No digo ninguna tontería, ¿no? ¿Por qué está recluido en Rusia?

—Espera a que los americanos retiren unos cargos nada razonables presentados contra él hace unos años por blanqueo de dinero. La buena noticia es que no tendrá que esperar mucho. Gracias a un poco de cabildeo en los pasillos del poder de Washington, pronto se acordará que no tiene por qué rendir cuentas. Siempre viene bien saber en qué paraísos fiscales guardan su dinero los americanos influyentes.

La cámara salta a la popa. Tripulación de aspecto ruso, con camisa a rayas y gorra de marinero. Un helicóptero a punto de aterrizar. La cámara avanza un poco, desciende con movimiento vacilante hasta el mar a la vez que la imagen se oscurece. Al lado se detiene una lancha rápida con pasajeros a bordo. Estos, engalanados, suben con cautela por la escalerilla del barco, auxiliados por la ajetreada tripulación.

De vuelta a la popa. El helicóptero ha aterrizado pero las hélices todavía giran lentamente. Una mujer elegante, con falda abombada, sujetándose el sombrero, baja por los peldaños, cubiertos con una alfombra roja. La siguen una segunda mujer elegante y, detrás, un grupo de hombres elegantes en americanas de sport y pantalones de dril blanco, seis en total. Confuso intercambio de abrazos. Casi inaudibles exclamaciones de bienvenida por encima de la música de baile.

Salto a una segunda lancha rápida que se detiene junto al yate para hacer entrega de varias chicas guapas. Vaqueros ajustados, faldas con vuelo, muchas piernas y hombros desnudos mientras ascienden por la escalerilla. Un par de trompetistas borrosos, con uniforme de cosaco, prorrumpen en toques de saludo mientras las chicas guapas suben a bordo.

Torpe panorámica de los invitados reunidos en la cubierta principal. Hasta el momento suman dieciocho. Luke e Yvonne los han contado. La filmación se interrumpe y da paso a una serie de primeros planos de avance premioso, muy aumentados por Ollie. El pie dice PEQUEÑO PUERTO ADRIÁTICO CERCA DE DUBROVNIK, 21 DE JUNIO DE 2008. Es el primero de muchos pies y subtítulos que Yvonne, Luke y Ollie, en comité, han superpuesto a modo de acompañamiento a los comentarios hablados de Hector.

El silencio en el sótano se masca. Es como si en la sala todo el mundo, incluido Hector, hubiera contenido el aliento simultáneamente. Quizá haya sido así. Incluso Matlock se ha echado adelante en su silla.

Dos hombres de negocios bien conservados, con trajes caros, conversan. Detrás de ellos, el cuello y los hombros desnudos de una mujer de mediana edad con el pelo recogido y ahuecado, teñido de rubio platino. Está de espaldas y luce un collar de diamantes de cuatro vueltas y pendientes a juego de valor incalculable. A la izquierda de la pantalla asoman la mano blanca enguantada y el puño bordado de un camarero cosaco, que ofrece copas de champán en una bandeja de plata.

Primer plano de los dos hombres de negocios. Uno viste esmoquin blanco. Tiene el pelo negro, mandíbula prominente y aspecto latino. El otro lleva una americana cruzada muy inglesa, de color azul marino, con botones de latón: una «chaqueta de sport», como prefiere llamarla cierto sector de la sociedad británica, y Luke debería saberlo, ya que esa es su procedencia. En comparación con su acompañante, este segundo hombre es joven. También es atractivo, a la manera de los jóvenes del siglo XVIII en los retratos que donaban a la antigua escuela de Luke al abandonarla: frente ancha, entradas en el pelo, altiva mirada semibyroniana de prepotencia sensual, mohín agraciado, y una postura con la que consigue mirarte desde arriba por muy alto que seas.

Hector aún no ha hablado. La decisión del comité era dejar que los subtítulos dijeran lo que cualquiera sabría a simple vista: que la chaqueta de sport cruzada, de color azul marino y con botones de latón, muy inglesa, pertenece a un destacado miembro de la Leal Oposición de Su Majestad, un ministro en la sombra destinado a un cargo estratosférico después de las próximas elecciones.

Es Hector, para alivio de Luke, quien rompe el incómodo silencio.

—Su cometido, según comunicado oficial del partido, sería «llevar el comercio británico a una posición puntera en el mercado económico internacional», y que alguien me explique qué significa eso —comenta con causticidad, dejando resurgir levemente su energía de antes—. Además de poner fin a los excesos de la banca, claro está. Pero eso van a hacerlo todos, ¿no? Algún día.

Matlock recupera el habla.

—No es posible hacer negocios sin entablar amistades, Hector —afirma—. El mundo no funciona así, como tú precisamente deberías saber, después de haberte ensuciado las manos ahí fuera. No puedes condenar a un hombre por el mero hecho de verlo en el barco de otra persona.

Pero ni el tono de Hector ni la indignación poco convincente de Matlock logran disipar la tensión. Y no es ni mucho menos un consuelo que el esmoquin blanco, según el subtítulo de Yvonne, pertenezca a un marqués francés, un tiburón corrupto estrechamente vinculado a Rusia.

—Veamos, ¿de dónde has sacado esto? —preguntó Matlock de pronto tras un momento de reflexivo silencio.

—¿Qué?

—La película. El vídeo de aficionado. Lo que sea. ¿De dónde lo has sacado?

—Lo encontré debajo de una piedra, Billy. ¿Dónde si no?

—¿Quién lo filmó?

—Un amigo mío. O dos.

—¿Qué piedra?

—Scotland Yard.

—¿De qué hablas? ¿La Policía Metropolitana? Has estado manipulando pruebas policiales, ¿eh? ¿Es eso lo que has estado haciendo?

—Me gustaría pensar que sí, Billy. Pero lo dudo mucho. ¿Quieres oír la historia?

—Si es cierta...

—Una joven pareja de las afueras de Londres ahorró para la luna de miel y contrató un viaje organizado a la costa del Adriático. De excursión por los acantilados, se encontraron con un yate de lujo anclado en la bahía y, al ver que se estaba celebrando una fiesta espectacular, lo filmaron. Mientras examinaban las imágenes en la intimidad de su hogar, allá en, pongamos, Surbiton, identificaron, con asombro y emoción, a ciertos personajes muy conocidos de la vida pública británica, en concreto del mundo de las finanzas y la política. Pensando en recuperar el coste de sus vacaciones, ni cortos ni perezosos enviaron su premio a Sky Television News. Y de repente se vieron compartiendo el dormitorio, a las cuatro de la madrugada, con una brigada de policías de uniforme, armados y con chalecos antibalas, y bajo amenaza de procesamiento conforme a la Ley Antiterrorista si no entregaban de inmediato todas las copias de su película a la policía; así que, muy prudentemente, obedecieron. Y esa es la verdad, Billy.

Luke empieza a comprender que ha subestimado la interpretación de Hector. Hector puede aparentar ineptitud. Puede que solo sostenga en la mano una tarjeta roñosa. Pero no hay nada de roñoso en el plan que ha articulado en su cabeza. Tiene otros dos caballeros que presentar a Matlock, y cuando el encuadre se amplía para abarcarlos, se pone de manifiesto que todos formaban parte de la conversación. Uno es alto, elegante, de unos cincuenta y cinco años, con cierto porte de embajador. Saca casi una cabeza al viceministro en espera. Tiene la boca abierta en actitud risueña. Su nombre, nos revela el pie de Yvonne, es Giles de Salis, capitán de navío retirado.

Esta vez Hector se ha reservado para sí la descripción del cargo:

—Punta de lanza entre los grupos de presión de Westminster, traficante de influencias; su clientela incluye a buena parte de los más destacados mierdas de este mundo.

—¿Es amigo tuyo, Hector? —pregunta Matlock.

—Es amigo de cualquiera dispuesto a aflojar diez de los grandes por un *tête-à-tête* con alguno de nuestros gobernantes incorruptibles, Billy —replica Hector.

El cuarto y último elemento del cuadro, pese a la borrosa ampliación, es la esencia misma de la fuerza vital en la alta sociedad. Luce un esmoquin de exquisito corte. Un excelente ribete de seda define las solapas. Conserva una buena mata de pelo plateado, que lleva espectacularmente peinado hacia atrás. ¿Es acaso un gran director de orquesta? ¿O un gran maître? Al igual que un bailarín, mantiene en alto el dedo índice, adornado con un anillo, en un jocoso gesto de admonición. Leve e inocuamente, posa la otra delicada mano en el brazo del viceministro en espera. En la pechera plisada de la camisa luce una Cruz de Malta.

¿Una qué? ¿Una Cruz de Malta? ¿Es acaso, pues, un Caballero de Malta? ¿O es puro oropel? ¿O se trata de una orden extranjera? ¿O se la compró en obsequio a sí mismo? A altas horas de la madrugada, Luke e Yvonne dieron muchas vueltas a eso. No, coincidieron: la robó.

«Signor Emilio dell Oro, súbdito italo-suizo, residente en Lugano», reza el subtítulo, redactado en esta ocasión por Luke con una neutralidad absoluta conforme a las rigurosas instrucciones de Hector. «Hombre de mundo internacional, jinete, traficante de influencias en el Kremlin.»

Una vez más Hector se ha atribuido las mejores frases del diálogo:

—Nombre verdadero, por lo que hemos podido averiguar, Stanislav Auros. Armenio-polaco, ascendencia turca, autodidacta, autoinventado, brillante. En la actualidad, mayordomo, facilitador, factótum, asesor social y cabeza visible del Príncipe. —Y sin detenerse ni alterar la voz—: Billy, ¿por qué no sigues tú a partir de este punto? Tú sabes de él más que yo.

¿Es posible coger desprevenido a Matlock? Por lo visto no, ya que, sin pensárselo dos veces, responde:

—Creo que me he perdido, Hector. Ten la bondad de refrescarme la memoria, si no te importa.

Hector lo hace. Se ha reanimado notablemente.

—En nuestra infancia no muy lejana, Billy. Antes de hacernos mayores. Un día de San Juan, si no recuerdo mal. Yo era jefe de delegación en Praga; tú eras jefe de operaciones en Londres. Me autorizaste a dejar en el maletero de un Mercedes blanco aparcado, el automóvil de Stanislav, cincuenta mil dólares en billetes pequeños, ya entrada la noche, sin hacer preguntas. Solo que por aquel entonces no era Stanislav; era monsieur Fabian Lazaar. En ningún momento volvió esa hermosa cabeza suya para dar las gracias. No sé qué hizo para ganarse ese dinero, pero sin duda tú sí lo sabes. Por aquellas fechas se abría camino hacia las alturas. Objetos robados, sobre todo procedentes de Irak. Acompañante de señoras ricas en Ginebra, los gastos a cargo de sus maridos. Venta de conversaciones diplomáticas de alcoba al mejor postor. Quizá era eso lo que comprábamos. ¿Lo era?

—Yo no supervisé a ningún Stanislav ni a ningún Fabian, Hector, eso te lo aseguro. Ni al señor Dell Oro, o como sea que se llame. No fue topo mío. Cuando le entregaste ese pago, yo era un simple intermediario.

—¿Al servicio de quién?

—De mi predecesor. ¿Te importaría dejar de interrogarme, Hector? Intentas darle la vuelta a la tortilla, por si no te has dado cuenta. Mi predecesor era Aubrey Longrigg, Hector, como bien sabes, y seguirá siéndolo, si nos paramos a pensar, mientras yo ocupe el cargo. No me digas que no te acuerdas de Aubrey Longrigg, o pensaré que el doctor Alzheimer te ha hecho una ingrata visita. La lumbrera de la casa, eso fue Aubrey, justo hasta su marcha un tanto prematura. Aunque se pasó de la raya alguna que otra vez, como tú.

En la defensa, recordó Luke, Matlock solo conocía el ataque.

—Y créeme, Hector —prosiguió, agrupando refuerzos en su avance—, si mi predecesor Aubrey Longrigg necesitaba pagar cincuenta de los grandes a su topo en el momento en que Aubrey abandonaba la Agencia para perseguir metas superiores, y si Aubrey me solicitó a mí llevar a cabo esa tarea en su representación para zanjar cierto acuerdo privado, como así hizo, yo no iba a volverme y decir: «Un momento, Aubrey, mientras consigo autorización especial y verifico tu historia». ¿Iba yo a hacer algo así? ¡No con Aubrey! No tal como eran las relaciones entre Aubrey y el Jefe por aquel entonces, conchabados como estaban, en secreto. No, eso ni loco.

Por fin asomó a la voz de Hector su antiguo temple:

—Bien, y si le echamos un vistazo a Aubrey tal como es siete años después: subsecretario parlamentario, diputado por uno de los distritos electorales más necesitados de su partido, acérrimo defensor de los derechos de la mujer, apreciado asesor del Ministerio de la Defensa en materia de adquisición de armas y… —con un leve chasquido de dedos y la frente arrugada como si de verdad lo hubiera olvidado— ¿qué más, Luke? Hay algo más, lo sé.

Y Luke, tan pronto como recibe el pie, se oye entonar la respuesta:

—Presidente por designación del nuevo subcomité parlamentario sobre ética bancaria.

—Y no del todo desconectado de nuestra Agencia, ¿supongo? —insinuó Hector.

—Supongo que no —convino Luke, aunque no acababa de entender por qué demonios lo había considerado a él una autoridad en ese preciso momento.

Quizá sea lógico que nosotros los espías, incluso los retirados, tengamos poca predisposición a dejarnos fotografiar, reflexionó Luke. Quizá alimentamos el temor secreto de que la lente de la cámara traspase la Gran Muralla entre nuestras identidades exterior e interior.

Desde luego esa impresión daba Aubrey Longrigg. Aun captado sin él saberlo mediante una videocámara de escasa calidad, con luz insuficiente y cincuenta metros de mar por medio, Longrigg parecía arrimarse a la escasa sombra disponible en la cubierta del *Princesa Tatiana*, iluminada con luces de colores.

Tampoco es que el pobre, todo hay que decirlo, tuviese una gran fotogenia natural, admitió Luke, dando gracias al cielo una vez más por que sus caminos no se hubiesen cruzado nunca. Aubrey Longrigg era medio calvo, narigudo y vulgar, como correspondía a un hombre famoso por su intolerancia hacia mentes inferiores a la suya. Bajo el sol del Adriático, su rostro poco agraciado se ha teñido de un rosa poco favorecedor, y las gafas con montura al aire no hacen gran cosa por alterar su apariencia de empleado de banca cincuentón, que es la impresión que uno tiene de él a menos que, como Luke, haya oído hablar de la turbulenta ambición que lo impulsa, del implacable intelecto que en su día transformó la cuarta planta en un vertiginoso invernadero de ideas innovadoras y jefes en conflicto, y de la inconcebible atracción que ejerce en cierta clase de mujeres —las que, cabe suponer, se excitan al sentirse menospreciadas intelectualmente—, siendo el más reciente ejemplo de ello la que se hallaba en ese momento a su lado en la persona de: «Janice (Jay), señora de Longrigg, anfitriona de la alta sociedad y recaudadora de fondos», seguido esto de una breve selección de organizaciones benéficas entre las muchas que tenían motivos para estar agradecidas a la señora de Longrigg.

Luce un vestido sin hombros con mucho estilo. Un pasador de estrás mantiene en su sitio el cuidado cabello negro azabache. Tiene una distinguida sonrisa y ese andar regio, inclinado y un poco oscilante, que solo adquieren las inglesas de cierta clase y prosapia. Y desde la despiadada óptica de Luke, parece indescriptiblemente tonta. A su lado rondan dos hijas prepubescentes con vestidos de noche.

—Esa es la nueva, ¿no? —prorrumpió de pronto Matlock, el imperturbable laborista, con inusitado vigor cuando la pantalla quedó en blanco al pulsar Hector el botón y las luces del techo se encendieron—. Aquella con la que se casó cuando decidió meterse en política por la vía rápida, ahorrándose todo el trabajo sucio previo. Vaya un laborista de pega está hecho este Aubrey Longrigg, se lo mire desde el viejo laborismo o incluso desde el nuevo.

¿Por qué Matlock se mostraba otra vez tan jovial? ¿Y ahora con aparente sinceridad? Ninguna reacción habría sorprendido tanto a Luke como una franca risotada, cosa que en Matlock era en el mejor de los casos un bien exiguo. Y sin embargo, su gran torso envuelto en tweed se agitaba con callado regodeo. ¿Era quizá porque Longrigg y Matlock, como se sabía, llevaban años a la greña? ¿Porque disfrutar del favor del uno equivalía a granjearse la hostilidad del otro? ¿Porque había llegado a conocerse a Longrigg como el cerebro del Jefe, y a Matlock, insidiosamente, como sus músculos? ¿Porque con la marcha de Longrigg los ocurrentes de la oficina habían comparado la rencilla entre ambos con una corrida de toros de una década de duración en la que el toro había recibido por fin «la puntilla»?

—Sí, bueno, Aubrey siempre picó alto —comentaba como quien recuerda a los difuntos—. Un gran talento para las finanzas, si la memoria no me engaña. No a tu altura, Hector, me complace decir, pero no muy a la zaga. Los fondos para las operaciones nunca fueron un problema, eso por descontado, no mientras Aubrey estuvo al timón. O sea, ya de entrada, ¿cómo es posible que esté en ese barco? —preguntó el mismo Matlock que solo minutos antes había afirmado que no podía condenarse a un hombre por estar en el barco de cierta persona—. Y encima confraternizando con un antiguo informante después de abandonar la Agencia, circunstancia sobre la que el reglamento es claro y rotundo, máxime cuando dicho informante es un individuo tan escurridizo como... comoquiera que se haga llamar hoy día.

—Emilio dell Oro —apuntó Hector en actitud servicial—. Ciertamente digno de recordarse, Billy.

—Cabría pensar que se andaría con más cuidado... Aubrey, quiero decir... después de todo lo que le enseñamos, y ahora ahí lo tienes, confraternizando con Emilio dell Oro. Cabría pensar que un hombre tan taimado sería más cauto al elegir sus amistades. ¿Cómo ha acabado ahí? Quizá tenga una buena razón. No deberíamos precipitarnos al juzgarlo.

—Uno de esos felices golpes de suerte, Billy —explicó Hector—. Aubrey y su más reciente esposa, y las hijas de ella, estaban de camping en las montañas cercanas a la costa adriática. Un amigote de Aubrey, un banquero de Londres de nombre desconocido, lo llamó y le dijo que el *Tatiana* estaba anclado no muy lejos de allí y había en marcha una fiesta, así que vete para allá en el acto y súmate a la juerga.

—¿En una tienda de campaña? ¿Aubrey? Vamos, hombre, cuéntame otra.

—Pasando incomodidades en un camping, sí. La vida primitiva de Aubrey, el nuevo laborista.

—¿Y tú, Luke? ¿Vas de camping en vacaciones?

—Sí, pero Eloise detesta los campings británicos. Es francesa —contestó, y a él mismo se le antojaron una estupidez aquellas palabras.

—Y cuando vas de camping en vacaciones, Luke, procurando, como es tu caso, evitar los campings británicos, ¿sueles llevarte el esmoquin?

—No.

—¿Y Eloise se lleva sus diamantes?

—De hecho no tiene.

Matlock se quedó pensando.

—Supongo, Hector, que coincidías con Aubrey a menudo mientras montabas tu lucrativo número circense en la City y los demás seguíamos cumpliendo con nuestro deber. Compartisteis alguna que otra cerveza, Aubrey y tú, ¿verdad que sí? Como hace la gente en la City.

Hector se encogió de hombros quitándole importancia.

—Coincidimos alguna que otra vez. Pero yo dispongo de poco tiempo para la ambición pura y dura, si he de serte sincero. Me aburre.

Ante lo cual Luke, a quien últimamente ya no le era tan fácil disimular como antes, tuvo que contener el impulso de agarrarse a los brazos de la silla.

¿Coincidir alguna que otra vez? Santo cielo, habían altercado hasta el agotamiento, y luego habían seguido altercando. Según Hector, de todos los «buitres capitalistas», especuladores, jinetes del alba y ventajistas que han pisado este mundo, Aubrey Longrigg era el más falso, retorcido, deshonesto, recalcitrante y bien relacionado.

Fue Aubrey Longrigg quien, al acecho entre bastidores, había encabezado el asalto contra la empresa de importación de grano perteneciente a la familia de Hector. Fue Longrigg quien, a través de una red de intermediarios sospechosa pero sagazmente organizada, había engatusado al Servicio de Aduanas de Su Majestad para que irrumpiese en los almacenes de Hector en plena noche, rajando centenares de sacos, echando abajo puertas y aterrorizando al turno de noche.

Fue la insidiosa red de Longrigg la que había instigado a Sanidad, Hacienda, el Departamento de Bomberos y el Servicio de Inmigración para que acosaran e intimidaran a los empleados de la familia, saquearan sus escritorios, se apropiaran de sus libros de contabilidad y cuestionaran sus declaraciones de renta.

Pero, a ojos de Hector, Aubrey Longrigg no era un «simple» enemigo —eso habría resultado demasiado sencillo—; era un arquetipo: un síntoma clásico del cáncer que devoraba no solo la City, sino también Whitehall, Westminster y nuestras más preciadas instituciones de gobierno.

Hector no estaba en guerra con Longrigg a título personal. Probablemente no mentía al asegurar a Matlock que Longrigg lo aburría, porque constituía un pilar esencial de su tesis que los hombres y las mujeres a quienes perseguía eran aburridos por definición: mediocres, banales, insensibles, grises, y diferenciados de otros elementos aburridos solo por su mutuo apoyo encubierto y su insaciable codicia.

Hector ha dejado caer el comentario muy de pasada. Al igual que un mago procurando que el público no se fije demasiado en ninguna carta, mezcla muy deprisa la baraja de maleantes internacionales que Yvonne ha reunido para él.

Una instantánea de un hombre de muy baja estatura, rechoncho, imperioso, con aire prusiano, mientras se llena el plato en el bufet.

—Conocido en círculos alemanes como Karl der Kleine —señala Hector sin darle mayor importancia—. Lleva en las venas sangre Wittelsbach, aunque yo no se la veo por ninguna parte. Bávaro, católico a ultranza; estrechos lazos con el Vaticano. Más estrechos aún con el Kremlin. Elegido indirectamente miembro del Bundestag, y director no ejecutivo de varias compañías petrolíferas rusas, muy amigo de Emilio dell Oro. Esquió con él el año pasado en Saint-Moritz, acompañado de su novio español. Los saudíes lo adoran. Y aquí tienes al monín.

Salto demasiado rápido a un hermoso muchacho con barba que viste un resplandeciente esmoquin blanco y mantiene una animada conversación con dos señoronas enjoyadas.

—La última mascota de Karl der Kleine —anuncia Hector—. Condenado a tres años a la sombra por un tribunal de Madrid el año pasado por agresión con agravantes; se libró por un tecnicismo, gracias a Karl. Nombrado recientemente director no ejecutivo del grupo de compañías La Arena, el mismo consorcio propietario del yate del Príncipe... Ah, y ahora una digna de verse. —Pulsa un botón de la consola—: El «doctor» Evelyn Popham de Mount Street, Mayfair; Bunny para sus amigos. Estudió derecho en Fribourg y Manchester. Tiene licencia para ejercer en Suiza, cortesano y chulo al servicio de los oligarcas de Surrey, único socio de su floreciente bufete del West End. Internacionalista, *bon vivant*, excelente abogado. Más turbio que un cenagal. ¿Dónde está su página web? Un momento. Enseguida la encuentro. Déjame a mí, Luke. Ya está. Aquí la tienes.

En la pantalla de plasma, mientras Hector busca a tientas las teclas y masculla, el doctor Popham (Bunny para sus amigos) sigue sonriendo pacientemente a su público. Es un caballero campechano, voluminoso, mofletudo, con grandes patillas, salido de las páginas de Beatrix Potter. Inconcebiblemente, luce un equipo de tenis y se aferra, no solo a la raqueta, sino también a su agraciada compañera de tenis.

Domina la página de inicio de la web del Doctor Popham Sin Socios, cuando por fin aparece, ese mismo rostro jovial, sonriendo por encima de un escudo de armas casi regio donde se ve representada la balanza de la justicia. Debajo se lee su Declaración de Propósitos:

> La experiencia profesional de mi equipo de expertos incluye:
>
> – Éxito constatado en la protección de los derechos de individuos destacados en el ámbito de la iniciativa bancaria internacional ante las investigaciones del Departamento contra el Fraude.
>
> – Éxito constatado en la representación de clientes internacionales clave en cuestiones relacionadas con la jurisdicción *offshore*, y su derecho al silencio en los tribunales de investigación internacionales y del Reino Unido.
>
> – Éxito constatado en la respuesta a insistentes investigaciones reguladoras e inspecciones tributarias y acusaciones por pagos indebidos o ilegales a traficantes de influencias.

—Y los muy capullos no pueden dejar de jugar al tenis —se queja Hector a la vez que vuelve a imprimir un ritmo impetuoso a su galería de maleantes.

En un abrir y cerrar de ojos, recorremos los clubes deportivos de Montecarlo, Cannes, Madeira y el Algarve. Recorremos Biarritz y Bolonia. Procuramos leer los pies añadidos por

Yvonne sin rezagarnos, y contemplar su álbum de fotografías curiosas obtenidas mediante el saqueo de las revistas del corazón, pero no es fácil, a menos que, como Luke, uno sepa qué esperar y por qué.

Pero por deprisa que pasen las caras y los lugares bajo el imprevisible control de Hector, por mucha gente guapa que desfile luciendo lo más moderno en equipos de tenis, se imponen cinco personajes:

– El jovial Bunny Popham, el abogado idóneo para responder a insistentes investigaciones reguladoras y acusaciones por pagos ilegales a traficantes de influencias.

– El ambicioso e intolerante Aubrey Longrigg, parlamentario y campista en familia, con su última esposa aristocrática y caritativa.

– El viceministro de Su Majestad en espera y futuro especialista en ética bancaria.

– El autodidacta, autoinventado, vital, encantador hombre de mundo y políglota Emilio dell Oro, súbdito suizo y financiero trotamundos, adicto —según un recorte de prensa escaneado que solo se puede leer si uno es más rápido que la luz— a los «deportes de adrenalina, desde montar a pelo en los Urales hasta el heliesquí en Canadá, el tenis a todo tren y jugar en la Bolsa de Moscú», que recibe más tiempo en pantalla del debido por un fallo técnico.

– El maestro de las relaciones públicas de aspecto aristocrático y refinado, el capitán de navío Giles de Salis, retirado, traficante de influencias, especialista en lores corruptos, presentado por Hector, a modo de música de fondo, como «uno de los capullos más inmundos de Westminster».

Se encienden las luces. Cambio de lápiz USB. Las reglas de la casa dictan: un tema, un lápiz. A Hector le gusta separar los sabores. Es hora de ir a Moscú.

10

Por una vez Hector ha hecho voto de silencio: lo que quiere decir que, liberado de sus sentimentales preocupaciones técnicas, se reclina en la silla y deja su trabajo en manos del locutor de noticiario ruso con voz de barítono. Al igual que Luke, Hector es un converso a la lengua rusa y, con reservas, al alma rusa. Al igual que Luke, cada vez que ve esa película, queda atónito, como él mismo confiesa, ante la presencia de la clásica, eterna, descarada y colosal mentira rusa.

Y los servicios informativos de televisión con sede en Moscú se las arreglan muy bien solos, sin ayuda de Hector ni de nadie. La voz de barítono está más que capacitada para transmitir repulsión ante la escalofriante tragedia de la que informa: el tiroteo absurdo desde un coche, la arbitraria eliminación de una radiante pareja rusa de Perm, un hombre y una mujer muy unidos, en la flor de la vida. Poco sabían las víctimas, cuando decidieron visitar su querida tierra natal desde la lejana Italia, donde residían, que su viaje espiritual terminaría allí, en el camposanto cubierto de hiedra del antiguo seminario que siempre habían venerado, con sus cúpulas bulbiformes y sus tuyas, enclavado en una ladera de las afueras de Moscú, junto a un bosque en lenta expansión:

> En esta lúgubre tarde de mayo, tan poco acorde con la estación, todo Moscú se viste de luto por dos rusos libres de toda

> culpa, y por sus dos hijas de corta edad, que, gracias a Dios, no viajaban en el coche cuando sus padres fueron aniquilados a balazos por elementos terroristas de nuestra sociedad...

Véanse las ventanillas hechas añicos y las puertas acribilladas, el chasis calcinado de un Mercedes, antes majestuoso, volcado entre los abedules, la sangre rusa inocente mezclándose con la gasolina sobre el asfalto en un brutal primer plano, y los rostros desfigurados de las propias víctimas.

Esta atrocidad, nos asegura el locutor, ha suscitado la justificada ira de todos los ciudadanos con sentido de la responsabilidad. ¿Cuándo terminará esta amenaza?, preguntan. ¿Cuándo podrán circular libremente por sus calles los rusos honrados sin ser abatidos por bandas de forajidos y maleantes chechenos decididas a propagar el terror y el caos?

> Mijaíl Arkadievich, próspero empresario internacional en los sectores del petróleo y el metal. Olga L'vovna, comprometida desinteresadamente en el esfuerzo de proporcionar alimentos por caridad a los necesitados de Rusia. Amorosos padres de las pequeñas Katia e Irina. Rusos puros, añoraban la Madre Patria que ya nunca abandonarán.

Mientras se oye de fondo la filípica cada vez más airada del locutor, una lenta columna de limusinas negras sigue cuesta arriba por la boscosa ladera a una especie de zanfona con los costados de cristal hasta llegar ante la verja del seminario. El cortejo se detiene, se abren las puertas de los coches, y jóvenes con trajes de diseño oscuros se apresuran a salir y formar filas para escoltar los ataúdes. La imagen salta a un subjefe de policía de semblante adusto, con uniforme de gala y condecoraciones, que posa rígidamente tras un escritorio de taracea, entre distintivos honoríficos y fotografías del presidente Medvédev y el primer ministro Putin.

> Sirva al menos de consuelo saber que uno de los chechenos ya ha confesado voluntariamente el crimen,

nos dice, y la cámara muestra su rostro el tiempo necesario para que compartamos su rabia.

Volvemos al camposanto, y suenan los acordes de un lamento fúnebre gregoriano mientras un coro de jóvenes sacerdotes ortodoxos con gorros en forma de maceta y sedosas barbas desciende por la escalinata del seminario, con iconos en alto, hacia una doble tumba donde aguardan los principales dolientes. La imagen se detiene y se amplía en cada doliente a la vez que afloran debajo los subtítulos de Yvonne:

TAMARA, esposa de Dima, hermana de Olga, tía de Katia e Irina: Tamara permanece erguida como una estaca, bajo un ancho sombrero de apicultor.

DIMA, marido de Tamara: bajo la calva, su rostro atormentado, con una forzada sonrisa, se ve tan enfermizo que bien podría estar muerto también él, pese a la presencia de su querida hija.

NATASHA, hija de Dima: el largo cabello le cae por la espalda formando un río negro, el cuerpo esbelto queda oculto bajo capas y capas de informe ropa de luto.

IRINA y KATIA, hijas de OLGA y MISHA: inexpresivas, las niñas se aferran cada una a una mano de Natasha.

El locutor recita los nombres de las personalidades ilustres que han acudido a presentar sus respetos. Incluyen a representantes de Yemen, Libia, Panamá, Dubai y Chipre, aunque ninguno de Gran Bretaña.

La cámara enfoca un montículo cubierto de hierba a media ladera, a la sombra de las tuyas. Seis —no, siete— jóvenes bien trajeados de entre veinte y treinta años o un poco más permanecen allí arracimados. Sus rostros imberbes, algunos tirando ya a gordos, miran hacia la tumba abierta a veinte metros pendiente abajo, donde se encuentra la figura erguida de Dima, solo, el torso echado atrás en la postura marcial que prefiere y la mirada fija, no en la tumba, sino en los siete hombres con traje reunidos en el montículo.

¿Está la imagen detenida o en movimiento? Dima se halla totalmente inmóvil, así que no es fácil saberlo. Igual de quietos están los hombres reunidos en el montículo por encima de él. Con cierto retraso, aparece el subtítulo de Yvonne:

LOS SIETE HERMANOS

La cámara ofrece primeros planos de todos, uno por uno.

Luke ha renunciado hace tiempo a intentar juzgar a la gente por su cara. Ha examinado esos rostros un sinfín de veces, y aun así no ve nada en ellos que no fuera a ver al otro lado de la mesa en cualquier agencia inmobiliaria de Hampstead, o en cualquier reunión de hombres de negocios con traje negro y maletín negro en el bar de cualquier hotel elegante de Moscú a Bogotá.

Ni siquiera cuando aparecen sus larguísimos nombres rusos, junto con los patronímicos, alias y apodos del mundo del hampa, consigue ver en esas caras nada más interesante que una versión como cualquier otra de los prototipos extraídos de las filas uniformadas de los cuadros intermedios.

Pero si uno sigue atento, advierte que seis de ellos, ya sea a propósito o por azar, forman un círculo protector en torno al séptimo, situado en el centro. Si uno observa con mayor detenimiento aún, ve que el hombre a quien resguardan es de la misma edad que el resto y que su rostro terso exhibe la expresión de felicidad propia de un niño en un día soleado, que no es precisamente la cara que uno espera ver en un funeral. Ofrece tal imagen de buena salud que uno, en opinión de Luke, casi se siente obligado a presuponer la buena salud mental que se esconde detrás del rostro. Si su dueño se presentase sin previo aviso ante la puerta de Luke un domingo por la noche con una historia desafortunada que contar, le costaría quitárselo de encima. ¿Y cuál es su subtítulo?

EL PRÍNCIPE

De pronto dicho Príncipe se separa de sus hermanos, baja al trote por la pendiente cubierta de hierba y, sin acortar la zancada ni aminorar el paso, avanza con los brazos abiertos hacia Dima, que se ha vuelto de cara a él, con los hombros atrás, el pecho hinchado, el mentón al frente en orgullosa actitud de desafío. Pero sus manos cerradas, tan delicadas en contraste con el resto de él, parecen incapaces de despegarse de sus costados. Quizá, piensa Luke cada vez que ve la escena, quizá Dima se plantea que esta es la ocasión de hacer con el Príncipe lo que ha soñado hacer con el marido de la madre de Natasha: «¡Con estas, Catedrático!». Si es así, al final se imponen planes más sensatos y tácticos.

Gradualmente, aunque un poco tarde, sus manos se elevan de mala gana para el abrazo, que empieza de manera vacilante pero después, por el deseo de ambos o por su mutuo aborrecimiento, se convierte en el estrecho abrazo de dos amantes.

El beso a cámara lenta: mejilla derecha con mejilla izquierda, *vor* viejo a *vor* joven. El protector de Misha besa al asesino de Misha.

El segundo beso a cámara lenta: mejilla izquierda con mejilla derecha.

Y después de cada beso, una breve pausa para la conmiseración mutua y la reflexión, y esas ahogadas palabras de pésame entre dolientes afligidos que, si es que llegan a pronunciarse, nadie oye aparte de ellos.

El beso en la boca a cámara lenta.

Por la grabadora que se halla entre las manos inertes de Hector, Dima explica a los *apparatchiks* ingleses por qué se prestó a abrazar al hombre a quien deseaba ver muerto más que nada en el mundo.

> ¡Claro que estamos apenados, le digo! ¡Pero como buenos *vory* entendemos por qué ha sido necesario asesinar a mi Misha! «¡Ay, este Misha! ¡Se volvió demasiado codicioso, Príncipe!», le diremos. «¡Ay, este Misha! ¡Te robó, Príncipe! ¡Era demasiado ambicioso, demasiado crítico!» No decimos: «Príncipe, no eres un auténtico *vor*; eres una perra corrupta». No decimos: «¡Príncipe, estás a las órdenes del Estado!» No decimos: «Príncipe, pagas un tributo al Estado». No decimos: «Aceptas asesinatos a sueldo por encargo del Estado, vendes el corazón ruso al Estado». No. Nos mostramos humildes. Lo lamentamos. Lo aceptamos. Somos respetuosos. Decimos: «Príncipe, te queremos. Dima acepta la sabia decisión de matar a su discípulo de sangre Misha».

Hector apaga la grabadora y se vuelve hacia Matlock.

—Aquí en realidad habla de un proceso que venimos observando desde hace tiempo, Billy —comenta casi en tono de disculpa.

—«Venimos» ¿quiénes?

—Los observadores del Kremlin, los criminólogos.

—Y tú.

—Sí. Nuestro equipo. También nosotros.

—¿Y cuál es ese proceso que tu equipo ha seguido tan de cerca, Hector?

—A medida que las hermandades del crimen estrechan lazos en interés del negocio, el Kremlin estrecha lazos con las hermandades del crimen. El Kremlin llamó a capítulo a los oligarcas hace diez años: como no entréis en vereda, os machacaremos a impuestos o acabaréis entre rejas, o las dos cosas.

—Creo que yo mismo leí eso en algún sitio, Hector —dice

Matlock, quien se complace en lanzar los dardos con una sonrisa especialmente cordial.

—Pues ahora repiten eso mismo a las hermandades —prosigue Hector sin inmutarse—. Organizaos, haceos un lavado de cara, no matéis a menos que os lo ordenemos nosotros, y enriquezcámonos juntos. Y he aquí otra vez a tu irrefrenable amigo.

Se reanuda el noticiario. Hector detiene la imagen, selecciona un ángulo y lo amplía. Mientras Dima y el Príncipe se abrazan, más arriba, en mitad de la cuesta, el hombre que ahora se hace llamar Emilio dell Oro, vistiendo un abrigo negro de corte diplomático con cuello de astracán, contempla la escena con aprobación. Entretanto, la grabadora reproduce la voz de Dima leyendo el guión de Tamara en un ruso entrecortado:

> El principal organizador de los numerosos pagos secretos del Príncipe es Emilio dell Oro, un corrupto súbdito suizo con muchas identidades anteriores que se ha ganado la confianza del Príncipe con malas artes. Dell Oro asesora al Príncipe en numerosas y delicadas cuestiones criminales para las que el Príncipe, corto de luces como es, no está preparado. Dell Oro tiene muchos contactos corruptos, también en Gran Bretaña. Cuando deben realizarse pagos especiales para dichos contactos británicos, el traspaso se lleva a cabo por recomendación de esa víbora, Dell Oro, previa aprobación personal del Príncipe. Una vez aprobada la recomendación, corresponde a aquel a quien llaman Dima abrir cuentas en bancos suizos para esos británicos. En cuanto estén confirmadas las honorables garantías británicas, aquel a quien llaman Dima proporcionará también los nombres de británicos corruptos que ocupan altos cargos en el Estado.

Hector volvió a apagar la grabadora.

—¿No sigue, pues? —se quejó Matlock con tono sarcástico—. ¡Sabe tentar, eso hay que reconocerlo! No hay nada que no vaya a contarnos, si le concedemos todo lo que quiere y luego un poco más. Aunque tenga que inventárselo.

Pero no estaba claro si lo que pretendía Matlock era convencerse a sí mismo. Aun cuando así fuera, la respuesta de Hector debió de resonar como una condena a muerte en sus oídos:

—Entonces quizá también se ha inventado esto, Billy. Hoy hace una semana la sede en Chipre del Consorcio Internacional La Arena presentó una solicitud formal a la Autoridad de Servicios Financieros para la fundación de un nuevo banco comercial en la City londinense, que operará con el nombre de Primer Banco Comercial La Arena City, conocido en adelante y ya para siempre por las siglas PBCAC S.L., o S.R.L., o S.A., o como coño sea. Los solicitantes sostienen que cuentan con el apoyo de tres importantes bancos de la City y unos activos garantizados por valor de quinientos millones de dólares, más unos activos no garantizados de varios miles de millones. Se muestran evasivos respecto a la suma exacta por miedo a asustar a los caballos. La solicitud tiene el respaldo de varias augustas instituciones financieras, nacionales y extranjeras, y de una impresionante alineación de nombres ilustres de ámbito local. Casualmente tu antecesor Aubrey Longrigg y nuestro viceministro en espera están entre ellos. Los acompaña en su papel de representación el habitual contingente de carroñeros de la Cámara de los Lores. Entre los diversos asesores legales contratados por La Arena para defender su caso ante la Autoridad de Servicios Financieros se encuentra el distinguido doctor Bunny Popham de Mount Street, Mayfair. El capitán De Salis, antes en la Marina Real, se ha ofrecido generosamente como punta de lanza de la ofensiva de relaciones públicas de La Arena.

Matlock ha dejado caer hacia delante su enorme cabeza. Por fin habla, sin levantarla:

—Tú no ves nada de malo en tirar piedras sobre el propio

tejado, ¿verdad, Hector? Ni tu amigo Luke, aquí presente. ¿Y qué hay del prestigio de la Agencia? Tú ya no eres la Agencia. Tú eres Hector. ¿Y qué hay de la externalización de nuestras necesidades de información a empresas amigas, bancos inclusive, claro está? Esto nuestro no es una cruzada, Hector. No estamos aquí para hundir el barco. Estamos aquí para ayudar a llevar el timón. Realizamos un servicio.

Encontrando poca comprensión en la mirada adusta de Hector, Matlock opta por un tono más personal:

—Yo siempre he sido defensor del *statu quo*, Hector, y jamás me he avergonzado de ello. Doy gracias si este gran país nuestro amanece un día más sin desgracia alguna, así soy yo. Pero eso para ti no vale, ¿verdad que no? Es como aquel viejo chiste de soviéticos que nos contábamos en los tiempos de la Guerra Fría: no habrá guerra, pero en la lucha por la paz no quedará piedra sobre piedra. Un absolutista, eso eres, Hector, a esa conclusión he llegado. Es por ese hijo tuyo que tanto dolor te ha causado. Te ha trastocado la cabeza, ese Adrian.

Luke contuvo la respiración. Ese era terreno sagrado. Ni una sola vez, en todas las horas de intimidad que Hector y él habían pasado juntos —ante las sopas de Ollie y el whisky de malta en la cocina a altas horas de la noche, enclaustrados los dos viendo las imágenes robadas por Yvonne o escuchando una vez más la diatriba de Dima—, Luke se había atrevido a mencionar, siquiera de pasada, al hijo de Hector. Por pura casualidad había sabido a través de Ollie que no se podía molestar a Hector los miércoles o sábados por la tarde, salvo en casos de máxima urgencia, porque esos eran los horarios de visita a Adrian en la cárcel en régimen abierto de East Anglia.

Pero dio la impresión de que Hector no había oído las ofensivas palabras de Matlock, y si las había oído, las pasó por alto. Y en cuanto a Matlock, su indignación era tal que muy probablemente ni siquiera tenía conciencia de haberlas pronunciado.

—Y otra cosa, Hector —brama—: a fin de cuentas, si nos paramos a pensar, ¿qué hay de malo en convertir dinero negro en blanco? Sí, de acuerdo, ahí fuera existe una economía alternativa. Y de consideración. Todos lo sabemos. No nacimos ayer. Más negras que blancas, son las economías de algunos países, eso también lo sabemos. Fíjate en Turquía. O fíjate en Colombia, el coto de Luke. Sí, de acuerdo, fíjate también en Rusia. Así las cosas, ¿dónde preferirías ver ese dinero? ¿Negro y circulando por ahí? ¿O blanco y depositado en Londres, en manos de hombres civilizados, disponible para fines legítimos y por el bien público?

—Siendo así, quizá deberías dedicarte tú mismo al blanqueo, Billy —dice Hector en voz baja—. Por el bien público.

Ahora es Matlock quien se hace el sordo. Súbitamente cambia de táctica, estratagema que ha perfeccionado con el tiempo.

—Y por cierto, ¿quién es ese Catedrático del que hemos oído hablar? —pregunta, mirando a Hector a la cara—. ¿O del que no hemos oído hablar? ¿Es tu informante en todo esto? ¿Por qué me llegan continuamente fragmentos sueltos, no datos sólidos? ¿Por qué no nos habéis pedido autorización? No recuerdo haberme encontrado en la mesa nada sobre ningún catedrático.

—¿Quieres ser tú su supervisor, Billy?

Matlock fija en Hector una mirada larga y silenciosa.

—Por mí, adelante, Billy —insta Hector—. Quédate con él, quienquiera que sea. Quédate con el caso entero, Aubrey Longrigg incluido. O ponlo en manos de Crimen Organizado si lo prefieres. Avisa a Scotland Yard, los servicios de seguridad y la división acorazada, ya puestos. Puede que el Jefe no te dé las gracias, pero otros sí te las darán.

Matlock nunca se rinde. Aun así, su pugnaz pregunta tiene el tono inconfundible de una concesión:

—De acuerdo. Hablemos claro por una vez. ¿Qué quieres? ¿Durante cuánto tiempo, y en qué cantidad? Tiremos de la manta, y a ver qué aparece debajo.

—Esto es lo que quiero, Billy: quiero reunirme con Dima cara a cara cuando vaya a París dentro de tres semanas. Quiero que me enseñe unas muestras, que es lo que exigiríamos a cualquier disidente valioso: nombres de su lista, números de cuenta y un vistazo a su mapa... perdón, gráfico de flechas. Quiero permiso por escrito, el tuyo, para poner el asunto en marcha partiendo de la base de que si Dima puede proporcionar lo que, según él, puede proporcionar, compramos en el acto, a precio de mercado, y no nos andamos con tonterías mientras él intenta venderse a los franceses, los alemanes, los suizos o, Dios no lo quiera, los americanos, a quienes bastará una ojeada al material para confirmar su ya negativa opinión actual acerca de esta Agencia, este gobierno y este país. —Alza un huesudo dedo en el aire y ahí lo deja a la vez que el fervor ilumina una vez más sus ojos grises y muy abiertos—. Y quiero ir descalzo. ¿Me sigues? O sea, nada de avisar a la delegación de París de que estoy allí, y nada de apoyo operacional, económico o logístico de la Agencia a ningún nivel hasta que yo lo pida. Lo mismo en Berna. No quiero la menor fuga de información sobre el caso, y la lista de difusión debe permanecer cerrada a cal y canto. No más signatarios, nada de cuchicheos en el pasillo con los compinches. Llevaré el caso por mi cuenta, a mi manera, utilizando a Luke, aquí presente, y cualquier otro recurso que yo elija. Venga, adelante, ya puede darte el ataque.

Así que Hector sí lo había oído, pensó Luke con satisfacción: Billy Boy ha utilizado a Adrian contra ti, y tú lo has obligado a pagar el precio.

La indignación de Matlock se mezclaba con su sincera incredulidad.

—¿Sin contar siquiera con la palabra del Jefe? ¿Sin la aprobación de la cuarta planta? ¿Hector Meredith volando otra vez en solitario? ¿Cogiendo información de fuentes sin verificar por propia iniciativa y para sus propios fines? No estás en el mundo real, Hector. Nunca lo has estado. No mires lo que ofrece tu hombre. ¡Mira lo que pide! Reasentamiento para toda su tribu, identidades nuevas, pasaportes, residencias seguras, amnistías, garantías… ¿acaso hay algo que no pida? Necesitarías el respaldo, por escrito, de todo el Comité de Atribuciones para que yo firme eso. No me fío de ti. Nunca me he fiado. No te conformas con nada. Ni ahora ni nunca.

—¿De todo el Comité de Atribuciones? —preguntó Hector.

—Tal como se constituyó según la normativa del Tesoro. El Comité de Atribuciones al completo, en sesión plenaria, sin subcomités.

—Es decir, un hatajo de abogados del Estado, un reparto estelar de jerarcas del Foreign Office, la Oficina del Gabinete, el Tesoro, por no hablar ya de nuestra cuarta planta. ¿Crees que puedes evitar filtraciones, Billy? ¿En ese contexto? ¿Y por qué no también a los de Supervisión Parlamentaria? Esos sí son para echarse a reír. ¿Las dos cámaras, todos los partidos, con Aubrey Longrigg a la cabeza, y el coro bien remunerado de mercenarios parlamentarios al servicio de De Salis, todos entonando el himno, leyendo del mismo cantoral?

—El tamaño y la constitución del Comité de Atribuciones es flexible y regulable, Hector, como tú bien sabes. No todos los elementos tienen que estar presentes en todo momento.

—¿Y eso es lo que propones antes de que yo hable siquiera con Dima? ¿Quieres un escándalo antes de estallar el escándalo? ¿En eso te empeñas? ¿En hacer correr la voz, echar a perder la fuente antes de permitirle siquiera enseñar qué tiene a la venta, y al carajo con las consecuencias? ¿De verdad es eso lo que sugieres? ¿Dejarás que todo el mundo acabe manchado antes de que la mierda empiece siquiera a salpicar, y únicamente por guardarte las espaldas? Y luego hablas del bien de la Agencia.

Luke tuvo que reconocer el mérito de Matlock. Ni en ese momento relajó su hostilidad.

—¡Así que por fin es el interés de la Agencia lo que estamos protegiendo! Vaya, vaya. Me alegra oírlo. Más vale tarde que nunca. ¿Y tú qué propones?

—Aplaza la reunión del comité hasta después de París.

—¿Y entretanto?

—Aunque lo consideres un error y vaya en contra de todo lo más sagrado para ti, como por ejemplo tu propio culo, concédeme un permiso de operación temporal, dejando así el asunto en manos de un agente inconformista que puede ser repudiado en cuanto la operación se vaya al garete: yo. Hector Meredith tiene sus virtudes, pero es un elemento incontrolado, como todo el mundo sabe, y ha ido más allá de las instrucciones recibidas. Medios de comunicación, por favor, tomen nota.

—¿Y si la operación no se va al garete?

—Reúnes al Comité de Atribuciones en la versión menor posible.

—Y les hablarás tú.

—Y tú estarás de baja por enfermedad.

—Eso no es justo, Hector.

—No era esa la intención, Billy.

Luke nunca supo qué era el papel que Matlock sacó de lo más hondo de su chaqueta, qué decía ni qué no decía, si lo firmaron los dos o solo uno, si había copia y, en tal caso, quién la guardó y dónde, porque Hector le recordó, no por primera vez, que tenía una cita, y había abandonado la sala para acudir a ella cuando Matlock extendió su género sobre la mesa.

Pero recordaría toda su vida el regreso a pie a Hampstead bajo el sol de última hora de la tarde, pensando en pasar de camino por el piso de Perry y Gail en Primrose Hill e instarlos a huir ahora que aún estaban a tiempo de salvar el pellejo.

Y a partir de ahí, como le sucedía muy a menudo, su pensamiento, sin él proponérselo, se desvió hacia el señor de la droga colombiano, un sesentón borracho que, por razones que nunca comprenderían ni Luke ni él, decidió no proporcionarle más información secreta —cosa que venía haciendo desde hacía dos años— y encerrarlo tras una empalizada apestosa en la selva durante un mes, abandonándolo a los tiernos cuidados de sus lugartenientes, para llevarle por fin una muda de ropa limpia y una botella de tequila e invitarlo a regresar junto a Eloise si es que encontraba el camino.

11

Entre las muchas emociones que Gail había previsto sentir al coger el Eurostar de las 12.29 con destino a París en la estación de St. Pancras la nublada mañana de un sábado de junio, el alivio era casi la última. Sin embargo fue alivio lo que sintió, bien que condicionado por las más diversas salvedades y reservas, y eso mismo sentía Perry a juzgar por su cara, allí sentado frente a ella. Si el alivio implicaba claridad, si implicaba el restablecimiento de la armonía entre ellos, y reanudar el contacto con Natasha y las niñas y enjugarle la frente a Perry mientras vivía su particular versión de Tierra y Libertad... pues bien, en ese caso Gail sentía alivio; aunque no por eso había tirado por la borda sus facultades críticas, ni estaba tan fascinada como obviamente lo estaba Perry en su papel de espía.

La conversión de Perry a la causa no la había cogido por sorpresa, si bien era necesario conocer a Perry para advertir el alcance de su transformación: había pasado de un rechazo fundado en elevados principios al franco compromiso con lo que Hector describía como El Trabajo. A veces, cierto era, Perry manifestaba residuales reservas éticas o morales, incluso dudas: ¿de verdad es esta la única manera de resolverlo? ¿No hay un camino más sencillo para llegar al mismo fin? Pero era capaz de plantearse esa misma pregunta a medio camino del ascenso por una cornisa rocosa de trescientos metros.

Las semillas iniciales de su conversión, como ahora comprendía Gail, no las había sembrado Hector, sino Dima, quien desde Antigua había adquirido la dimensión de buen salvaje rousseauniano, por usar el léxico de Perry: «Imagínate lo que seríamos nosotros si hubiéramos nacido en su piel, Gail. No puedes eludir este hecho: ser elegido por él es casi una insignia de honor. Además, piensa en esos niños».

Y Gail pensaba en los niños, eso desde luego. Pensaba en ellos día y noche, y pensaba muy especialmente en Natasha, que era una de las razones por las que no había dicho a Perry que Dima, aislado en una península de Antigua con el temor de Dios metido en el cuerpo, no tenía precisamente mucho dónde elegir a la hora de designarlo a él mensajero, confesor o amigo del preso, o lo que quiera que Perry hubiese sido designado, o se hubiese autodesignado. Gail siempre había sabido que él llevaba dentro, en estado latente, a un romántico en espera de ser despertado cuando se presentase la oportunidad de actuar con entrega desinteresada, y si se olía en el aire un tufillo de peligro, tanto mejor.

Solo faltaba otro fanático que hiciera sonar el clarín: entra Hector, el eterno litigante, ingenioso, encantador, falsamente relajado, o así era como ella lo veía, el clásico cliente obsesionado con la justicia que se había pasado la vida demostrando que las tierras donde estaba construida la abadía de Westminster eran de su propiedad. Y probablemente si el bufete dedicaba cien años a su caso, quedaría demostrado que tenía razón y los tribunales fallarían a su favor. Pero mientras tanto la abadía permanecería donde estaba, y la vida seguiría como siempre.

¿Y Luke? Bueno, Luke era Luke, por lo que a Perry se refería, un elemento fiable, sin lugar a dudas, un buen profesional, concienzudo, despierto. Aun así, Perry se había quedado más tranquilo, debía admitirlo, al descubrir que Luke no era, como al principio supusieron, el jefe del equipo, sino el lugarteniente de Hector. Y como Hector, a ojos de Perry, no podía hacer nada mal, ese era obviamente el mejor papel posible para Luke.

Gail no lo veía tan claro. A lo largo de las dos semanas de «familiarización», cuanto mejor conocía a Luke más tendía a considerarlo —pese a su nerviosismo y su exagerada cortesía y la preocupación que asomaba a su rostro cuando creía que nadie miraba— el elemento más fiable; y a Hector, con sus audaces afirmaciones y su descarado ingenio y desbordantes dotes de persuasión, el elemento incontrolado.

El hecho de que Luke, además, estuviera enamorado de ella no la sorprendía ni la turbaba. Los hombres se enamoraban de ella continuamente. Saber hacia dónde apuntaban sus sentimientos le daba seguridad. El hecho de que Perry no fuera consciente de eso tampoco la sorprendía. Su inconsciencia le daba también seguridad.

Lo que más la inquietaba era el fervor del compromiso de Hector: la sensación de que era un hombre con una misión, la misma sensación que fascinaba a Perry.

«Bueno, yo sigo en el banco de pruebas —había declarado Perry en una de esas autodenuncias que dejaba caer de pasada y a las que era tan aficionado—. Hector es el hombre forjado», distinción a la que aspiraba en todo momento y era tan reacio a otorgar.

¿Hector era un Perry en versión forjada? ¿Hector el hombre de acción en estado puro que hacía todo aquello de lo que Perry solo hablaba? Bueno, ¿y quién estaba ahora en el frente? Perry. ¿Y quién se dedicaba a hablar? Hector.

Y a Perry no solo lo había cautivado Hector, sino también Ollie. Perry, que se enorgullecía de su buen ojo a la hora de decidir quién podía llegar a ser un buen compañero de cordada, sencillamente no había sido más capaz que Gail de adivinar que Ollie, tan torpe y en mala forma, tan chapado a la antigua, con su único pendiente y su extrema inteligencia, y ese escondido acento extranjero que ella no acababa de detectar y sobre el que no preguntaba por cortesía, era el modelo de educador nato: meticuloso, elocuente, empeñado en que cada lección fuese divertida y cada lección quedase bien grabada en la cabeza.

Daba igual si los privaban de sus preciados fines de semana o si era última hora de la tarde tras una agotadora jornada en el bufete o el juzgado; o si Perry había pasado todo el día en Oxford asistiendo a insoportables ceremonias de graduación, despidiéndose de sus alumnos, recogiendo sus cosas en el estudio. En cuestión de minutos caían bajo el hechizo de Ollie, ya estuvieran emparedados en el sótano o sentados en una concurrida cafetería de Tottenham Court Road, con Luke en la acera y el gran Ollie en su taxi con la boina puesta, mientras probaban los juguetes de su museo negro particular: estilográficas, botones de americana y alfileres de corbata capaces de escuchar, transmitir, grabar, o todo a la vez; y para las chicas, bisutería.

«A ver, Gail, ¿cuáles nos pegan más?», había preguntado Ollie cuando le tocó a ella el turno de equiparse. Y cuando Gail contestó: «Si te soy sincera, Ollie, no me pondría nada de eso ni muerta», se fueron de inmediato a Liberty's en busca de algo que le «pegara» más.

Aun así, las posibilidades de llegar a verse obligados a utilizar los juguetes de Ollie eran, como él le aseguró con especial insistencia, prácticamente nulas: «¿Hector? No te dejaría ni acercarte a esos artefactos para el gran acontecimiento, guapa. Son solo para el "por si acaso". Para cuando de repente vayas a oír algo extraordinario que nadie esperaba, y no exista riesgo para la vida ni para la propiedad ni para nada, y solo queremos comprobar que sabéis cómo funcionan».

En retrospectiva, Gail tenía sus dudas a este respecto. Sospechaba que en realidad los juguetes de Ollie eran material didáctico para originar una dependencia psicológica en las personas a quienes enseñaban a jugar con ellos.

—Seguirán el curso de familiarización como más cómodo les sea a ustedes, no a nosotros —les había informado Hector, hablando a la tropa recién reclutada en su primera tarde con un tono pomposo que Gail no volvió a oírle nunca más, así que quizá también él estaba intranquilo—. Perry, si una reunión imprevista, o lo que sea, lo retiene en Oxford, quédese y háganos una llamada. Gail, sean cuales sean sus obligaciones en el bufete, no tiente a la suerte. El mensaje es: actúen con naturalidad y aparenten que están muy ocupados. Cualquier alteración en el estilo de vida de uno u otro despertará recelos y será contraproducente. ¿Entendido?

Acto seguido, en atención a Gail, reiteró la promesa hecha a Perry:

—Les contaremos lo mínimo necesario, pero lo que les contemos será verdad. Son un par de inocentes en tierra extraña. Así es como Dima los quiere, y así es como los quiero yo, y también Luke y Ollie. Lo que no sepan no podrán estropearlo. Cada cara nueva tiene que ser para ustedes una cara nueva. Cada primera vez tiene que ser una primera vez. El plan de Dima es blanquearlos a ustedes tal como blanquea el dinero. Blanquearlos para introducirlos en su paisaje social, convertirlos en moneda de cambio respetable. En rigor, estará bajo arresto domiciliario allí a donde vaya, y lo habrá estado desde Moscú. Ese es su problema y le habrá dado muchas vueltas para intentar resolverlo. Como siempre, la iniciativa recaerá en el pobre desgraciado que esté in situ. Le toca a Dima demostrarnos qué es capaz de hacer, cuándo y dónde. —Y en uno de sus característicos añadidos, como si acabara de ocurrírsele, dijo—: Soy un malhablado. Me relaja, me obliga a poner los pies en la tierra. Luke y Ollie, aquí presentes, son un par de mojigatos, así que la balanza queda en equilibrio.

Y después la homilía:

—Esto no es, repito, no es un período de adiestramiento. Resulta que no disponemos de dos años, sino de unas horas repartidas en un par de semanas. Se trata, pues, de familiarización, se trata de infundir seguridad, se trata de crear confianza contra viento y marea. De ustedes en nosotros, de nosotros en ustedes. Ustedes no son espías. Así que, por favor, no intenten serlo. No se les ocurra siquiera pensar que pueden estar bajo vigilancia. No son personas conscientes de una posible vigilancia. Son una pareja joven disfrutando de una escapada a París. Así que por nada del mundo anden entreteniéndose en los escaparates, mirando por encima del hombro o escabulléndose por callejones. Otra cosa son los móviles —prosiguió sin la menor pausa—. ¿Han utilizado los móviles delante de Dima o su gente?

Habían empleado los móviles desde la terraza de su bungalow, Gail para llamar al bufete en relación con *Samson contra Samson*, Perry para llamar a su casera de Oxford.

—¿Alguien del grupo de Dima oyó sonar sus móviles alguna vez?

No. Categóricamente.

—¿Conocen Dima o Tamara el número de teléfono de alguno de sus móviles?

—No —contestó Perry.

—No —coincidió Gail, aunque sin tanto aplomo.

Natasha tenía el número de Gail y Gail tenía el de Natasha. Pero sus respuestas, desde todos los ángulos, habían sido veraces.

—En ese caso puedes facilitarles nuestros aparatos codificados, Ollie —dijo Hector—. Azul para Gail, plateado para él. Y ustedes sean tan amables de entregarle a Ollie sus tarjetas SIM, y él hará lo necesario. Sus nuevos teléfonos estarán codificados solo para las llamadas entre nosotros cinco. Nos encontrarán a los tres en la agenda como Tom, Dick y Harry. Yo soy Tom. Luke es Dick. Ollie es Harry. Perry, usted es Milton, como el poeta. Gail es Doolittle, como Eliza. Ya consta en la agenda. Todo lo demás en los teléfonos funciona como de costumbre. ¿Sí, Gail?

Gail, la abogada.

—¿De ahora en adelante escucharán nuestras llamadas, si es que no han estado escuchándolas ya?

Risas.

—Solo escucharemos las líneas codificadas programadas.

—¿Ninguna más? ¿Seguro?

—Ninguna más. Es la pura verdad.

—¿Ni siquiera cuando telefonee a mis cinco amantes secretos?

—Ni siquiera entonces, por desgracia.

—¿Y los mensajes de texto personales?

—No, en absoluto. Es una pérdida de tiempo, y a nosotros esas cosas no nos interesan.

—Si las líneas programadas entre nosotros están codificadas, ¿para qué necesitamos esos nombres absurdos?

—Porque la gente en los autobuses se mete donde no la llaman. ¿Alguna otra pregunta de la fiscal? Ollie, ¿dónde está el puñetero whisky de malta?

—Aquí mismo, jefe. De hecho, ya he comprado otra botella —con esa voz irritantemente ilocalizable.

—¿Y la familia, Luke? —había preguntado Gail en la cocina ante la sopa y una botella de tinto una noche antes de marcharse a casa, aunque solo fuera para recordarle que estaba casado.

La asombraba no habérselo preguntado antes. Tal vez —un pensamiento siniestro— había preferido no hacerlo, optando por tenerlo a su merced. Era evidente que Luke sentía igual asombro, porque de pronto se llevó la mano a la frente para dar alivio a una cicatriz pequeña y amoratada que parecía aflorar y ocultarse por voluntad propia. ¿Fruto de la culata de la pistola de otro espía? ¿O el sartenazo de una esposa colérica?

—Solo un hijo, lamento decir, Gail —contestó como si debiera disculparse por no tener más—. Un chico. Un chaval maravilloso. Ben, lo llamamos. Me ha enseñado todo lo que sé sobre la vida. Además me gana al ajedrez, me enorgullece decir. Sí. —Un tic en un párpado descontrolado—. El problema es que nunca conseguimos acabar una partida. Esto me desborda.

¿Esto? ¿Qué lo desbordaba? ¿La bebida? ¿El espionaje? ¿Enamorarse?

Al principio Gail sospechó que entre Yvonne y él había algo, sobre todo por la discreta actitud maternal con que ella lo trataba. Pero enseguida vio que no eran más que un hombre y una mujer que trabajaban juntos: hasta una noche en que lo sorprendió mirando a ratos a Yvonne, a ratos a ella misma, como si las dos fueran seres superiores, y pensó que no había visto una cara más triste en toda su vida.

Es la última noche. Es el final del trimestre. Es el final del curso. Ya nunca se repetirán dos semanas como esas. En la cocina, Yvonne y Ollie preparan una lubina a la sal. Ollie canta un fragmento de *La Traviata*, bastante bien, y Luke le hace aprecio, sonriendo a todos y cabeceando en un gesto de exagerada admiración. Hector ha traído una magnífica botella de Meursault, en realidad, dos. Pero antes necesita hablar con Perry y Gail a solas en la coquetona sala de estar, decorada al más tradicional estilo británico. ¿Nos sentamos o nos quedamos de pie? Hector permanece en pie, y por consiguiente Perry, siempre tan formal a su pesar, también se queda de pie. Gail elige una silla de respaldo recto bajo una reproducción de una pintura de Roberts, una imagen de Damasco.

—Bien —dice Hector.

Bien, coinciden ellos.

—Últimas palabras, pues. Sin testigos. El Trabajo es peligroso. Ya os lo he dicho antes pero lo repito ahora. Es muy peligroso. Aun podéis bajaros del tren, y no habrá reproches. Si os quedáis a bordo, os mimaremos en la medida de lo posible, pero el apoyo logístico del que disponemos es nulo. O como decimos en el gremio, vamos descalzos. No hace falta que os despidáis. Olvidaos del pescado de Ollie. Coged los abrigos del vestíbulo, salid a la calle, y aquí no ha pasado nada. Último aviso.

El último de muchos, aunque él no lo sabía. Perry y Gail han dado vueltas a ese mismo asunto todas las noches durante los últimos catorce días. Perry está empeñado en que Gail conteste por los dos, y ella eso hace:

—Estamos de acuerdo. Lo hemos decidido. Lo haremos —dice con un tono más heroico de lo que pretendía.

Y Perry, con un lento y amplio gesto de asentimiento, añade:

—Sí, de todas todas —respuesta que tampoco parece propia de él, y debe de darse cuenta, porque al instante se vuelve hacia Hector y pregunta—: ¿Y vosotros qué? ¿Nunca tenéis dudas?

—Ah, nosotros estamos jodidos en cualquier caso —contestó Hector con despreocupación—. Esa es la cuestión, ¿no? Si hay que acabar jodido, mejor que sea por una buena causa.

Lo que, naturalmente, fue bálsamo para los puritanos oídos de Perry.

Y a juzgar por la expresión en el rostro de Perry mientras el tren entraba en la Gare du Nord, ese mismo bálsamo surtía aún efecto, porque destilaba una contenida apariencia de «Soy Gran Bretaña» que era totalmente nueva para Gail. Solo cuando llegaron al Hôtel des Quinze Anges —una elección muy propia de Perry: un edificio estrecho, decrépito y roñoso de cinco plantas, habitaciones pequeñas, camas individuales del tamaño de una tabla de planchar, y a un paso de la rue du Bac— sintieron el pleno impacto de aquello en lo que se habían metido. Era como si las sesiones en la casa de Bloomsbury con su ambiente de camaradería —una agradable hora con Ollie, otra con Luke, Yvonne se ha pasado por aquí, Hector viene de camino para tomarse una última copa antes de retirarse— los hubiese imbuido de una sensación de inmunidad que de pronto, ahora que estaban solos, se había evaporado.

Descubrieron asimismo que habían perdido el don de hablar con naturalidad y conversaban como una pareja ideal en un anuncio de televisión.

—Lo de mañana me hace muchísima ilusión, ¿a ti no? —dice Doolittle a Milton—. Nunca he visto a Federer en carne y hueso. Estoy emocionadísima.

—Espero que el tiempo aguante —contesta Milton, lanzando una ojeada de preocupación a la ventana.

—Lo mismo digo —coincide Doolittle, muy seria.

—¿Y si deshacemos las maletas y salimos a buscar un sitio donde comer un bocado? —sugiere Milton.

—Buena idea —dice Doolittle.

Pero lo que de verdad piensan es: si se suspende el partido por la lluvia, ¿qué demonios hará Dima?

Suena el móvil de Perry. Hector.

—Hola, Tom —contesta Perry como un idiota.

—¿Habéis llegado bien al hotel, Milton?

—Sí, bien, muy bien. Hemos tenido un buen viaje. Todo ha ido a la perfección —responde Perry con entusiasmo suficiente por los dos.

—Esta noche estáis solos, ¿vale?

—Como ya dijiste.

—¿Doolittle está en condiciones?

—Como una rosa.

—Llama si necesitáis algo. Servicio las veinticuatro horas.

Al salir, en el minúsculo vestíbulo del hotel, Perry comenta sus inquietudes acerca del tiempo a una mujer de armas tomar llamada Madame Mère, por la madre de Napoleón. La conoce desde sus tiempos de estudiante, y Madame Mère, si ha de dársele crédito, quiere a Perry como a un hijo. Con sus zapatillas de andar por casa, mide un metro veinte como mucho y, según Perry, nadie la ha visto nunca sin un pañuelo tapándole los rulos. A Gail le encanta oír a Perry parlotear en francés, pero su fluidez siempre ha sido un misterio para ella, quizá porque él se muestra poco comunicativo respecto a sus primeras profesoras.

En un *tabac* de la rue de l'Université, Milton y Doolittle comen unos filetes con patatas fritas mediocres y una ensalada más bien mustia y coinciden en que es la mejor comida del mundo. Como no se terminan el litro de tinto de la casa, se lo llevan al hotel.

«Haced lo que haríais normalmente —les había dicho Hector como si tal cosa—. Si tenéis amigos residentes en París y queréis quedar con ellos, ¿por qué no?»

Porque no estaríamos haciendo lo que hacemos normalmente, por eso. Porque no queremos quedar con nuestros amigos residentes en París en un café de Saint-Germain cuando tenemos a un elefante llamado Dima sentado en nuestras cabezas. Y porque no queremos mentirles cuando nos pregunten de dónde hemos sacado las entradas para la final de mañana.

De vuelta en su habitación, apuran el tinto con los vasos del cuarto de baño y hacen el amor intensamente y con adoración, sin pronunciar una sola palabra, la mejor manera. Cuando llega la mañana, Gail se queda dormida hasta tarde por puro nerviosismo y, al despertar, ve a Perry contemplar la lluvia que salpica la ventana mugrienta, otra vez preocupado por cómo se las arreglará Dima si se suspende el partido. Y si se aplaza hasta el lunes, piensa Gail en ese momento, ¿tendrá que llamar al bufete y salir otra vez con el cuento chino del dolor de garganta, que en el lenguaje cifrado del bufete equivale a una regla difícil?

De pronto todo se vuelve lineal. Después de los cruasanes y

el café servidos junto a la cama por Madame Mère —con un ponderativo susurro a Gail: «*Quel titan alors*»— y una llamada ociosa de Luke sin más objetivo que preguntarles si han dormido bien y si están preparados para el tenis —pero también para decir implícitamente «Te quiero, Gail» en un furtivo subtexto—, tendidos en la cama, hablan de lo que harán antes de las tres, la hora prevista para el comienzo del partido, dejando tiempo de sobra para trasladarse al estadio, localizar sus asientos y acomodarse.

Decidido el plan, se turnan para usar el pequeño lavamanos y se visten; luego se encaminan al paso de Perry hacia el Musée Rodin. Una vez allí se incorporan a una cola de colegiales, llegan a los jardines a tiempo de mojarse bajo la lluvia, buscan cobijo entre los árboles, se refugian en la cafetería del museo y escrutan el cielo a través de la puerta intentando deducir hacia dónde se desplazan las nubes.

Abandonando sus cafés por mutuo acuerdo, aunque incapaces de explicarse la razón, deciden explorar los jardines de los Campos Elíseos, pero los encuentran cerrados por motivos de seguridad. Michelle Obama y sus hijos están en la ciudad, según Madame Mère, pero es un secreto de Estado, así que solo lo saben Madame Mère y todo París.

Resulta, no obstante, que los jardines del teatro Marigny están abiertos y vacíos, salvo por dos ancianos árabes con traje negro y zapatos blancos. Doolittle escoge un banco; Milton aprueba la elección. Doolittle fija la mirada en los castaños; Milton en un plano.

Perry conoce París y, por supuesto, ha elaborado ya con toda exactitud la mejor ruta posible para desplazarse hasta el estadio de Roland Garros: metro hasta aquí, autobús hasta allá, con un amplio margen prudencial para asegurarse de que cumplen el plazo impuesto por Tamara.

Aun así, a él le parece lógico abstraerse en el estudio del plano, pues ¿qué va a hacer si no una joven pareja durante una escapada a París, sentados ambos, como dos idiotas, en el banco de un parque bajo la lluvia?

—¿Todo sigue su curso, Doolittle? ¿No ha surgido ningún problema menor que podamos ayudaros a resolver? —Esta vez Luke directamente a Gail, hablando como el médico de la familia Perkins, compuesta solo por hombres, cuando ella era adolescente: «¿Te duele la garganta, Gail? ¿Por qué no te quitas la ropa y echamos un vistazo?».

—Ningún problema, no necesitamos nada, gracias —responde ella con tono cortante—. Milton me comenta que nos pondremos en marcha dentro de media hora. —Y no me pasa nada en la garganta.

Perry dobla el plano. Después de hablar con Luke, Gail está de mal humor y se siente observada. Se le ha secado la boca, así que esconde los labios y se los lame desde dentro. ¿Cuánto más enloquecedor va a ser esto? Vuelven a la acera vacía y enfilan la cuesta hacia el Arco del Triunfo, adelantándose Perry a ella como hace cuando quiere estar solo y no puede.

—¿Qué coño estás haciendo? —le susurra ella al oído.

Perry se ha metido en unas galerías comerciales mal ventiladas con música rock a todo volumen. Escudriña un escaparate a oscuras como si fuera a revelarle el futuro. ¿Está jugando a espías, y de paso saltándose a la torera la orden de Hector: no buscar perseguidores imaginarios?

No. Está riéndose. Y poco después, a Dios gracias, también se ríe Gail mientras, echándose mutuamente el brazo al hombro, contemplan incrédulos un auténtico arsenal de juguetes para espías: relojes de pulsera de marca con cámara fotográfica por diez mil euros, maletines con equipo de escucha y emisores de interferencias telefónicas, gafas de visión nocturna, las más diversas armas aturdidoras, fundas de pistola con cinturón antideslizante como extra opcional y balas de pimienta, pintura o goma a elegir: bienvenidos al museo del crimen de Ollie para ejecutivos paranoicos sin nada con que entretenerse.

Ningún autobús los había llevado hasta allí.

No habían cogido el metro.

El pellizco en el trasero que le había dado un pasajero con edad suficiente para ser su abuelo al bajarse del vagón no formaba parte de la operación.

Se vieron transportados hasta allí como por arte de magia, y fue así como acabaron en una cola de corteses ciudadanos franceses a la izquierda de la puerta oeste del estadio de Roland Garros exactamente doce minutos antes de la hora indicada por Tamara.

También fue así como Gail se abrió paso ingrávidamente a fuerza de sonrisas ante los benévolos porteros uniformados, quienes con mucho gusto le devolvieron la sonrisa, y avanzó poco a poco con la multitud por una avenida flanqueada de tiendas en pabellones entre el chinchín de una banda invisible, los mugidos de las trompas suizas y las recomendaciones ininteligibles de una voz masculina por el sistema de megafonía.

Pero fue Gail, la abogada litigante de mente fría, quien descartó los nombres de los patrocinadores en los escaparates: Lacoste, Slazenger, Nike, Head, Reebok. ¿Y cuál decía Tamara en su carta? No pretendas hacerme creer que te has olvidado.

—Perry —tirándole del brazo—, dijiste que me regalarías unas zapatillas de tenis decentes, me diste tu palabra. Mira.

—¿Ah, sí? Sí, es verdad —concede Perry alias Milton, a la vez que aparece sobre su cabeza un bocadillo de cómic donde reza: ¡SE ACUERDA!

Y con más convicción de la que ella habría esperado en él, alarga el cuello para examinar lo último de... Adidas.

—Y ya va siendo hora de que te compres también algo para ti y tires las viejas, que apestan y tienen verdín en el empeine —dice Doolittle con cierto tonillo de marimandona.

—¡Catedrático! ¡Alabado sea Dios! ¡Amigo mío! ¿No se acuerda de mí?

La voz les llega sin previo aviso: la voz incorpórea de Antigua bramando por encima de los tres vientos.

Sí, me acuerdo de usted, pero el Catedrático no soy yo.

Es Perry.

Así que seguiré mirando lo último en zapatillas de tenis de Adidas y dejaré que Perry se acerque primero antes de volver yo la cabeza con la pertinente cara de satisfacción y mayúsculo asombro, como diría Ollie.

Perry se acerca primero. Gail siente cómo se separa de ella y se vuelve. Calcula el tiempo que él tardará en dar crédito a sus ojos.

—¡Cielo santo, Dima! ¡Dima, de Antigua! ¡Increíble!

Sin pasarse, Perry, con moderación...

—Por Dios, ¿qué hace aquí? ¡Gail, mira!

Pero no miro. No de inmediato. Estoy viendo calzado, ¿recuerdas? Y cuando veo calzado, estoy siempre distraída, estoy, de hecho, en otro planeta, aunque sea calzado deportivo. Absurdamente, como les pareció en su momento, habían ensayado esa escena en una tienda de deportes de Camden Town especializada en calzado, y de nuevo en Golder Green, primero con Ollie en el papel de Dima dando palmadas en la espalda, exageradamente, y Luke en el papel de transeúnte inocente, y luego invirtiendo los papeles. Pero ahora ella se alegraba: conocía el guión, aunque las frases fueran improvisadas.

Así que espera, escúchalo, despierta, date la vuelta. Después pon cara de satisfacción y mayúsculo asombro.

—¡Dima! ¡Vaya! ¡Usted por aquí! ¡Hay que ver! Esto es absolutamente... ¡Esto es extraordinario! —A lo que sigue su chillido de éxtasis, el que usa para abrir los regalos en Navidad, mientras observa a Perry disolverse contra el enorme torso de un Dima cuya satisfacción y asombro no son menos espontáneos que los de ella.

—¿Qué hace aquí usted, Catedrático, un tenista de tres al cuarto?

—No, Dima, ¿qué hace usted? —ahora Perry y Gail juntos, un coro de agudas exclamaciones en distintos tonos mientras Dima sigue hablando con su vozarrón.

¿Está cambiado? Se lo ve más pálido. Ha perdido ya el moreno del sol caribeño. Medias lunas amarillentas bajo los atractivos ojos castaños. Arrugas descendentes más marcadas en las comisuras de los labios. Pero el mismo porte, la misma inclinación hacia atrás como diciendo «ven a por mí si eres valiente». Los pequeños pies en la característica postura de Enrique VIII.

Y el hombre tiene un don natural para las tablas. Basta con oír esto:

—¿Cree que Federer va a tomar a ese Soderling por maricón, como hizo usted conmigo? ¿Cree que va a hacer tongo y perder el puñetero partido por amor al juego limpio? ¡Gail, Dios bendito, venga aquí! ¡Tengo que abrazar a esta chica, Catedrático! ¿Se ha casado ya con ella? ¡Usted está mal de la cabeza! —Dicho todo esto mientras la atrae hacia su enorme pecho y la estrecha contra su cuerpo, todo su cuerpo, empezando por una mejilla pegajosa, humedecida por las lágrimas, y siguiendo por el pecho y el bulto de la entrepierna hasta que incluso las rodillas se tocan; a continuación, la aparta para los tres obligados besos de la Trinidad en la cara, lado izquierdo, lado derecho, lado izquierdo otra vez.

Entretanto Perry recita:

—En fin, debo decir que esta es una coincidencia del todo absurda, totalmente inconcebible.

Expresado esto con más distanciamiento académico del que Gail considera apropiado: un poco falto de espontaneidad, en su opinión, e intenta compensarlo ella misma con un estallido de emotividad, ensartando demasiadas preguntas seguidas.

—Y dígame, mi apreciado Dima, ¿cómo están Katia e Irina? ¡Pienso en ellas a todas horas! —Eso es verdad—. ¿Juegan los gemelos al críquet? ¿Cómo está Natasha? ¿Dónde han estado todos? Ambrose nos dijo que se habían marchado a Moscú. ¿Fue así? ¿Para el funeral? Tiene muy buen aspecto. ¿Cómo está Tamara? ¿Cómo están todos aquellos amigos y familiares tan encantadores y raros que lo acompañaban?

¿Realmente ha pronunciado estas últimas palabras? Sí. Y mientras las pronuncia, y recibe a cambio en respuesta fragmentos intermitentes de conversación, empieza a tomar conciencia, aunque solo en un encuadre borroso, de la proximidad de hombres y mujeres de elegante indumentaria, que se han detenido a contemplar el espectáculo: otro club de seguidores de Dima, al parecer, pero estos de una generación más joven, con más estilo, muy distintos del casposo grupo reunido en Antigua. ¿Es aquel que acecha entre ellos Niki el Cara de Niño? Si lo es, se ha comprado un traje veraniego de Armani de color beige con llamativos puños. ¿Se ocultan debajo la cadena y el reloj de submarinista?

Dima continúa hablando y Gail oye lo que no quiere oír: Tamara y los niños han viajado directamente de Moscú a Zurich; sí, Natasha también, a la puñetera no le gusta el tenis, quiere volver a casa, a Berna, leer y montar a caballo. Relajarse. ¿A Gail le ha parecido entender asimismo que Natasha no se encontraba muy bien, o son imaginaciones suyas? Todo el mundo interviene en tres conversaciones a la vez:

—¿Es que ya no da clase a sus puñeteros alumnos, Catedrático? —Fingida indignación—. ¿Es que ahora va a dar clase a los chicos franceses para que algún día sean caballeros ingleses? Díganme, ¿dónde tienen los asientos? En el gallinero, en la última grada, ¿no?

Seguido, supuestamente, de una versión en ruso de la misma ocurrencia por encima del hombro. Pero la gracia debió de perderse en la traducción, porque entre los espectadores de elegante indumentaria son pocos los que sonríen, salvo por un hombrecillo situado en el centro, muy atildado, como un bailarín. A primera vista, Gail lo toma por un guía turístico o algo así, ya que lleva un paraguas carmesí y una americana náutica de color crema, muy visible, con un ancla de hilo dorado en el bolsillo, y esto, unido a la mata de pelo gris echado hacia atrás, lo convierte en una persona localizable al instante por cualquier elemento extraviado en medio de una multitud. Gail capta su sonrisa, después capta su mirada. Y cuando vuelve a fijar la vista en Dima, sabe que ese individuo sigue pendiente de ella.

Interesado aún en saber qué asientos ocupan, Dima les ha pedido que le enseñen las entradas. Como Perry tiene por costumbre perder las entradas, las lleva Gail. Se sabe los números de memoria, también Perry. Pero eso no le impide no saberlos ahora, ni adoptar una expresión de dulce vaguedad cuando se las entrega a Dima, que deja escapar un resoplido de desdén:

—¿Ha traído el telescopio, Catedrático? ¡Joder, a esas alturas van a necesitar oxígeno!

Vuelve a repetir el chiste en ruso, pero de nuevo el grupo circunstante detrás de él parece estar esperando más que escuchando. ¿Y esa respiración anhelante? ¿Es nueva o la tenía ya en Antigua? ¿O nueva hoy? ¿Es un problema de corazón? ¿O un problema de vodka?

—Tenemos un puñetero palco de cortesía, ¿me oye? Esas gilipolleces de las empresas. Cosas de los jóvenes con los que trabajo. Los invitados de Moscú. Gente de la empresa. Y chicas guapas. ¡Mírenlas!

De hecho, un par de ellas captan la mirada de Gail: chaquetas de cuero, faldas tubo y botines. ¿Esposas guapas? ¿O fulanas guapas para los invitados de Moscú? Si lo son, son gama alta.

—Treinta asientos de primera, comida para morirse —brama Dima—. ¿Quiere, Gail? ¿Quiere venir con nosotros? ¿Ver el partido como una señora? ¿Beber champán? Hay de sobra. Vamos, Catedrático. ¿Por qué no, joder?

Porque Hector le ha dicho que se haga de rogar, por eso, joder. Porque cuanto más se haga de rogar, mayor será el esfuerzo para persuadirlo, y a mí con él, y mayor será nuestra credibilidad ante los invitados de Moscú. Arrinconado, Perry interpreta bien su papel de Perry: frunciendo el entrecejo, aparenta timidez e incomodidad. Para un total principiante en el arte del disimulo, su actuación es más que aceptable. Así y todo, es momento de echarle una mano.

—Las entradas son un obsequio, Dima, hágase cargo —le confía ella con gentileza, tocándole el brazo—. Nos las regaló un buen amigo nuestro, un caballero muy querido. Por afecto. Seguramente le disgustaría que no ocupásemos nuestros asientos, ¿no? Si llegara a enterarse, le dolería —que era la respuesta que habían fraguado con Luke y Ollie una noche ante la última copa de whisky.

Dima, decepcionado, mira a uno y otro alternativamente mientras reordena sus pensamientos.

Desasosiego en las filas a sus espaldas: ¿podemos acabar con esto de una vez?

«La iniciativa recaerá en el pobre desgraciado que esté in situ.»

¡Solución!

—Pues entonces... escuche, Catedrático. A ver. Escúcheme una sola vez —hincando el dedo en el pecho de Perry—. A ver —repite, moviendo la cabeza en un amenazador gesto de asentimiento—. Después del partido. ¿Me oye? En cuanto acabe el puñetero partido, vendrán a visitarnos al palco de cortesía. —De pronto se vuelve hacia Gail, retándola a alterar su gran plan—. ¿Me oye, Gail? Traiga a este Catedrático a nuestro palco. Y tómese una copa de champán con nosotros. El partido no acaba cuando acaba. Allí en la pista tienen que hacer las puñeteras presentaciones, los discursos, todo ese rollo. Federer ganará de calle. ¿Quiere apostar cinco de los grandes, en dólares, a que pierde, Catedrático? Le doy tres contra uno. Cuatro contra uno.

Perry se echa a reír. Si tuviera un dios, sería Federer. Ni hablar, Dima, lo siento, dice. Ni siquiera cien contra uno. Pero aún no ha escapado de las redes de Dima.

—Mañana jugará conmigo al tenis, Catedrático, ¿me oye? La revancha. —Hundiendo todavía el dedo en el pecho de Perry—. Mandaré a alguien a buscarlos después del partido, vendrán a visitarnos al palco y organizaremos la revancha, y nada de tratarme como a un maricón. Voy a darle una paliza de aúpa, y después lo invitaré a un masaje. Lo necesitará, ¿me oye?

Perry no tiene tiempo para más protestas. Con el rabillo del ojo, Gail ha visto al guía turístico de la melena gris y el paraguas rojo separarse del grupo y aproximarse a la espalda indefensa de Dima.

—¿No vas a presentarnos a tus amigos, Dima? No puedes guardarte para ti solo a una hermosa dama como esta, deberías saberlo —dice con una voz sedosa, teñida de cierto reproche, en un inglés perfecto en el que se advierte solo un levísimo acento italiano—. Dell Oro —anuncia—, Emilio dell Oro. Un viejo amigo de Dima, desde hace mucho, mucho tiempo. Encantado. —Y da la mano a los dos, primero a Gail con una galante inclinación de cabeza, y luego a Perry, sin inclinación. A Gail le recuerda a un calavera de salón, un tal Percy, que interrumpió su baile con el mejor novio que tuvo a los diecisiete años y casi la violó en la pista.

—Y yo soy Perry Makepiece, y ella Gail Perkins —se presenta Perry. Y una acotación desenfadada que impresiona a Gail—: En realidad no soy catedrático, así que no se alarme. Es solo la manera que ha elegido Dima para despistarme cuando jugamos al tenis.

—Pues en ese caso bienvenidos al estadio de Roland Garros, Gail Perkins y Perry Makepiece —responde Dell Oro con una sonrisa radiante que, empieza a sospechar Gail, es permanente—. Me alegra saber que tendremos el placer de verlos después del histórico encuentro. Si hay partido —añade, alzando las manos en un gesto teatral y lanzando una mirada de reproche al cielo gris.

Pero Dima tiene la última palabra:

—Mandaré a alguien a buscarlos, ¿me oye, Catedrático? Mañana le daré una paliza de aúpa. Adoro a este hombre, ¿me oyen? —exclama, dirigiéndose a los arrogantes jóvenes de sonrisa aguada reunidos detrás de él, y después de envolver a Perry en un último abrazo de desafío se coloca junto a ellos a la vez que reanudan la marcha.

12

Instalándose al lado de Perry en la duodécima fila de la grada oeste del estadio de Roland Garros, Gail contempla con incredulidad la banda de la Garde Républicaine de Napoleón, con sus cascos de latón, escarapelas rojas, ajustados calzones blancos y botas hasta el muslo, mientras preparan sus timbales y dan los últimos clarinazos antes de que el director suba a la tribuna de madera, deje las blancas manos enguantadas en suspenso por encima de la cabeza, extienda los dedos y los agite como un diseñador de moda. Perry le dice algo a Gail pero tiene que repetirlo. Ella vuelve la cabeza hacia él y se apoya en su hombro para tranquilizarse, porque está temblando. Y Perry, a su manera, también tiembla, porque Gail oye la palpitación de su cuerpo: bum bum.

—¿Esto es la final masculina de individuales o la batalla de Borodino? —vocifera él alegremente, señalando las tropas napoleónicas. Ella lo obliga a repetirlo, suelta una carcajada y le aprieta la mano para poner ambos los pies en tierra otra vez.

—Va todo sobre ruedas —le grita ella al oído—. ¡Has estado de maravilla! ¡Eres una estrella! ¡Y los asientos son una pasada! ¡Bien hecho!

—Lo mismo digo. Dima tenía un aspecto estupendo.

—Estupendo. ¡Pero los niños están en Berna!

—¿Qué?

—¡Tamara y los niños están en Berna! ¡Y Natasha también! ¡Creía que estarían todos juntos!

—Yo también.

Pero la desilusión de Perry es de menor magnitud que la de ella.

La banda de Napoleón es muy estridente. Regimientos enteros podrían desfilar al son de su música y no regresar jamás.

—¡Tiene muchas ganas de jugar al tenis contigo otra vez, el pobre! —dice Doolittle, levantando la voz.

—Ya me he dado cuenta. —Amplios gestos de asentimiento. Sonrisas de Milton.

—¿Tendrás tiempo, mañana?

—Imposible. Demasiados compromisos —contesta Milton con un rotundo cabeceo.

—Me lo temía. Una pena.

—Desde luego —coincide Milton.

¿Están comportándose como niños o es que el temor de Dios se ha apoderado de ellos? Llevándose la mano de Perry a los labios, Gail se la besa y luego se la acerca a la mejilla porque él, sin darse cuenta, la ha conmovido casi hasta el llanto.

¡Precisamente en un día como ese, que debería poder disfrutar al máximo, y no va a ser así! Para Perry, ver a Federer en la final del Abierto francés es como ver a Nijinsky en *La siesta de un fauno*. ¿Cuántas conferencias de Perry no habrá oído Gail, acurrucada felizmente a su lado ante el televisor en Primrose Hill, sobre el tema de Federer, el deportista perfeccionado que a Perry le encantaría ser? Federer el hombre forjado, Federer el hombre que al correr parece danzar, acortando y alargando la zancada a fin de doblegar a esa pelota voladora y ganar la insignificante milésima de segundo que necesita para encontrar el ritmo y el ángulo, con esa estabilidad del tronco tanto si retrocede como si avanza como si se desplaza de costado, esa capacidad de anticipación sobrenatural que no es sobrenatural en absoluto, Gail, sino la cima de la coordinación ojo-cuerpo-cerebro.

—De verdad quiero que disfrutes del día de hoy —le grita Gail al oído en un último mensaje—. Aparta todo lo demás de tu cabeza. Te quiero: ¡he dicho que te quiero, tonto!

Gail lleva a cabo un inocente reconocimiento de los espectadores cercanos a ellos. ¿De quién son? ¿De Dima? ¿De los enemigos de Dima? ¿De Hector? «Vamos descalzos.»

A la izquierda, una rubia de mandíbula férrea con una cruz suiza en el sombrero de papel y otra en la amplia blusa.

A su derecha, un pesimista de mediana edad con una gorra y una capa impermeables, resguardándose de la lluvia que todos los demás fingen no notar.

En la fila de atrás, una francesa canta con sus hijos una animada versión de *La Marsellesa*, quizá en la errónea idea de que Federer es francés.

Con la misma despreocupación, Gail pasea la mirada por la multitud acomodada en las gradas descubiertas frente a ellos.

—¿Ves a alguien en particular? —vocifera Perry al oído de Gail.

—La verdad es que no. Pensaba que a lo mejor había venido Barry.

—¿Barry?

—¡Uno de nuestros togados!

Está diciendo sandeces. En el bufete hay un Barry, pero detesta el tenis y detesta a los franceses. Tiene hambre. No solo se han ido del Museo Rodin sin tomarse los cafés. De hecho, se han olvidado de comer. Al caer en la cuenta, le viene a la memoria una novela de Beryl Bainbridge en la que la anfitriona de una cena difícil olvida dónde ha dejado el postre. Levanta la voz para dirigirse a Perry, necesitando compartir la broma:

—¿Cuánto hacía que tú y yo no perdíamos realmente el almuerzo?

Pero por una vez Perry no capta la alusión literaria. Observa una hilera de ventanales en la franja central de las gradas al otro lado de la pista. A través del cristal ahumado se distinguen manteles blancos y camareros en espera, y Perry se pregunta qué ventana pertenece al palco de Dima. Gail vuelve a sentir la presión de los brazos de Dima en torno a ella, y la entrepierna contra su muslo en un gesto de una inconsciencia infantil. ¿Los efluvios eran del vodka de la noche anterior o del de esa mañana? Se lo pregunta a Perry.

—Solo quería ponerse al par —contesta Perry.

—¿Cómo dices?

—¡Al par!

Las tropas napoleónicas han huido del campo de batalla. Se impone un silencio tenso. Por encima de la pista una cámara se desliza mediante cables a través del feo cielo negro. Natasha. ¿Lo está o no lo está? ¿Por qué no ha contestado a mi mensaje de texto? ¿Lo sabe Tamara? ¿Por eso se la ha llevado a toda prisa a Berna? No. Natasha toma sus propias decisiones. Natasha no es hija de Tamara. Y Tamara, bien sabe Dios, no se corresponde con la idea que pueda tener nadie de una madre. ¿Un mensaje para Natasha?

> Acabo de tropezarme con tu padre. Viendo Federer. ¿Embarazada? Besos, Gail.

No lo hagas.

El estadio entra en erupción. Primero Robin Soderling, después Roger Federer con un aspecto favorecedoramente modesto y seguro de sí mismo, como solo es posible en Dios. Perry alarga el cuello, aprieta los labios. Se halla en la presencia.

Peloteo. Federer falla un par de reveses; las devoluciones de Soderling son excesivamente virulentas para un intercambio amistoso. Federer ejercita el saque un par de veces, por su cuenta. Soderling hace lo mismo, por su cuenta. Se acabó el calentamiento. Las chaquetas se desprenden de ellos como vainas de espada. En el rincón azul claro, Federer, con un destello rojo debajo del cuello de la camiseta y una marca roja a juego en la cinta del pelo. En la esquina blanca, Soderling, con destellos amarillos fosforescentes en las mangas y el pantalón.

La mirada de Perry se desvía otra vez hacia las ventanas de cristales ahumados, y por tanto Gail hace lo mismo. ¿Es eso que ve una americana de color crema con un ancla dorada en el bolsillo, flotando en la neblina marrón detrás del cristal? Si ha existido un hombre con quien no conviene subirse al asiento trasero de un taxi, ese es el señor Emilio dell Oro, desea decir Gail a Perry.

Pero silencio: han empezado el partido y el júbilo de la multitud, y Federer, de un modo demasiado repentino para Gail, ha roto el servicio de Soderling y ganado el suyo. Ahora saca otra vez Soderling. Una bonita recogepelotas rubia con coleta le entrega una pelota, hace una reverencia y retrocede al trote. El juez de línea aúlla como si lo hubiera picado una abeja. Empieza a llover. Soderling ha cometido una doble falta; se ha iniciado la marcha triunfal de Federer hacia la victoria. La cara de Perry se ilumina de simple veneración y Gail descubre que su amor por él vuelve a partir de cero: su valor sin afectación, su firme determinación de hacer lo correcto aunque no esté bien, su necesidad de ser leal y su rechazo a caer en la autocompasión. Ella es su hermana, su amiga, su protectora.

Un sentimiento análogo debe de haberse adueñado de Perry, porque le coge la mano y se la retiene. Soderling aspira a ganar el Abierto de Francia. Federer aspira a pasar a la historia, y Perry está con él. Federer ha ganado el primer set por 6-1. Le ha bastado con menos de media hora.

El comportamiento del público francés es ciertamente exquisito, decide Gail. Federer es el héroe de todos ellos, como lo es de Perry. Pero conceden sus elogios a Soderling escrupulosamente siempre que los merece. Y Soderling es agradecido, y lo demuestra. Corre riesgos, lo que a la vez implica que provoca errores en el contrario, y Federer acaba de cometer uno. Para compensarlo, realiza una dejada letal desde tres metros por detrás de la línea de fondo.

Cuando Perry ve tenis al más alto nivel, entra en un plano superior y más puro. Después de un par de golpes, es capaz de prever hacia dónde apunta el peloteo y quién lo controla. Gail no es así. Lo suyo es el golpe básico: raquetazo, y a ver qué pasa, ese es su lema. A su nivel de juego, da un resultado excelente.

Pero de pronto Perry ya no sigue el partido. Tampoco mira hacia las ventanas de cristales ahumados. De repente se ha levantado y, plantándose delante de ella, en apariencia para protegerla, exclama «¡Pero qué pasa aquí!» sin esperanza de obtener respuesta.

Abandonando también su asiento, cosa nada fácil porque ahora todo el mundo está de pie y vocifera «¡Pero qué pasa aquí!» en francés, suizo-alemán, inglés o el idioma que les salga de manera natural, lo primero que espera ver es un par de faisanes muertos a los pies de Federer: uno de izquierda y uno de derecha. Eso se debe a que confunde el bullicio del público al levantarse con el alboroto de las aves aterrorizadas al alzar el vuelo con cierta dificultad, como aviones obsoletos, para ser abatidas por su hermano y los amigos ricos de este. Su segunda idea, igualmente descabellada, es que Dima ha sido tiroteado, probablemente por Niki, y ha salido lanzado por las ventanas de cristales ahumados.

Pero el hombre desgalichado que ha aparecido como un ave roja de plumaje raído en el extremo de la pista de tenis que ocupa Federer no es Dima, y no está muerto ni mucho menos. Luce el gorro rojo preferido de Madame Guillotine, y largos calcetines de color rojo sangre. Lleva un manto de color rojo sangre sobre los hombros y charla con Federer por detrás de la línea de fondo desde la que el tenista estaba sacando.

Federer, un tanto perplejo, parece no saber qué decir —salta a la vista que no se conocen—, pero conserva sus buenos modales en pista, pese a vérselo un poco irritado de una manera un tanto rezongona, suiza, que nos recuerda que su célebre armadura tiene algún resquicio. Al fin y al cabo, está aquí para hacer historia, no para perder el tiempo con un hombre desgalichado, de rojo, que irrumpe en la pista y se presenta a él.

Mas la conversación entre ellos ha terminado y el hombre de rojo corretea hacia la red, agitando codos y faldones. Unos cuantos caballeros en traje negro, muy lentos, emprenden la cómica persecución, y la multitud ya no despega los labios: es un público deportivo, y eso es un deporte, aunque no de muy alto nivel. El hombre de rojo salta la red, pero no limpiamente: hay un leve roce en la cinta. Y el manto ya no es un manto. Nunca lo ha sido. Es una bandera. Otros dos trajes negros han aparecido al otro lado de la red. La bandera es la bandera de España —*l'Espagne*—, pero eso solo según la mujer que cantaba *La Marsellesa*, y su opinión es rebatida por un hombre de voz ronca situado varias filas por encima, que insiste en que es de *«le Barça»*.

Uno de los individuos con traje negro derriba por fin al hombre bandera mediante un placaje de rugby. Otros dos se abalanzan sobre él y, juntos, se lo llevan en volandas hacia la oscuridad de un túnel. Gail, atónita, mira a la cara a Perry, pálido como nunca lo ha visto.

—Dios mío, qué cerca ha estado —susurra ella.

¿Cerca de qué? ¿A qué se refiere? Perry coincide: sí, cerca.

Dios no suda. El polo celeste de Federer permanece inmaculado salvo por una mancha semejante a una única huella de neumático entre los omóplatos. Sus movimientos parecen un poco menos fluidos, pero nadie sabe si se debe a la lluvia o al endurecimiento de la tierra batida o al impacto nervioso del hombre bandera. Se oscurece el sol, se abren los paraguas en torno a la pista, el segundo set se ha puesto de algún modo en 3-4, Soderling se recupera, y se ve a Federer un poco desanimado. Solo quiere pasar a la historia y volver a su querida Suiza. Y ay, cielos, es un *tie-break*, solo que lo es escasamente, porque los primeros saques de Federer entran como exhalaciones uno tras otro, como ocurre a veces con los de Perry pero al doble de velocidad. Es el tercer set y Federer ha roto el servicio de Soderling, ha recobrado su ritmo perfecto, y al final el hombre bandera ha perdido.

¿Está llorando Federer incluso antes de ganar?

Da igual. Ya ha ganado: tan simple y natural como eso. Federer ha ganado y puede deshacerse en llanto, y Perry también parpadea para despejar alguna que otra lágrima masculina. Su ídolo ha hecho historia como era su propósito, y el público se pone en pie ante aquel que ha hecho historia, y Niki, el guardaespaldas con cara de niño, se abre paso hacia ellos ante la hilera de gente feliz; los aplausos se han convertido en un redoble coordinado.

—Soy el que los llevó al hotel en Antigua, ¿se acuerdan? —dice sin llegar a sonreír.

—Hola, Niki —saluda Perry.

—¿Les ha gustado el partido?

—Muchísimo —contesta Perry.

—Ha estado bien, ¿eh? ¿Federer?

—Soberbio.

—¿Quieren hacerle una visita a Dima?

Perry mira a Gail con expresión dubitativa: «te toca a ti».

—La verdad, Niki, es que vamos un poco justos de tiempo. Hay tanta gente en París que quiere vernos…

—Déjeme decirle una cosa, Gail —responde Niki, apesadumbrado—. Si no vienen a tomar una copa con Dima, es muy capaz de caparme.

Gail deja que sea Perry, y no ella, quien oye este comentario.

—Tú decides —insiste Perry, todavía a Gail.

—Bueno, solo una copa, ¿qué te parece? —propone Gail, aparentando rendirse a su pesar.

Niki les indica que lo precedan y los sigue, que es, supone Gail, lo que aprenden a hacer los guardaespaldas. Pero Perry y Gail no tienen intención de huir. En la explanada principal, las trompas suizas interpretan atronadoramente un conmovedor canto fúnebre ante un enjambre de paraguas. Guiados por Niki desde atrás, suben por una escalera de piedra desnuda y entran en un abigarrado pasillo, cada puerta pintada de un color distinto, como las taquillas en el gimnasio del colegio de Gail, solo que las identifican, en lugar de nombres de niñas, nombres de empresas: puerta azul para MEYER-AMBROSINI GMBH; rosa para SEGURA-HELLENIKA & CIE, amarilla para EROS VACANCIA S.A. Y roja para PRIMERA ARENA CHIPRE, que es donde Niki abre la tapa de una caja negra montada en el marco, introduce un número y aguarda a que desde dentro unas manos amigas abran la puerta.

Después de la orgía: esa fue la irreverente impresión de Gail cuando entró en el palco alargado, de techo bajo, con su pared inclinada de cristal y, al otro lado, la pista de tierra batida, tan cerca y tan bien iluminada que si Dell Oro se hubiese apartado, Gail habría podido alargar la mano y tocarla.

Ante sí tenía una docena de mesas con cuatro o seis comensales en cada una. Pasando por alto las normas del estadio, los hombres habían encendido sus cigarrillos poscoitales y reflexionaban acerca de sus proezas o la ausencia de estas, y unos cuantos la miraban de arriba abajo, preguntándose si ella habría sido un polvo mejor. Y con ellos estaban las chicas guapas, ya no tan guapas después de tanto como se habían visto obligadas a beber... aunque probablemente habían fingido. En su trabajo, eso era lo que una hacía.

La mesa más cercana a ella era la mayor, pero también la que reunía a un público más joven, y estaba en alto, por encima de las demás, para otorgar a sus ocupantes un rango superior al de las personas de las otras mesas, más humildes, circunstancia confirmada por Dell Oro cuando acompañó a Gail y Perry hacia allí para satisfacción de sus siete gerentes, hombres de semblante aburrido, mirada dura y cuerpo musculoso, con sus botellas y sus chicas y su tabaco prohibido.

—Catedrático. Gail. Saluden, si son tan amables, a nuestros anfitriones, los señores del consejo de dirección y sus esposas —propone Dell Oro con distinguido encanto, y lo repite en ruso.

En torno a la mesa, los saludan con hoscas inclinaciones de cabeza y algún que otro hola. Las chicas despliegan sus sonrisas de azafata.

—¡Eh! ¡Amigo!

¿Quién llama? ¿A quién? Es un joven de cuello grueso con el pelo a cepillo y un puro, y se dirige a Perry.

—¿Usted es el Catedrático?

—Así me llama Dima, sí.

—¿Le ha gustado el partido?

—Mucho. Un partido estupendo. Me he sentido un privilegiado.

—Usted también juega bien, ¿eh? ¡Mejor que Federer! —vocifera el del cuello grueso, exhibiendo su inglés.

—Bueno, no tanto.

—Que tengan un buen día. ¿Vale? ¡Pásenlo bien!

Dell Oro los guía por un pasillo. Al otro lado de la pared inclinada de cristal, unos dignatarios suecos luciendo sombreros de paja con cintas azules bajan por la escalera mojada procedentes de la tribuna presidencial para afrontar la ceremonia de clausura. Perry ha cogido a Gail de la mano. Seguir a Emilio dell Oro entre las mesas exige algún que otro empujón, encogerse entre las cabezas y decir «perdone, uy, hola, qué tal, sí, un partido excelente» a una sucesión de rostros masculinos, ahora árabes, ahora indios, ahora otra vez blancos.

Ahora toca una mesa de británicos, miembros de la comentocracia, que necesitan levantarse de pronto todos a una: «Soy Bunny, es usted encantadora», «Yo soy Giles, hola, mucho gusto... Catedrático, es usted un hombre de suerte». Todo un tanto desbordante para una chica, en realidad, pero ella hace lo que puede.

A continuación reclaman el apretón de manos dos hombres, con sombreros de papel suizos, uno gordo y ufano, el otro flaco: Pedro y el Lobo, piensa Gail absurdamente, pero el recuerdo de ellos perdura.

—¿Lo has visto ya? —pregunta Gail a Perry, y justo en ese momento ella misma lo localiza: Dima, encorvado al otro extremo del palco, solo y taciturno en una mesa para cuatro, con una botella de vodka Stolichnaya delante; y de pie detrás de él un filósofo cadavérico, con muñecas largas y pómulos salientes, que a todas luces vigila la entrada a la cocina. Emilio dell Oro susurra a Gail al oído como si la conociera de toda la vida:

—La verdad es que nuestro amigo Dima está un poco deprimido, Gail. Ya conocerá usted, claro, la tragedia del doble funeral de Moscú... sus queridos amigos brutalmente asesinados por unos psicópatas... Eso ha tenido un precio. Ya lo verá.

Gail en efecto lo ve. Y se pregunta qué parte de lo que ve es real: un Dima serio, sin alegrarse apenas de su presencia, un Dima sumido en un estado de melancolía avivado por el vodka, que no se molesta en ponerse en pie para saludarlos cuando se acercan, sino que los mira con expresión ceñuda desde el rincón al que ha sido relegado con sus dos vigilantes, ya que ahora el rubio Niki ha montado guardia al lado del filósofo cadavérico, y hay algo de escalofriante en la manera en que los dos hombres permanecen ajenos el uno al otro a la vez que conceden su atención al prisionero.

—Acérquese, Catedrático. ¡No se fíe de ese puñetero Emilio! Gail. La quiero. Siéntense. *Garçon!* Champán. Carne de Kobe. *Ici.*

Fuera, en la pista, la Guardia Republicana de Napoleón ha vuelto a sus puestos.

Federer y Soderling se suben a una tribuna. Los acompaña Andre Agassi, trajeado.

—¿Han hablado con los puñeteros mandamases de aquella mesa, la que está en alto? —preguntó Dima, huraño—. ¿Quieren conocer a unos cuantos banqueros, abogados, contables? ¿A la gente que jode el mundo? Tenemos franceses, alemanes, suizos. —Levantó la cabeza y gritó hacia el otro extremo del palco—: ¡Eh, saludad todos al Catedrático! ¡Este hombre me trató como a un maricón en el tenis! Esta es Gail. Él va a casarse con esta chica. Si no se casa con ella, ella se casará con Roger Federer. ¿No es así, Gail?

—Creo que me conformaré con Perry —contestó Gail.

¿Lo escuchaba alguien? Desde luego no los jóvenes de mirada dura en la mesa grande ni sus chicas, que se arrimaron más entre sí efusivamente al levantar Dima la voz. También en las mesas cercanas predominó la indiferencia.

—¡E ingleses, tenemos! Hombres que juegan limpio. ¡Eh, Bunny! ¡Aubrey! ¡Bunny, ven aquí! ¡Bunny! —Sin respuesta—. ¿Saben lo que significa «Bunny»? «Conejo.» Anda y que se joda.

Volviéndose animadamente para compartir la broma, Gail llegó a tiempo de identificar a un caballero regordete con barba y patillas anchas, y si su apodo no era Bunny, debería serlo. Pero al tal Aubrey lo buscó en vano, a menos que fuese el hombre alto y medio calvo, cargado de espaldas, de expresión inteligente, con unas gafas montadas al aire, que en ese momento recorría briosamente el pasillo en dirección a la puerta con la gabardina colgada del brazo, como quien de pronto recuerda que tiene que coger el tren.

El atildado Emilio dell Oro, con su espléndido pelo gris

plata, había ocupado el asiento libre al otro lado de Dima. ¿Era ese pelo auténtico o era una peluca?, se preguntó Gail. Últimamente están tan bien hechas.

Dima propone un partido de tenis para el día siguiente. Perry inventa excusas, disculpándose con Dima como un viejo amigo, que es en lo que de algún modo se ha convertido en esas tres semanas desde que se conocen.

—Dima, de verdad que lo veo imposible —sostiene Perry—. Nos hemos comprometido con un sinfín de gente. No he traído el equipo. Y le he dado mi palabra a Gail de que esta vez veremos los nenúfares de Monet. En serio.

Dima toma un trago de vodka, se enjuga la boca. Coge un pepinillo de la mesa, se lo come.

—Jugaremos —insiste, presentándolo como hecho consumado—. Club des Rois. Mañana a las doce. Ya he reservado la pista. Después nos darán un puto masaje.

—¿Un masaje bajo la lluvia, Dima? —pregunta Gail en tono jocoso, echándole un capote a Perry—. No me diga que ha descubierto un vicio nuevo.

Dima no le presta atención.

—Tengo una reunión en el puto banco, a las nueve, para firmar un montón de papeles. A las doce juego la puta revancha con usted, ¿me oye? ¿Va a rajarse?

Perry empieza a protestar de nuevo. Dima hace caso omiso.

—Pista número seis. La mejor. Jugamos una hora, nos dan un masaje, comemos. Pago yo, joder.

Interponiéndose finalmente con cortés desenvoltura, Dell Oro opta por causar una distracción:

—¿Y dónde se alojan en París, si me permite preguntarlo, Catedrático? ¿En el Ritz? Espero que no. Aquí hay hotelitos maravillosos, si uno sabe dónde buscar. Si me hubiese enterado antes, les habría dado el nombre de media docena.

«Si os preguntan, no os andéis con tonterías: contestad a las claras —había dicho Hector—. Es una pregunta inocente; recibe una respuesta inocente.» Como se vio, Perry se había tomado la recomendación muy en serio, porque ya estaba riéndose:

—En un sitio tan cutre que ni se lo creería —exclamó.

Pero Emilio sí se lo creyó, y le gustó tanto el nombre que lo anotó en un cuaderno de piel de cocodrilo que guardaba en el forro azul marino de la americana de color crema con su emblema en el bolsillo. Y después se dirigió a Dima con toda la fuerza de su persuasivo encanto:

—Si es tenis lo que estás proponiendo para mañana, Dima, creo que Gail tiene toda la razón. Te has olvidado por completo de la lluvia. Ni siquiera nuestro amigo el Catedrático puede darte una satisfacción bajo un aguacero. Los partes para mañana eran incluso peores que los de hoy.

—¡A mí no me jodas!

Dima había descargado tal golpe de puño en la mesa que los vasos se volcaron y una botella de borgoña hubiera acabado vertida en la alfombra a no ser porque Perry la cazó al vuelo y la volvió a colocar derecha. Junto a la pared inclinada de cristal, dio la impresión de que todos habían ensordecido por la explosión de una bomba.

Con un amable ruego, Perry devolvió la apariencia de calma:

—Tranquilo, Dima. Ni siquiera tengo raqueta, por Dios.

—Dell Oro tiene veinte puñeteras raquetas.

—Treinta —corrigió Dell Oro con tono glacial.

—¡Vale, pues!

Vale ¿qué? ¿Vale que Dima volverá a golpear la mesa? Tiene el rostro tenso y bañado en sudor, con el mentón al frente, y cuando se levanta, tambaleante, echa atrás el torso, coge a Perry por la muñeca y tira de él para obligarlo a ponerse también en pie.

—¡Vale! ¡Atentos todos! —anuncia a voz en cuello—. Mañana, el Catedrático y yo jugaremos la revancha y lo voy a hacer papilla. A las doce, en el Club des Rois. Quien quiera venir a verlo que traiga un puñetero paraguas. Después habrá comida. Paga el ganador. O sea, Dima. ¿Me oís?

Algunos lo oyen. Uno o dos incluso sonríen, y un par aplauden. Desde la mesa central al principio nada; finalmente un único comentario en ruso, un susurro, seguido de una risotada poco cordial.

Gail y Perry se miran, sonríen y se encogen de hombros. Ante fuerza tan irresistible y situación tan embarazosa, ¿cómo van a negarse? Previendo su rendición, Emilio dell Oro intenta impedirla:

—Dima, opino que presionas demasiado a tus amigos. Tal vez puedas programar un partido para más adelante este mismo año, ¿no?

Pero llega tarde, y Gail y Perry pecan de compasivos.

—En fin, Emilio —dice Gail—, si tantas ganas tiene Dima de jugar y si Perry está dispuesto, ¿por qué no dejamos que los chicos se diviertan? Si tú quieres, Perry, por mí no hay problema. ¿Cariño?

Eso de «cariño» es nuevo, más por Milton y Doolittle que por ellos.

—Pues vale. Pero con una condición —otra vez Dell Oro, en pugna por llevar la ventaja—: esta noche vienen ustedes a mi fiesta. Tengo una casa magnífica en Neuilly, les encantará. A Dima le encanta, es nuestro invitado. Nuestros honorables colegas de Moscú se alojan con nosotros. Ahora mismo mi esposa, la pobre, está supervisando los preparativos. ¿Qué les parece si mando un coche a su hotel a las ocho? Vistan como les apetezca, por favor. Somos gente muy informal.

Pero la invitación de Dell Oro cae en tierra yerma. Perry se ríe y contesta que es del todo imposible, Emilio, la verdad. Gail afirma que sus amigos parisinos nunca se lo perdonarían, y no, desde luego no puede llevarlos a ellos también, han organizado su propia fiesta, y Gail y Perry son los invitados de honor.

Quedan, pues, en que el coche de Emilio los recogerá en su hotel a las once de la mañana del día siguiente para jugar al tenis bajo la lluvia, y si las miradas matasen, Dell Oro estaría en ese momento matando a Dima, pero según Hector no podrá hacerlo hasta después de Berna.

—Los dos formáis un reparto absolutamente pasmoso —exclamó Hector—. ¿No te parece, Luke? Gail, con esa adorable intuición. Tú, Perry, joder, con esa extraordinaria agilidad mental tuya. Y no es que Gail sea obtusa precisamente. Muchísimas gracias por llegar tan lejos. Por ser tan valientes en la guarida del león. ¿Hablo como un jefe de *scouts*?

—Diría que sí —respondió Perry, tendido con absoluto abandono en un diván bajo la gran ventana en arco que daba al Sena.

—Me alegro —dijo Hector, complacido, arrancando exultantes risas.

Solo Gail, sentada en un taburete junto a la cabeza de Perry, peinándole el pelo pensativamente con los dedos, parecía un tanto alejada de la celebración.

Estaban en la Île Saint-Louis, recién cenados. El espléndido apartamento en el último piso de la antigua fortaleza pertenecía a la tía artista de Luke. Su obra, que ella nunca se había rebajado a vender, permanecía apilada contra las paredes. Era una mujer hermosa, divertida, de setenta años cumplidos. Como de joven había combatido en la Resistencia contra los alemanes, se sentía cómoda en el papel asignado en la pequeña intriga de Luke.

—Tengo entendido que somos amigos desde hace mucho tiempo —había dicho a Perry hacía un par de horas, tocándole con delicadeza la mano en un gesto de saludo y apartando enseguida la suya—. Nos conocimos en el salón de una querida amiga mía cuando era usted un estudiante con un insaciable deseo de pintar. Su nombre, si desea uno, era Michelle de la Tour, ya fallecida desgraciadamente. Le permití quedarse a mi sombra. Era usted demasiado joven para ser mi amante. ¿Le bastará con eso o necesita más?

—Basta y sobra, gracias —dijo Perry, y se rió.

—A mí no me basta. Nadie es demasiado joven para ser mi amante. Luke le servirá *confit* de pato y Camembert. Le deseo una velada agradable. Y usted, querida, es exquisita —a Gail— y demasiado buena para este artista fracasado suyo. Lo digo en broma. Luke, no te olvides de Shiba.

Shiba, su gata siamesa, ahora sentada en el regazo de Gail.

En la mesa, durante la cena, Perry —todavía muy exaltado— había sido el alma de la fiesta, ya fuera encomiando atropelladamente a Federer o reviviendo el encuentro ingeniado por Dima, o el *tour de force* de Dima en el palco de cortesía. Para Gail, era como oírlo distenderse después de una peligrosa escalada o una reñida carrera campo a través. Y Luke y Hector eran el público perfecto: Hector, arrobado y anormalmente mudo, interrumpiendo solo para arrancarles otro fragmento de descripción —en cuanto al posible Aubrey, ¿cuál era su estatura, calculaban? ¿Y Bunny estaba borracho?—; Luke, que iba una y otra vez a la enorme cocina o llenaba las copas con cierto exhibicionismo, prestando especial atención a la de Gail, o atendía alguna llamada de Ollie, pero en esencia seguía siendo miembro del equipo.

Solo cuando la cena y el vino obraron su terapia, y el ánimo aventurero de Perry dio paso a un sobrio silencio, Hector volvió a las palabras exactas empleadas por Dima para invitarlos al partido de tenis en el Club des Rois.

—Suponemos, pues, que el mensaje está en el masaje —afirmó—. ¿Alguien tiene algo que añadir al respecto?

—El masaje prácticamente formaba parte del desafío —convino Perry.

—¿Luke?

—Para mí está claro como el agua. ¿Cuántas veces?

—Tres —contestó Perry.

—¿Gail? —preguntó Hector.

Despertando de sus distracciones, Gail se mostró menos segura que los hombres:

—Yo solo me pregunto si Emilio también lo vería claro como el agua —dijo, procurando eludir la mirada de Luke.

Hector también se lo había preguntado.

—Sí, bueno, la cuestión es, supongo, que si Dell Oro se huele que aquí hay gato encerrado, suspenderá el partido de tenis de inmediato, y entonces estamos jodidos. Se acabó el juego. Ahora bien, según los últimos partes de Ollie, todo apunta en dirección contraria, ¿no, Luke?

—Ollie ha estado frecuentando una reunión informal de chóferes frente al *château* de Dell Oro —explicó Luke, con su bruñida sonrisa—. El partido de tenis corre a cargo de Emilio, a modo de celebración después de la firma. Sus caballeros de Moscú ya han visto la torre Eiffel y no tienen ningún interés en el Louvre, así que se han convertido en una pesada carga para Emilio.

—¿Y el mensaje sobre el masaje? —instó Hector.

—Es que Dima ha reservado dos sesiones paralelas para Perry y para él inmediatamente después del partido. Ollie también ha averiguado que el Club des Rois, si bien proporciona tenis a algunos de los clientes más deseables del mundo, se enorgullece de ser un refugio seguro. No está bien visto que los guardaespaldas correteen detrás de sus protegidos por los vestuarios, las saunas o los salones de masaje. Se los invita a quedarse sentados en el vestíbulo del club o en sus limusinas blindadas.

—¿Y los masajistas del club? —preguntó Gail—. ¿Qué harán ellos mientras los chicos celebran su consejo?

Luke ya tenía la respuesta, y su sonrisa especial.

—El lunes es su día libre, Gail. Solo están disponibles para citas concertadas. Ni siquiera Emilio sabrá que mañana no están.

En el Hôtel des Quinze Anges era la una de la madrugada y Perry por fin había conciliado el sueño. Yendo de puntillas al cuarto de baño, al final del pasillo, Gail entró, cerró la puerta y, bajo la exigua luz de la bombilla con menos vatios del mundo, releyó el mensaje de texto que había recibido a las siete de esa tarde, justo antes de marcharse a cenar en la Île.

> Mi padre dice que estás en París. Un médico suizo me informa estoy embarazada 9 semanas. Max está escalando montañas y no contesta. Gail.

¿Gail? ¿Ha firmado con mi nombre? ¿Está tan enloquecida que se ha olvidado del suyo? ¿O quiere decir «Gail, por favor, te lo suplico»? ¿Será esa clase de «Gail»?

Con una parte de la cabeza medio dormida, seleccionó la opción de llamada al remitente y, sin darse cuenta de lo que hacía, pulsó el botón verde y salió un servicio de contestador suizo. Asustada, cortó la comunicación y, ya del todo despierta, decidió mandarle un mensaje de texto:

> No hagas nada de nada hasta que hablemos. Tenemos que vernos y charlar. Con cariño, Gail.

Regresó al dormitorio y se metió bajo el edredón de pelo de caballo. Perry dormía como un tronco. ¿Debía decírselo o no? ¿Él ya tenía mucho entre manos? ¿Su gran día, mañana? ¿O mi juramento de silencio a Natasha?

13

Mientras Perry Makepiece subía al Mercedes con chófer de Emilio dell Oro que, para indignación de Madame Mère, mantenía cortado el tráfico en la calle frente a su hotel desde hacía diez minutos —¡y el cretino del conductor no se dignaba siquiera bajar la ventanilla para oír sus insultos!—, lo acuciaban preocupaciones que en modo alguno habría reconocido ante Gail, quien para la ocasión iba de punta en blanco: lucía el conjunto de Vivienne Westwood con bombachos comprado el día que ganó su primer caso. «Si van a estar presentes esas busconas de altos vuelos, necesitaré toda la ayuda posible», había informado a Perry a la vez que, de pie sobre la cama, en precario equilibrio, intentaba verse en el espejo del lavamanos.

La noche anterior, al volver al Quinze Anges después de la cena, Perry había sorprendido a Madame Mère mirándolo con sus ojos pequeños y saltones desde su guarida detrás del mostrador de recepción.

—¿Por qué no usas el lavamanos tú primero, y yo enseguida subiré? —propuso él, y Gail, con un bostezo de agradecimiento, obedeció.

—Dos árabes —susurró Madame Mère.

—¿Árabes?

—Policía árabe. Hablaban árabe entre ellos, y en francés conmigo. Francés árabe.

—¿Qué querían saber?

—Todo. Dónde estabais. Qué hacíais. Vuestros pasaportes. Tu dirección en Oxford. La dirección de la señora en Londres. Todo sobre vosotros.

—¿Y usted qué les ha dicho?

—Nada. Que eres un huésped de toda la vida, que pagas, que eres correcto, que no bebes, que nunca tienes más de una mujer a la vez, que habéis ido a la Île invitados por una artista y llegaríais tarde, pero tenéis llave, sois de confianza.

—¿Y nuestras direcciones inglesas?

Madame Mère era una mujer menuda, y por eso mismo su gesto gálico de indiferencia pareció aún mayor.

—Todo lo que escribisteis en la ficha se lo han llevado. Si no querías que tuvieran tu dirección, deberías haber puesto una falsa.

Tras arrancarle la promesa de que no le diría nada de eso a Gail —¡Dios mío, ni se me pasaría por la cabeza, también ella era mujer!—, Perry contempló la posibilidad de telefonear a Hector de inmediato, pero, siendo Perry como era, y más aún después de una considerable dosis de calvados añejo, decidió, por razones pragmáticas, que nadie podía hacer nada que no fuese mejor hacer a la mañana siguiente, y se acostó. Al despertar con el olor a café y cruasanes recién hechos, le sorprendió ver a Gail en bata, sentada a los pies de la cama, examinando su móvil.

—¿Pasa algo? —preguntó él.

—El bufete. Para confirmar.

—Confirmar ¿qué?

—Tenías pensado mandarme a casa esta noche, ¿es que no te acuerdas?

—¡Claro que me acuerdo!

—Pues no me voy. He mandado un mensaje al bufete y le pasarán el caso *Samson contra Samson* a Helga para que la pifie.

¿Helga, su *bête noire*? ¿Helga, la devoradora de hombres con medias de redecilla, la que hacía bailar a su son a los togados varones del bufete?

—¿Cómo demonios se te ha ocurrido hacer una cosa así?

—En parte, el culpable eres tú. Por alguna razón no me convence dejarte colgado de las cejas en una cima peligrosa. Y mañana te acompañaré a Berna, que, supongo, es adonde irás a continuación, aunque todavía no me lo has dicho.

—¿No hay nada más?

—¿Por qué iba a haberlo? Si estoy en Londres, te preocuparás por mí igualmente. Mejor que me tengas donde puedes verme, pues.

—Y no te has parado a pensar que quizá me preocupe más si estás conmigo.

El comentario fue poco amable por su parte: él lo sabía, y también ella. Como atenuante, se sintió tentado de contarle su conversación con Madame Mère, pero temió reforzar con eso su determinación de permanecer junto a él.

—En medio de tanto ajetreo de adultos, parece que te has olvidado de los niños —dijo ella, moderando el tono para que sonara a reproche.

—¡Gail, eso es absurdo! Hacemos todo lo que podemos, tanto yo como nuestros amigos, para conseguir… —Era mejor no acabar la frase. Era mejor hablar en alusiones. Después de sus tres semanas de «familiarización», solo Dios sabía quién estaba escuchando, y cuándo—. Los niños son mi principal preocupación, y siempre lo han sido —prosiguió, aunque no con total sinceridad, y notó que se sonrojaba—. Ellos son la razón por la que estamos aquí —insistió—. Los dos. No solo tú. Sí, me importa Dima y que todo salga bien. Y sí, esto me fascina. Todo junto. —Titubeó, avergonzado de sí mismo—. Se trata de estar en contacto con el mundo real. Y los niños son parte de eso. Una parte enorme. Lo son ahora y lo serán cuando hayas vuelto a Londres.

Si Perry esperaba que ella se rindiese ante su grandilocuente declaración de propósitos, juzgaba mal a su público.

—Pero los niños no están aquí, ¿eh que no? Ni en Londres —replicó ella, implacable—. Están en Berna. Y según Natasha, en pleno duelo por Misha y Olga. Los gemelos se pasan el día en el campo de fútbol; Tamara está en comunión con Dios; todos saben que se cuece algo serio, pero no saben qué.

—¿Según Natasha? ¿De qué me hablas?

—Somos amigas por SMS.

—¿Natasha y tú?

—Exacto.

—¡No me lo habías dicho!

—Y tú no me habías dicho nada de tus planes para Berna, ¿eh que no? —besándolo—. ¿Eh que no? Por mi protección. Pues de ahora en adelante nos protegeremos mutuamente. Allí donde va uno, vamos los dos. ¿Trato hecho?

Trato hecho solo en la medida en que ella se preparase mientras él iba a Printemps bajo la lluvia para comprar el equipo de tenis. El resto de la discusión, por lo que a Perry se refería, era un no rotundo.

Y la causa de su malestar no eran solo los visitantes nocturnos de Madame Mère. Era la clara conciencia del inminente e imprevisible riesgo a que había dado paso la euforia de la noche anterior. Ya en el vestíbulo de Printemps, Perry, empapado de agua, llamó a Hector. Comunicaba. Al cabo de diez minutos, ya con una flamante bolsa de tenis que contenía una camiseta, un pantalón corto, calcetines, un par de zapatillas y —comprarla había sido un puro desvarío— una visera para el sol, volvió a probar y esta vez sí consiguió hablar con él.

—¿Alguna descripción de esos hombres? —preguntó Hector después de escucharlo, con un tono en exceso lánguido para el gusto de Perry.

—Árabes.

—Bueno, quizá eran árabes. Quizá eran también policías franceses. ¿Le enseñaron su documentación?

—No me lo ha dicho.

—¿Y tú no se lo has preguntado?

—No. Estaba un poco entonado.

—¿Y si mando a Harry para que tenga una charla con ella? ¿Harry? Ah, sí, Ollie.

—Me parece que ya hemos tenido dramatismo más que suficiente, pero gracias de todos modos —respondió Perry con frialdad.

No sabía cómo seguir. Tal vez Hector tampoco:

—Por lo demás, ¿alguna fluctuación?

—¿Fluctuación?

—Dudas. Cambios de idea. Nervios del Día D. Yuyu, por Dios —aclaró Hector con impaciencia.

—Por mi parte, ninguna fluctuación. Solo estoy esperando a que autoricen el pago con la puta tarjeta de crédito. —No era así. Eso era mentira, y no se explicaba por qué demonios lo había dicho, a menos que buscase la comprensión que no estaba recibiendo.

—¿Doolittle también conserva la moral alta?

—Eso cree ella. Yo lo dudo. Ha insistido en venir a Berna. Yo estoy absolutamente convencido de que no conviene. Ya ha hecho su papel... magníficamente, como tú mismo dijiste anoche. Quiero que dé el trabajo por concluido, vuelva a Londres esta noche según lo previsto, y se quede allí hasta que yo regrese.

—Pero no va a hacerlo, ¿verdad que no?

—¿Por qué no?

—Porque me ha telefoneado hace diez minutos y me ha dicho que llamarías, y que ni a tiros cambiará de idea. Doy por hecho, pues, que no hay vuelta de hoja, y te aconsejo que hagas lo mismo. Si no puedes vencerlo, carga con ello. ¿Sigues ahí?

—No del todo. ¿Qué le has contestado?

—Me he alegrado por ella. Le he dicho que forma parte del equipamiento básico. Dado que es decisión suya y por nada del mundo cambiará idea, te recomiendo que tomes el mismo camino. ¿Quieres oír las últimas noticias desde el frente?

—Adelante.

—Todo sigue según lo previsto. La banda de los siete ha salido de su gran firma con nuestro muchacho, todos con cara de pocos amigos, pero eso quizá fuese por la resaca. Ahora mismo va de regreso a Neuilly bajo protección armada. Una comida para veinte ya reservada en el Club des Rois. Los masajistas en espera. Así que no hay cambio de planes, salvo que, después de volver a Londres *ce soir*, volaréis los dos a Zurich, mañana, pasaje electrónico en el aeropuerto. Luke os recogerá. No irás tú solo como habíamos planeado. Iréis los dos. ¿Estamos?

—Supongo.

—Te noto de mal talante. ¿Estás que te caes por los excesos de anoche?

—No.

—Pues mejor así. Nuestro muchacho te necesita en plena forma. Y nosotros también.

Perry había dudado si mencionar a Hector la amistad por SMS entre Gail y Natasha, pero se impuso el sentido común, si podía llamárselo así.

El Mercedes apestaba a tabaco. En el respaldo del asiento contiguo al conductor asomaba una botella medio vacía de Perrier. El chófer era un gigante de cabeza esférica. No tenía cuello, sino solo unas cuantas marcas rojas laterales, como cortes de cuchilla, entre el pelo rapado. Gail iba sentada junto a Perry.

Lucía su traje de chaqueta y pantalón de seda, que parecía a punto de desprendérsele de un momento a otro. Perry nunca la había visto tan guapa. Gail había dejado a un lado su larga gabardina blanca de Bergdorf Goodman, Nueva York, otro derroche anterior. La lluvia golpeteaba como granizo el techo del automóvil. El limpiaparabrisas gemía y sollozaba en su esfuerzo por dar abasto.

El gigante de cabeza esférica sentado al volante del Mercedes se desvió en una salida, paró ante un elegante edificio y dio un bocinazo. Un segundo coche se detuvo detrás de ellos. ¿Un coche que los perseguía? «Ni se os pase por la cabeza», había dicho Hector. Un hombre orondo y jovial, protegido con un chubasquero y un sombrero impermeable de ala ancha, salió al trote de la portería y se plantificó en el asiento del acompañante. Volviéndose, apoyó el antebrazo en el respaldo y la papada en el antebrazo.

—Bueno, y quién va a jugar al tenis, me pregunto yo —dijo con voz chirriante, arrastrando las palabras—. El mismísimo *Monsieur le Professeur*, sin ir más lejos. Y usted, querida, es su cara mitad, cómo no. Carísima, si me permite decirlo —mirándola con descaro—. Me propongo acapararla durante todo el partido.

—Gail Perkins, mi prometida —terció Perry, tenso.

¿Su prometida? ¿De verdad lo era? No habían hablado de ello. Quizá Milton y Doolittle sí.

—Pues yo soy el doctor Popham, Bunny para todo el mundo, la laguna jurídica andante al servicio de los asquerosamente ricos —prosiguió, saltando sus ojillos rosados de uno a otro con expresión voraz como si intentase decidir con cuál quedarse—. Recordarán que esa bestia de Dima tuvo la desfachatez de insultarme ante un público multitudinario, pero yo me lo sacudí de encima con un golpe de mi pañuelo de encaje.

Como Perry no parecía dispuesto a contestar, intervino Gail:

—¿Qué relación tiene usted con Dima, Bunny? —preguntó alegremente cuando el coche se incorporaba de nuevo a la circulación.

—Corazón mío, apenas tenemos relación, gracias a Dios. Considéreme un viejo amigo de Emilio, que se suma al grupo para dar apoyo. En qué berenjenales se mete, el pobre desdichado. La última vez fue un hatajo de príncipes árabes, oligofrénicos todos, en una orgía de compras. Esta vez es un pelotón de soporíferos banqueros rusos. Emilio los tuvo ayer todo el día y toda la noche, a ellos y a sus queridas señoras —bajando la voz para el comentario en confianza—, y en la vida he visto señoras más queridas. —Posó en Perry sus voraces ojos con adoración—. Pero más pena me da nuestro pobre Catedrático. —En sus ojos rosados, fijos aún en Perry, aparece una expresión trágica—. ¡Vaya una obra de caridad! Dios se lo pagará en el cielo, de eso ya me encargo yo. Pero, claro, ¿cómo iba a resistirse al pobre bruto viéndolo tan afectado por ese espantoso asesinato? —Miró a Gail—. ¿Va a quedarse mucho tiempo en París, señorita Gail Perkins?

—Ojalá pudiera. Por desgracia, he de volver al tajo, llueva o truene. —Una mirada irónica al aguacero que caía sobre el parabrisas—. ¿Y usted, Bunny?

—Ah, yo revoloteo. Soy un revoloteador. Eso no se lo digo a cualquiera. Un pequeño nido aquí, un pequeño nido allá. Me poso, pero no por mucho tiempo.

Un indicador señalaba el desvío al Centre Hippique du Touring, otro a un Pavillion des Oiseaux. La lluvia remitía un poco. El coche perseguidor continuaba detrás de ellos. A su derecha apareció una verja cerrada, muy barroca. Frente a la verja había un apartadero, donde el chófer estacionó el Mercedes. El siniestro coche de detrás aparcó junto a ellos. Ventanillas de cristales tintados. Perry aguardó a que se abriera alguna de las puertas. Lentamente, una se abrió. Salió una anciana, seguida de un perro alsaciano.

—*Cent mètres* —gruñó el chófer, señalando la verja con un dedo mugriento.

—Ya lo sabemos, tonto —dijo Bunny.

Juntos, recorrieron los *cent mètres* a pie, Gail al abrigo del paraguas de Bunny Popham y Perry con la nueva bolsa de tenis sujeta contra el pecho y la lluvia corriéndole por la cara. Llegaron a un edificio blanco de baja altura.

En lo alto de la escalinata, bajo un toldo, aguardaba Emilio dell Oro, que vestía una gabardina con cuello de piel, larga hasta las rodillas. En un corrillo aparte se hallaban tres de los adustos jóvenes ejecutivos del día anterior. Un par de chicas daban caladas desconsoladamente a cigarrillos que no podían fumar dentro de la casa club. Junto a Dell Oro había un hombre alto, de pelo cano, con pantalón de franela gris y americana, agresivamente británico, de las clases privilegiadas, que les tendió una mano con manchas de vejez.

—Giles —explicó—. Nos conocimos ayer en un palco abarrotado de gente. No espero que se acuerde de mí. Estaba de paso en París, y Emilio me pescó, prueba de que uno, por si las moscas, nunca debe telefonear a los amigos. Pero la verdad es que anoche nos corrimos una buena, lo admito. Lástima que ustedes dos no pudieran venir. —Ahora a Perry—: ¿Habla ruso? Yo un poco, por suerte. Me temo que, en cuanto a lenguas, nuestros honorables invitados no tienen mucho más que ofrecer.

Entraron todos juntos, encabezados por Dell Oro. Un mediodía de lunes lluvioso, día poco propicio para la presencia de socios. A la izquierda de Perry, en un rincón, se hallaba Luke, con gafas, encorvado sobre una mesa. Llevaba un auricular inalámbrico en la oreja y permanecía absorto en la pantalla de un llamativo ordenador portátil plateado, con toda la apariencia de un hombre de negocios ocupándose de algún asunto.

«Si por casualidad veis a alguien que se parece vagamente a uno de nosotros, será un espejismo», los había prevenido Hector la última noche.

Pánico. Una sacudida en el pecho. ¿Dónde demonios está Gail? Con crecientes náuseas, Perry la buscó alrededor, hasta localizarla en el centro de la sala, charlando con Giles, Bunny Popham y Dell Oro. Mantén la calma y mantente a la vista, le dijo mentalmente. Mantén el control, no te dispares, mantén la serenidad. Dell Oro preguntaba a Bunny Popham si era demasiado pronto para el champán, y Bunny respondió que eso dependía de la cosecha. Todos prorrumpieron en carcajadas, pero las de Gail fueron las más sonoras. A punto de acudir en su ayuda, Perry oyó el ya familiar bramido «¡Catedrático, por todos los santos!» y, al volverse, vio subir tres paraguas por la escalinata.

Bajo el paraguas central, Dima con una bolsa de tenis de Gucci.

A su izquierda y su derecha, Niki y el hombre a quien Gail había bautizado ya para siempre como el «filósofo cadavérico».

Los tres habían llegado al último peldaño.

Dima cerró bruscamente su paraguas y se lo endosó a Niki. Acto seguido, entró solo por las puertas de vaivén.

—¿Veis esa puñetera lluvia? —preguntó a todos los presentes en actitud agresiva—. ¿Veis el cielo? ¡Diez minutos, y saldrá el sol! —Y a Perry—: ¿Quiere ir a ponerse el equipo de tenis, Catedrático, o voy a tener que darle una paliza con ese puñetero traje?

Risas apáticas entre el público. Estaba a punto de iniciarse el segundo pase de la pantomima surrealista del día anterior.

Perry y Dima descienden por una escalera de madera oscura con sus bolsas de tenis. Dima, en tanto socio del club, precede a Perry. Olor a vestuario. Esencia de pino, vapor antiguo, ropa sudada.

—¡Traigo raquetas, Catedrático! —brama Dima hacia atrás en la escalera.

—¡Estupendo! —contesta Perry con un bramido igual de estridente.

—¡Unas seis! ¡Las putas raquetas de Emilio! Juega de pena, pero tiene buenas raquetas.

—¡Seis de las treinta, pues!

—¡Exacto, Catedrático! ¡Exacto!

Dima está anunciando su llegada a los de abajo. No tiene por qué saber que Luke ya los ha avisado. Al pie de la escalera, Perry mira hacia atrás por encima del hombro. Ni rastro de Niki, ni del filósofo cadavérico, ni de Emilio, ni de nadie. Entran en un vestuario sombrío, revestido de madera al estilo sueco. Sin ventanas. Iluminación económica. Detrás de unos cristales esmerilados se duchan dos viejos. Una puerta de madera con el rótulo WC. Otras dos con los rótulos MASAJE. En los tiradores de las dos puertas se lee OCCUPÉ. «Llamas a la puerta de la derecha, pero no hasta que él esté listo. Ahora repítemelo.»

—¿Qué tal se lo pasó anoche, Catedrático? —pregunta Dima mientras se desviste.

—Muy bien. ¿Y usted?

—Fue una mierda.

Perry deja caer su bolsa de tenis en el banco, abre la cremallera y empieza a cambiarse. Dima, desnudo, permanece de espaldas a él. Un tablero del juego serpientes y escaleras, en azul, abarca desde la nuca hasta las nalgas, estas incluidas. En los paneles centrales de su espalda, unas fieras, gruñendo, asaltan a una chica en un bañador de los años cuarenta. Rodea con los muslos un árbol de la vida: las raíces nacen en el trasero de Dima y las ramas se extienden por encima de sus omóplatos.

—Tengo que ir a mear —anuncia Dima.

—Está usted en su casa —dice Perry en broma.

Dima abre la puerta del lavabo y, una vez dentro, echa el pestillo. Sale al cabo de un momento con un objeto tubular en la mano. Es un condón con un nudo en la abertura; contiene un lápiz de memoria. Delante, Dima tiene representado un minotauro de cuerpo entero. El vello púbico le llega hasta el ombligo. La polla y los huevos son de un tamaño considerable, como era de prever. En un lavabo, limpia el condón bajo el grifo y se acerca a su bolsa de tenis de Gucci. Con unas tijeras de uñas, corta el extremo del condón, lo desprende y entrega las dos partes a Perry para que las haga desaparecer. Perry se las mete en el bolsillo lateral de la chaqueta y por un instante se imagina a Gail encontrándolas allí pasado un año y preguntándole para cuándo espera el niño.

A la velocidad meteórica de un recluso, Dima se enfunda un suspensorio y unas bermudas de tenis azules, se guarda el lápiz de memoria en el bolsillo derecho de las bermudas, se pone una camiseta de manga larga, los calcetines y las zapatillas. Todo ello le ha llevado apenas unos segundos. Se abre la puerta de una ducha. Sale un anciano obeso con una toalla ceñida a la cintura.

—*Bonjour tout le monde!*

Bonjour.

El anciano obeso abre su taquilla, deja caer la toalla a sus pies, saca una percha. Se abre la puerta de la segunda ducha. Sale un segundo anciano.

—*Quelle horreur, la pluie!* —se queja el segundo anciano.

Perry coincide con él. La lluvia: un verdadero horror. Llama vigorosamente a la puerta de la sala de masaje de la derecha. Tres golpes cortos pero firmes y secos. Dima está detrás de él.

—*C'est occupé* —advierte el primer anciano.

—*Pour moi, alors* —dice Perry.

—*Lundi, c'est tout fermé* —informa el segundo anciano.

Ollie abre la puerta desde dentro. Al entrar, pasan junto a él rozándolo. Ollie cierra la puerta y da a Perry una tranquilizadora palmada en el brazo. Se ha quitado el pendiente y alisado el pelo hacia atrás. Viste una bata blanca de médico. Es como si se hubiese despojado de un Ollie y se hubiese puesto otro.

Hector también lleva bata blanca, pero se la ha dejado desabrochada, al desgaire. Es el masajista jefe.

Ollie encaja unas cuñas de madera en el marco de la puerta, dos abajo, dos a un lado. Como siempre le ocurre con Ollie, Perry tiene la sensación de que ya ha hecho todo eso antes. Hector y Dima se miran a la cara por primera vez, Dima echándose hacia atrás, Hector hacia delante, uno avanzando, el otro retrocediendo. Dima es el viejo presidiario esperando la siguiente dosis de castigo; Hector, el alcaide de la prisión. Hector tiende la mano. Dima se la estrecha; luego se la retiene cautiva con la izquierda mientras hunde la derecha en el bolsillo. Hector entrega el lápiz de memoria a Ollie, que se lo lleva a una mesa lateral, abre la cremallera de la bolsa de masajista, extrae un ordenador portátil plateado, levanta la tapa y conecta el lápiz de memoria, todo ello en un único movimiento. Con su bata blanca, Ollie parece más alto que nunca, y sin embargo el doble de diestro.

Dima y Hector no han cruzado una sola palabra. El momento recluso-alcaide ha pasado. Dima ha recuperado su inclinación hacia atrás, Hector sus hombros cargados. La ecuánime mirada gris de este es desprejuiciada e imperturbable, pero también inquisitiva. No se trasluce en ella el menor asomo de posesión, de conquista, de triunfo. Podría ser un cirujano decidiendo cómo operar, o si operar.

—¿Dima?

—Sí.

—Soy Tom. Soy su *apparatchik* británico.

—¿El Número Uno?

—El Número Uno le manda saludos. Yo estoy aquí en su representación. Ese es Harry —señalando a Ollie—. Hablaremos en inglés y el Catedrático aquí presente velará por el juego limpio.

—Vale.

—Sentémonos, pues.

Se sientan. Cara a cara, con Perry, el responsable del juego limpio, al lado de Dima.

—Arriba hay otro colega nuestro —continúa Hector—. Está sentado en el bar, solo, frente a un ordenador portátil plateado como el de Harry. Se llama Dick. Lleva gafas y una corbata roja de militante del partido. Cuando salga del club al final del día, Dick se pondrá de pie y cruzará lentamente el vestíbulo por delante de usted, cargado con su ordenador plateado y poniéndose su gabardina de color azul oscuro. Haga el favor de recordarlo para ocasiones futuras. Dick habla con mi misma autoridad y con la autoridad del Número Uno. ¿Entendido?

—Entendido, Tom.

Hector consulta su reloj, y mira luego a Ollie.

—He calculado siete minutos hasta el momento en que usted y el Catedrático suban arriba. Dick nos avisará si se requiere su presencia antes. ¿Es de su gusto, el plan?

—¿De mi gusto? ¿Está usted como una puta cabra?

Se inició el ritual. Perry jamás habría imaginado que tal ritual existía, y sin embargo los dos hombres parecían reconocer su necesidad.

Primero Hector:

—¿Está usted en estos momentos, o ha estado alguna vez, en contacto con algún otro servicio de inteligencia exterior?

Turno de Dima:

—Juro por Dios que no.

—¿Ni siquiera con el ruso?

—No.

—¿Sabe de alguien de su círculo que haya estado en contacto con algún otro servicio de inteligencia?

—No.

—¿O de alguien que venda información similar en otra parte? ¿A cualquiera, la policía, una empresa, un particular, en cualquier lugar del mundo?

—No conozco a nadie así. Quiero a mis hijos en Inglaterra. Ya. Quiero cerrar el trato de una puta vez.

—También yo quiero cerrarlo. Eso mismo quieren Dick y Harry. Y eso quiere el Catedrático. Estamos todos en el mismo bando. Pero primero tiene que convencernos. Y yo tengo que convencer a los otros *apparatchiks* de Londres.

—El Príncipe va a matarme, joder.

—¿Eso se lo ha dicho él?

—Claro. En el puto funeral: «No estés triste, Dima. Pronto te reunirás con Misha». En broma. Una broma pesada.

—¿Cómo ha ido la firma esta mañana?

—Estupendamente. Ya se me ha ido media vida de las putas manos.

—Entonces estamos aquí para organizar la otra media, ¿no?

Por una vez Luke sabe exactamente quién es y qué hace aquí. También lo sabe la directiva del club. Es monsieur Michel Despard, un hombre de buena posición, y espera a su anciana y excéntrica tía, la famosa artista que vive en la Île Saint-Louis y de quien nadie ha oído hablar. Lo ha invitado a comer, y el secretario de ella ha reservado ya una mesa para los dos, pero como excéntrica tía que es, quizá no se presente. Michel Despard sabe que es muy capaz de eso, y como el club también lo sabe, un maître comprensivo lo ha acompañado a un rincón tranquilo del bar, donde, dado que es lunes y llueve, puede esperar tanto como quiera y de paso despachar algún que otro asunto... y gracias por su amabilidad, caballero, muchísimas gracias: con cien euros la vida resulta un poco más fácil.

¿De verdad la tía de Luke es socia del Club des Rois? ¡Claro que sí! Estamos en París. O lo era su difunto protector, el *Comte*, ¿qué más da? O eso les ha contado Ollie bajo la identidad de secretario de la tía de Luke. Y Ollie, como Hector bien ha observado, es el mejor factótum del sector, y la tía confirmará cuanto sea necesario confirmar.

Y Luke se siente a gusto. Como parte activa de una operación, no podría estar más a sus anchas, más relajado. Puede que sea un simple cliente tolerado en el salón del club, aislado en un rincón. Provisto de unas gafas con montura de concha, un auricular inalámbrico y un portátil abierto frente a él, puede que su aspecto sea el de cualquier ejecutivo ajetreado un lunes por la mañana, poniéndose al día con el trabajo que debería haber hecho el fin de semana.

Aun así, muy dentro de él, está en su elemento: tan satisfecho y liberado como nunca. Es la voz ecuánime en medio del fragor insonoro del combate. Es el puesto de observación avanzado, que transmite los partes al cuartel general. Es el microgestor, el hombre propenso a las preocupaciones pero constructivo, el edecán con buen ojo para los detalles vitales que su agobiado comandante pasa por alto o prefiere no ver. Para Hector, esos dos «policías árabes» eran fruto de la exacerbada inquietud de Perry por la seguridad de Gail. Si de verdad existían, eran «un par de polis franceses sin nada mejor que hacer un domingo por la noche». Pero para Luke eran datos operacionales pendientes de verificación, que no debían corroborarse ni descartarse aún, pero sí mantener en reserva hasta disponer de información complementaria.

Consulta su reloj, y luego la pantalla. Hace seis minutos desde que Perry y Dima han bajado por la escalera de los vestuarios. Cuatro minutos y veinte segundos desde que Ollie ha comunicado su entrada en la sala de masajes.

Elevando su campo visual, evalúa la escena que se desarrolla frente a él: primero los Enviados Limpios de los Siete Hermanos, con expresión hosca, engullendo canapés y champán, sin molestarse mucho en conversar con sus acompañantes de lujo. Su jornada de trabajo ha terminado. Han firmado. Están ya a medio camino de Berna, su siguiente parada. Están aburridos, resacosos e inquietos. Sus mujeres de anoche han sido decepcionantes, o eso imagina Luke. ¿Y cómo era que Gail llamaba a esos dos banqueros suizos solos en un rincón, bebiendo agua con gas? Pedro y el Lobo.

Perfecto, Gail. Todo en ella es perfecto. Mírala, trabajándose a los presentes como el que más. Cuerpo fluido, caderas deliciosas, piernas interminables, un encanto curiosamente maternal. Gail con Bunny Popham. Gail con Giles de Salis. Gail con los dos. Emilio dell Oro, atraído como una polilla, se suma al grupo. Lo mismo hace un ruso extraviado que no puede apartar los ojos de ella. Es el gordinflón. Ha abandonado el champán y empezado a pegarle al vodka. Emilio enarca las cejas a la vez que deja caer una pregunta ocurrente que Luke no oye. Gail replica con una agudeza. Luke la ama perdidamente, que es como Luke ama. Siempre.

Emilio lanza miradas hacia la puerta del vestuario por encima del hombro de Gail. ¿A eso aludía el festivo intercambio anterior? Emilio ha dicho: «¿Qué harán ahí abajo esos chicos? ¿Acaso debo ir a ponerles freno?». Y Gail ha respondido: «Ni se le ocurra, Emilio, seguro que se lo están pasando en grande», que es lo que ella diría.

Luke por el micrófono:

—Se acabó el tiempo.

Si pudieras verme ahora, Ben, ver lo mejor de mí, no siempre lo malo. La semana pasada Ben le insistió en que leyese un Harry Potter. Y Luke lo intentó, lo intentó de verdad. Al llegar a casa agotado a las once de la noche, o tendido en vela junto a su irrecuperable esposa, lo intentó. Sin avanzar apenas. Para él, la fantasía no tenía sentido; comprensiblemente, podía aducir, dado que su vida entera, incluso su heroísmo, era pura fantasía. Pues ¿qué había de valeroso en que lo atraparan a uno y después le permitieran huir?

—Es buena, ¿eh? —preguntó Ben, harto ya de esperar la respuesta de su padre—. Te ha gustado, papá. Reconócelo.

—Me ha gustado, sí: es genial —dijo Luke por cumplir.

Una mentira más, y los dos lo sabían. Otro paso que lo alejaba de quien más quería en el mundo.

—¡Silencio en la sala! ¡Inmediatamente, por favor! ¡Gracias! —Bunny Popham, la reina del cotarro, se dirige a la plebe—. Nuestros valientes gladiadores han accedido por fin a honrarnos con su presencia. ¡Pasemos todos de inmediato a la arena! —Risotadas de complicidad ante la palabra «arena»—. Hoy no hay leones, a excepción de Dima. Tampoco hay cristianos, a menos que el Catedrático lo sea, circunstancia de la que no puedo dar fe. —Más risas—. Es lunes y todo está cerrado. Gail, querida, tenga la bondad de precedernos. A lo largo de mi vida he visto prendas magníficas, pero ningunas, debo decir, tan bien lucidas.

Perry y Dima encabezan el grupo; Gail, Bunny Popham y Emilio dell Oro los siguen. Tras ellos, un par de enviados limpios y sus chicas. ¿Cómo de limpios pueden llegar a ser? Luego el gordinflón, sin más compañía que el vaso de vodka. Luke los ve desaparecer a través de una arboleda. Un haz de sol ilumina el sendero florido y se apaga.

Roland Garros una vez más: aunque solo fuera en el sentido de que ni en un caso ni en el otro Gail tuvo conciencia consecutiva del gran partido de tenis bajo la lluvia que con tal diligencia presenciaba. A ratos se preguntaba si los jugadores sí la tenían.

Sabía que Dima había ganado el lanzamiento de moneda porque siempre ganaba. Sabía que había renunciado al saque, optando por quedarse de espaldas a la dirección en que avanzaban las nubes.

Recordaba haber pensado que al principio los jugadores hicieron una aceptable exhibición de rivalidad y después, como los actores cuando decae su concentración, olvidaron que supuestamente participaban en un duelo a vida o muerte por el honor de Dima.

Recordaba haber temido que Perry fuera a patinar en la resbaladiza cinta mojada que delimitaba la pista. ¿Haría algo tan estúpido como torcerse el tobillo? Y haber temido luego que a Dima pudiera pasarle lo mismo.

Y si bien, igual que el público francés del día anterior, muy deportivo, aplaudía escrupulosamente tanto los golpes de Perry como los de Dima, era a Perry a quien no quitaba ojo: en parte para protegerlo, en parte convencida de que era capaz de adivinar, por su lenguaje corporal, qué les había deparado la suerte abajo en el vestuario con Hector.

Recordaba asimismo el ligero chasquido de la pelota ralentizada al botar en la tierra batida húmeda, y como de vez en cuando se dejaba transportar al último tramo de la final del día anterior y tenía que reubicarse en el presente.

Y cómo las pelotas estaban cada vez más pesadas conforme avanzaba el juego. Y cómo Perry, distraído, se precipitaba al golpear esas pelotas tan lentas, bien lanzándolas fuera, o bien —en un par de ocasiones, para vergüenza suya— sin llegar siquiera a pegarle.

Y cómo Bunny Popham, en un momento dado, se inclinó junto a su hombro para preguntarle si prefería escapar antes del siguiente aguacero o quedarse al lado de su hombre y hundirse con el barco.

Y cómo aprovechó esa invitación a modo de excusa para escabullirse al baño y consultar el móvil, por si casualmente Natasha había añadido algún detalle a su comunicación más reciente. Pero no era así. Lo que significaba que las cosas continuaban en el mismo punto que a las nueve de esa mañana, expresado mediante las agoreras palabras que se sabía ya de memoria, incluso mientras las releía:

Esta casa no es soportable Tamara solo está con Dios Katia e Irina son trágicas mis hermanos solo juegan al fútbol sabemos que nos aguarda a todos un mal destino nunca volveré a mirar a mi padre a la cara Natasha.

Botón verde, el sonido del vacío, fin de la llamada.

Gail también era consciente de que, tras el segundo chaparrón —¿o era ya el tercero?—, empezaron a aparecer boquetes en la cancha embebida, que obviamente estaba ya saturada, razón por la cual apareció un caballero, un encargado del club, y discutió con Emilio dell Oro, señalando el estado de la pista e indicándole «no más» con un gesto inequívoco: las palmas de las manos hacia abajo y un movimiento horizontal de dentro afuera.

Pero Emilio dell Oro debía de poseer unas dotes de persuasión únicas, porque cogió al encargado del brazo en actitud de confianza y lo llevó bajo un haya, y al final de la conversación, el encargado se marchó corriendo a la casa club como un colegial escarmentado.

Y en medio de todas estas observaciones y recuerdos dispersos, estaba la omnipresente abogada que llevaba dentro, otra vez en la brecha, sufriendo por la «membrana de verosimilitud», que, desde el principio, parecía a punto de romperse de un momento a otro, lo que no significaba forzosamente el fin del mundo libre tal como lo conocemos, siempre y cuando ella tuviera ocasión de acceder a Natasha y las niñas.

Y de pronto, mientras deja vagar así la mente, hete aquí que Dima y Perry se estrechan las manos y dan el partido por concluido: un apretón no de adversarios reconciliados, a ojos de Gail, sino de cómplices en un engaño tan flagrante que los escasos supervivientes finales acurrucados en las gradas deberían abuchear en lugar de aplaudir.

Y en algún punto en medio de todo esto —puesto que las incongruencias del día no tienen límites— aparece el ruso gordinflón, que ha estado siguiéndola de aquí para allá, y de buenas a primeras le dice que le gustaría echar un polvo con ella. Así tal cual: «Me gustaría echar un polvo contigo», y se queda esperando a oír sí o no. Es un treintañero de ciudad, muy serio él, con la piel deslucida, los ojos inyectados en sangre y un vaso de vodka vacío en la mano.

En un primer momento Gail pensó que había oído mal. Reinaba un gran barullo tanto dentro como fuera de su cabeza. De hecho, la muy incauta le pidió que lo repitiera. Pero esta vez a él le faltó el valor, y se limitó a seguirla a cinco metros de distancia, motivo por el que gustosamente se puso al amparo de Bunny Popham, la opción menos mala a su alcance.

Y así fue a su vez como acabó confesándole que también ella era abogada, momento que siempre temía, porque daba pie a odiosas comparaciones. Pero Bunny Popham aprovechó la excusa solo para armar escándalo:

—¡Dios santo! —alzando la vista al cielo—. ¡Esta sí que es buena! Pues le cedo mis casos cuando quiera, no sé qué más decir.

Le preguntó en qué bufete, y ella, como es natural, se lo dijo. ¿Qué iba a hacer?

Dio muchas vueltas a la perspectiva de marcharse. También eso lo recordaba. Cosas como si utilizaría la nueva bolsa de tenis de Perry para la ropa sucia, y otras cuestiones de igual de trascendencia relacionadas con abandonar París y echarse al camino en busca de Natasha. Perry había reservado la habitación una noche más para poder recoger el equipaje a última hora del día antes de tomar el tren de regreso a Londres, cosa que en el mundo en que habían entrado era la manera normal de viajar a Berna cuando acaso uno está bajo vigilancia y no debe ir allí.

En la sala de masajes proporcionaban albornoces. Perry y Dima los llevaban puestos. Estaban los tres sentados otra vez a la mesa, donde llevaban ya doce minutos según el reloj de Perry. Ollie, con su bata blanca, permanecía inclinado sobre su portátil en el rincón con la bolsa de masajista a los pies, y de vez en cuando anotaba algo y se lo entregaba a Hector, que lo añadía a la pila ante él. El ambiente claustrofóbico recordaba al sótano de Bloomsbury, sin olor a vino, y los ruidos de la vida real alrededor resultaban igual de tranquilizadores: el borboteo de las cañerías, las voces en el vestuario, la cadena de un inodoro, el petardeo de un aire acondicionado defectuoso.

—¿Cuánto recibe Longrigg? —pregunta Hector tras echar un vistazo a una de las notas de Ollie.

—La mitad del uno por ciento —contesta Dima con voz apagada—. El día que concedan a La Arena la licencia de operaciones bancarias, Longrigg cobrará el primer pago. Un año después, el segundo. Al año siguiente, el último.

—Pagaderos ¿dónde?

—En Suiza.

—¿Sabe el número de cuenta?

—No conoceré ese número hasta después de Berna. A veces solo me dan el nombre. A veces solo me dan el número.

—¿Y Giles de Salis?

—Una comisión especial. Solo sé eso, sin confirmación. Emilio me dijo: De Salis recibe una comisión especial. Pero es posible que se la quede Emilio. Después de Berna lo sabré con toda seguridad.

—Una comisión especial ¿de cuánto?

—Cinco millones limpios. Puede que no sea verdad. Emilio es un zorro. Lo roba todo.

—¿Dólares americanos?

—Claro.

—Pagaderos ¿cuándo?

—Igual que Longrigg pero una cantidad fija, no condicionada, y en dos años, no en tres. La mitad al fundarse oficialmente el banco La Arena, la otra mitad después de un año de operaciones. Tom.

—¿Qué?

—Atiéndame, ¿vale? —Su voz vuelve a cobrar vida—. Después de Berna lo tendré todo. Para firmar, tengo que ser parte voluntaria, ¿me oye? No firmo nada de lo que no sea parte voluntaria, tengo ese derecho. Ustedes llevan a mi familia a Inglaterra, ¿vale? Yo voy a Berna, firmo, ustedes se llevan a mi familia, ¡y yo se lo doy todo, mi corazón, mi vida! —Se vuelve hacia Perry—. Usted ha visto a mis hijos, Catedrático. Dios santo, ¿quién carajo se piensan que soy ahora? ¿Están ciegos o qué? Mi Natasha ha enloquecido, no come nada. —Se dirige de nuevo a Hector—. Usted lleve a mis hijos a Inglaterra ya, Tom. Luego cerramos el trato. En cuanto mi familia esté en Inglaterra, yo lo sabré todo. ¡Me importa una mierda!

Pero si Perry se ha dejado conmover por este ruego, en los aquilinos rasgos de Hector se advierte aún una rígida expresión de rechazo.

—Ni hablar —replica Hector. Y pasando por alto las protestas de Dima, añade—: Su mujer y su familia deberán quedarse donde están hasta después de la firma del jueves. Si desaparecen de su casa antes de la firma en Berna, se ponen en peligro ellos mismos, y lo ponen en peligro a usted, y ponen en peligro el trato. ¿Tiene un guardaespaldas en casa, o el Príncipe se lo ha quitado?

—Igor. Algún día lo haremos *vor*. Lo aprecio mucho. Tamara lo aprecia. Los niños también.

«¿Lo haremos *vor*?», repite Perry para sí. Cuando Dima esté instalado en su palacio de Surrey, en las afueras, con Natasha en Roedean y sus hijos en Eton, ¿hará *vor* a Igor?

—En estos momentos lo custodian dos hombres. Niki y uno nuevo.

—Están al servicio del Príncipe. Van a matarme.

—¿A qué hora firma en Berna el jueves?

—A las diez. De la mañana. En Bundesplatz.

—¿Estaban presentes Niki y su amigo en la firma esta mañana?

—Qué va. Se han quedado fuera esperando. Son un par de idiotas.

—¿Y en Berna? ¿Tampoco estarán presentes?

—Qué va. A lo mejor se quedan en la sala de espera. Por Dios, Tom...

—Y después de la firma el banco tiene prevista una recepción para celebrar el acontecimiento. En el hotel Bellevue Palace, nada menos.

—A las once y media. Una recepción a lo grande. Todo el mundo lo celebrará.

—¿Has tomado nota, Harry? —pregunta Hector a Ollie, que sigue en su rincón, y Ollie levanta el brazo en respuesta—. ¿Asistirán Niki y su amigo a la recepción?

Si Dima empieza a perder la calma, la actitud de Hector ha adquirido una intensidad compulsiva.

—¿Mis putos vigilantes? —protesta Dima incrédulamente—. ¿Que si quieren ir a la puta recepción? ¿Está mal de la cabeza? El Príncipe no va a liquidarme en el puto hotel Bellevue. Esperará una semana. Puede que dos. Puede que antes liquide a Tamara, liquide a mis hijos. ¿Yo qué coño sé?

La colérica mirada de Hector permanece inalterable.

—Solo para confirmarlo —insiste—: está seguro de que esos dos vigilantes, Niki y su amigo, no asistirán a la recepción en el Bellevue.

Encorvando los enormes hombros, Dima se sume en una especie de desesperación física.

—¿Seguro? No estoy seguro de nada. A lo mejor sí vienen a la recepción. ¡Por Dios, Tom!

—Supongamos que van. Por si acaso. Pero no lo seguirán cuando vaya a mear.

No hay respuesta, ni Hector la espera. Se dirige parsimoniosamente al rincón de la sala, donde se coloca detrás del hombro de Ollie y escruta la pantalla del ordenador.

—A ver qué le parece este plan. Tanto si Niki y su amigo lo acompañan al Bellevue Palace como si no, hacia la mitad de la recepción... pongamos a eso de las doce del mediodía, lo más cerca de esa hora que le sea posible... usted se va a mear. Muéstrame la planta baja —a Ollie—. El Bellevue tiene dos aseos para los clientes en la planta baja: uno a la derecha según se entra en el vestíbulo, al otro lado de recepción. ¿No es así, Harry?

—Tal cual, Tom.

—¿Sabe a qué aseos me refiero?

—Claro que sí.

—A esos aseos no irá. Para llegar a los otros, dobla a la izquierda y baja por una escalera. Están en el sótano y se usan poco porque caen más a trasmano. La escalera está justo al lado del bar. Entre el bar y los ascensores. ¿Sabe a qué escalera me refiero? Al bajar, hacia la mitad, hay una puerta que se abre empujando cuando no está cerrada con llave.

—He bebido muchas veces en ese bar. Conozco esa escalera. Pero por la noche la cierran. Quizá a veces también de día.

Hector vuelve a su asiento.

—El jueves por la mañana la puerta no estará cerrada con llave. Usted baje por la escalera. Dick, el que está arriba, lo seguirá. En el sótano, hay una salida lateral a la calle. Dick tendrá allí un coche. Lo llevará a un sitio u otro en función de cómo organicemos las cosas en Londres esta noche.

Dima recurre de nuevo a Perry, esta vez con lágrimas en los ojos:

—Quiero a mi familia en Inglaterra, Catedrático. Dígaselo a este *apparatchik*: usted los conoce. Manden primero a los niños, yo iré después. Por mí no hay inconveniente. El Príncipe no me liquidará si mi familia está en Inglaterra. ¿A quién coño le importa?

—A nosotros —replica Hector con vehemencia—. Los queremos a usted y a toda su familia. Lo queremos a usted sano y salvo en Inglaterra, cantando como un ruiseñor. Lo queremos contento. Estamos en medio del trimestre escolar suizo. ¿Tiene algo previsto para los niños?

—Después del funeral de Moscú les dije: a la mierda el colegio, a lo mejor nos vamos de vacaciones. Volveremos a Antigua, tal vez a Sochi, para pasarlo bien, para ser felices. Después de Moscú, les conté una bola detrás de otra. Dios mío.

Hector no se inmuta.

—Están en casa, pues, no en el colegio, esperando a que usted vuelva, pensando que es posible que usted se los lleve a algún sitio, pero sin saber adónde.

—Unas vacaciones sorpresa, les dije. Como un secreto. A lo mejor se lo creyeron. A lo mejor.

—El jueves por la mañana, mientras usted esté en el banco y celebrando en Bellevue, ¿qué hará Igor?

Dima se frota la nariz con el pulgar.

—A lo mejor va de compras a Berna. A lo mejor lleva a Tamara a la iglesia rusa. A lo mejor lleva a Natasha a la hípica. Si no está leyendo.

—El jueves por la mañana Igor tiene que ir de compras a Berna. ¿Puede decírselo a Tamara por teléfono sin que quede raro? Su mujer debe darle a Igor una larga lista de la compra. Provisiones para cuando vuelvan de sus vacaciones sorpresa.

—Vale. Veremos.

—¿Solo «veremos»?

—Vale. Se lo diré a Tamara. Está un poco mal de la cabeza. Lo hará. Seguro.

—Mientras Igor hace la compra, Harry y el Catedrático recogerán a su familia en la casa para llevarlos a esas vacaciones sorpresa.

—A Londres.

—O a un lugar seguro. Lo uno o lo otro, según cuánto tardemos en organizar su traslado a Inglaterra. Si, en virtud de la información que usted nos ha dado hasta ahora, logro convencer a mis *apparatchiks* para que se fíen de que el resto ya les llegará, sobre todo la información que está a punto de obtener en Berna, los llevaremos a usted y su familia el jueves por la noche a Londres en un avión especial. Prometido. Con el Catedrático como testigo. Si no, los trasladaremos a usted y su familia a un lugar seguro y cuidaremos de ustedes hasta que mi Número Uno diga «venid a Inglaterra». Esa es la realidad de la situación tal como yo la veo. Perry, tú puedes confirmarlo.

—Sí.

—Durante la segunda firma en Berna, ¿cómo registrará la información que reciba?

—Eso no es problema. Primero estaré solo con el director del banco. Tengo derecho. Quizá le diga: hazme unas copias de esta mierda. Necesito copias antes de firmarlo. Es amigo mío. Si no acepta, da igual. Tengo buena memoria.

—En cuanto Dick lo saque del hotel Bellevue Palace, le dará una grabadora y deberá grabar todo lo que haya visto y oído.

—Nada de fronteras.

—No cruzará ninguna frontera hasta que llegue a Inglaterra. Eso también se lo prometo. Perry, tú me has oído.

Perry lo ha oído, y aun así, por un momento, con la mirada perdida, se abisma en sus cavilaciones, juntando en la frente sus largos dedos.

—Tom dice la verdad, Dima —admite por fin—. A mí también me ha dado su palabra. Yo le creo.

14

Luke recogió a Gail y Perry en el aeropuerto de Zurich-Kloten a las cuatro de la tarde del día siguiente, martes, después de pasar estos una noche intranquila en el piso de Primrose Hill, los dos en vela, preocupados por asuntos distintos: Gail sobre todo por Natasha —¿a qué se debía aquel repentino silencio?—, pero también por las niñas. Perry por Dima y la inquietante idea de que a partir de ese momento Hector dirigiría las operaciones desde Londres, y Luke tendría el mando y el control in situ con el respaldo de Ollie y, en su defecto, de él mismo.

Desde el aeropuerto, Luke los llevó en coche a un Gasthof de un antiguo pueblo enclavado en un valle a unos kilómetros al oeste del núcleo urbano de Berna. El Gasthof era encantador. El valle, en su día idílico, era ahora un deprimente complejo urbanístico formado por anodinos bloques de apartamentos, letreros de neón, torres de alta tensión y un sex-shop. Luke esperó a que Perry y Gail se registraran y luego se tomó una cerveza con ellos en un rincón discreto del Gaststube. Poco después se reunió con ellos Ollie. En lugar de la boina, llevaba un sombrero de fieltro de ala ancha, garbosamente sesgado sobre un ojo, pero por lo demás exhibía la personalidad incontenible de siempre, dispuesto a informarlos de los últimos detalles organizativos.

Pero antes los informó Luke de la parte que a él le atañía. Con Gail, tuvo un trato tenso y distante, nada más lejos del coqueteo. La opción preferida de Hector, anunció a los reunidos, era inviable. Tras los primeros sondeos en Londres —no mencionó a Matlock delante de Perry y Gail—, Hector no veía la menor posibilidad de conseguir autorización para trasladar a Dima y familia a Inglaterra inmediatamente después de la firma del día siguiente, y por tanto había puesto en marcha su plan alternativo, a saber, una casa franca dentro de las fronteras de Suiza hasta recibir luz verde. Hector y Luke se habían devanado los sesos para encontrar el lugar idóneo, llegando a la conclusión de que, dada la complejidad de la familia, «remoto» no era sinónimo de «secreto».

—Y creo, Ollie, que esa es también tu opinión, ¿no?

—Total y absolutamente, Luke —contestó Ollie con su cockney un tanto dudoso, enturbiado por un leve dejo extranjero.

Suiza disfrutaba de un verano prematuro, prosiguió Luke. Mejor, pues, conforme al principio maoísta, refugiarse entre la multitud que dar la nota en un pueblo pequeño donde toda cara desconocida es objeto de curiosidad, tanto más si la cara en cuestión es la de un ruso calvo e imperioso acompañado de dos niñas pequeñas, dos gemelos bulliciosos en plena pubertad, una hija adolescente de una belleza devastadora y una esposa medio ausente.

La distancia tampoco ofrecía protección alguna a juicio de los planificadores descalzos: todo lo contrario, ya que el pequeño aeropuerto de Berna-Belp era ideal para el despegue discreto de un avión privado.

Después de Luke le tocó a Ollie, y Ollie, como Luke, estaba en su elemento, siendo su estilo informativo parco y meticuloso. Una vez analizadas varias posibilidades, explicó, había optado por un chalet moderno, construido para alquilar, en una ladera cercana al popular pueblo turístico de Wengen, en el valle de Lauterbrunnen, a sesenta minutos en coche y a quince minutos en tren de donde se hallaban en ese momento.

—Y sinceramente, si alguien se para a mirar dos veces ese chalet, no se me pasará por alto —concluyó con tono desafiante, dando un tirón al ala de su sombrero negro.

Acto seguido Luke, siempre eficaz, les entregó una sencilla tarjeta con el nombre y la dirección del chalet y el número del teléfono fijo para llamadas imprescindibles e inocuas en caso de que surgiera algún problema con los móviles, si bien, informó Ollie, en el propio pueblo la cobertura era impecable.

—¿Y cuánto tiempo van a estar los Dima inmovilizados allí? —preguntó Perry en su papel de amigo de los reclusos.

No preveía una respuesta aclaratoria pero, para su sorpresa, Luke estuvo muy comunicativo, o desde luego más de lo que Hector habría estado en circunstancias similares. Era inevitable pasar por una serie de aros en Whitehall, explicó Luke: Inmigración, Ministerio de Justicia, Ministerio del Interior, por nombrar solo tres. De momento Hector concentraba todos sus esfuerzos en soslayar el mayor número posible de dichos aros hasta que Dima y familia se hallaran sanos y salvos en Inglaterra.

—A ojo, calculo que serán tres o cuatro días. Menos con un poco de suerte, más en caso contrario. A partir de ese punto la logística empieza a ocluirse un poco.

—¡Ocluirse! —exclamó Gail con incredulidad—. ¿Como una arteria?

Luke se sonrojó. Pero enseguida se echó a reír con ellos e hizo el esfuerzo de explicarse. En operaciones como esa —y no es que hubiera dos iguales—, el proceso debía revisarse continuamente, dijo. Cuando Dima desapareciera de la circulación —a eso de las doce del día siguiente, Dios mediante—, se produciría cierto revuelo para localizarlo, aunque nadie sabía exactamente qué forma adquiriría dicho revuelo.

—Solo quiero decir, Gail, que a partir de mañana al mediodía, el reloj se pondrá en marcha, y tendremos que estar preparados para adaptarnos a corto plazo según convenga. Podemos hacerlo. Es lo nuestro. Para eso nos pagan.

Después de instar a los tres a irse a dormir temprano y llamarlo a cualquier hora en caso de necesidad, Luke regresó a Berna.

—Y si me llamáis a través de la centralita del hotel, no olvidéis que soy John Brabazon —les recordó con una sonrisa tensa.

Solo en su habitación de la primera planta del rutilante hotel Bellevue Palace de Berna, con el río Aar bajo su ventana y los picos del Oberland bernés a lo lejos, negros contra el cielo anaranjado, Luke intentó ponerse en contacto con Hector y oyó su voz codificada decir «a menos que esté hundiéndose el mundo, deja un mensaje, maldita sea», y si la cosa era así de grave, tanto servía el criterio de Luke como el de Hector, «así que haz lo que tengas que hacer y no te quejes», lo que arrancó a Luke una carcajada, y confirmó de paso sus sospechas: Hector se había enzarzado en un duelo burocrático a vida o muerte en el que no cabía respetar los horarios de trabajo convencionales.

Tenía un segundo número al que llamar en caso de urgencia, pero como, por lo que él sabía, no existía tal urgencia, dejó un festivo mensaje en el contestador informando de que el mundo aún seguía en pie, Milton y Doolittle permanecían en sus puestos y con la moral alta, y Harry llevaba a cabo un trabajo impecable, y besos a Yvonne. Luego se dio una larga ducha y se puso su mejor traje antes de bajar con la idea de iniciar el reconocimiento del hotel. Se sentía aún más liberado, si cabe, que en el Club des Rois. Era Luke descalzo, montado en una nube: sin instrucciones de última hora desde la cuarta planta por efecto del pánico, sin incontrolable sobrecarga de observadores, escuchas, helicópteros sobrevolando la zona, ni toda esa dudosa parafernalia propia de las operaciones secretas modernas; y sin ningún señor de la guerra, cocainómano para más señas, que lo encadenase en una empalizada en la selva. Solo Luke descalzo y su pequeño pelotón de soldados leales —incluida una de la que estaba enamorado, como de costumbre—, y Hector en Londres luchando por una buena causa y dispuesto a respaldarlo incondicionalmente.

—Ante la duda, déjate de dudas. Es una orden. No le des vueltas, actúa sin más —lo había instado Hector ante un apresurado whisky de despedida en el aeropuerto Charles de Gaulle la tarde del día anterior—. No pagaré el pato. El puto pato soy yo. Aquí no hay un segundo premio. Salud y que Dios nos ayude.

En ese momento algo se había agitado dentro de Luke: una mística sensación de unión, de afinidad con Hector que iba más allá de lo gremial.

—¿Y qué tal está Adrian? —preguntó, recordando la gratuita intromisión de Matlock y deseando reconducirla.

—Ah, mejor, gracias. Mucho mejor —respondió Hector—. Los psiquiatras creen que han acertado con la combinación de fármacos. En seis meses tendría que estar fuera. Si se comporta. ¿Y Ben qué tal?

—Muy bien. Francamente bien. Y lo mismo Eloise —contestó Luke, arrepintiéndose de haber preguntado.

En el mostrador del hotel, una recepcionista alemana y chic a más no poder informó a Luke de que en esos momentos Herr Direktor, alemán, llevaba a cabo su habitual ronda entre los clientes en el bar. Luke fue derecho a él. Esas cosas se le daban bien cuando tenía que hacerlas. No era tal vez el factótum nato, como Ollie, sino más bien el caradura inglés con desparpajo, sin el menor empacho.

—¿Caballero? Me llamo Brabazon. John Brabazon. Es la primera vez que me alojo aquí. ¿Me permite que le diga una cosa?

Herr Direktor se lo permitió, y sospechando que era una mala noticia, se preparó para oírla.

—Este es sencillamente uno de los hoteles modernistas... supongo que no emplearán la palabra eduardiano... más exquisitos, mejor conservados que he encontrado en mis viajes.

—¿Es usted hostelero?

—Pues no, lamento decir. Soy solo un vulgar periodista. Del *Times*, Londres. Sección de viajes. Me presento sin previo aviso, lamento decir. Por un asunto privado...

—... y este es nuestro salón de baile, que llamamos Salon Royal... y esta es nuestra pequeña sala de banquetes, que llamamos Salon du Palais... y este es nuestro Salon d'Honneur, donde celebramos los cócteles. Nuestro chef se enorgullece de sus aperitivos. Y este, claro está, es nuestro restaurante, La Terrasse, para los días con buen tiempo como hoy, y de hecho el lugar de encuentro obligado para todos los berneses elegantes, pero también para nuestros huéspedes internacionales. Aquí han comido muchas personas destacadas, incluso actores de cine. Podemos ofrecerle una considerable lista, y también la carta.

—¿Y las cocinas? —preguntó Luke, porque no quería dejar nada al azar—. ¿Me permite echar una ojeada si los cocineros no tienen inconveniente?

—Al contrario, se sentirán honrados, señor Brabazon.

Y cuando Herr Direktor, de manera exhaustiva, le hubo enseñado todo lo que había por enseñar, y cuando Luke hubo mostrado el debido asombro y tomado abundantes notas, y para su propia satisfacción unas cuantas fotografías con el móvil si a Herr Direktor no le importaba, aunque, como era natural, el periódico enviaría un verdadero fotógrafo si el hotel accedía —accedía—, regresó al bar y, después de obsequiarse con un sándwich Club exquisito y una copa de Dôle, añadió unos cuantos toques finales a su visita periodística, que incluyeron detalles tan banales como los aseos, las escaleras de incendios, las salidas de emergencia, los aparcamientos y el proyectado gimnasio en la azotea, actualmente en construcción, antes de retirarse a su habitación y telefonear a Perry para asegurarse de que seguían bien. Gail dormía, Perry esperaba hacer eso mismo de un momento a otro. Al colgar, Luke pensó que había estado lo más cerca de Gail en la cama que probablemente estaría nunca. Telefoneó a Ollie.

—Todo de maravilla, Dick, gracias. Y lo del transporte, por si te preocupaba, a pedir de boca. Por cierto, ¿qué conclusiones has sacado en cuanto a esos policías árabes?

—No sabría decirte, Harry.

—Yo también tengo mis dudas. Pero no te fíes nunca de un policía, como yo digo. Por lo demás, ¿todo bien, pues?

—Hasta mañana.

Y por último Luke telefoneó a Eloise.

—¿Estás pasándotelo bien, Luke?

—Sí, la verdad es que sí, gracias. Berna es una ciudad preciosa. Deberíamos venir juntos alguna vez. Traer a Ben.

Así es como hablamos siempre: por el bien del niño. Para que se beneficie al máximo de unos padres felices y heterosexuales.

—¿Quieres hablar con él? —preguntó ella.

—¿Aún no se ha acostado? ¿No me digas que todavía está haciendo las tareas de español?

—Allí es una hora más, Luke.

—Ah, sí, claro. Entonces sí, por favor. Si es posible. Hola, Ben.

—Hola.

—Estoy en Berna, para mi castigo. Berna, en Suiza. La capital. Aquí hay un museo fantástico. El museo Einstein, uno de los mejores que he visto en la vida.

—¿Has ido a un museo?

—Solo media hora. Anoche cuando llegué. Inauguraban una exposición a última hora. Está enfrente del hotel, al otro lado del puente. Y fui.

—¿Por qué?

—Porque me apetecía. Me lo recomendó el conserje y fui.

—¿Así sin más?

—Sí. Así sin más.

—¿Qué más te recomendó?

—¿A qué te refieres?

—¿Has comido fondue de queso?

—No es muy divertido si estás solo. Os necesito a mamá y a ti. Os necesito a los dos.

—Ya, claro.

—Y con un poco de suerte estaré de vuelta para el fin de semana. Iremos al cine o algo así.

—Tengo que hacer una redacción de español, si no te importa.

—Claro que no me importa. Que te vaya bien. ¿De qué trata?

—La verdad es que no lo sé. Cosas españolas. Adiós.

—Adiós.

«¿Qué más te recomendó el conserje?» ¿He oído bien? Como si preguntara: «¿Te mandará el conserje a una fulana?». ¿Qué ha estado contándole Eloise de mí? ¿Y por qué demonios le he dicho que estuve en el museo Einstein si solo vi el folleto en recepción?

Se fue a la cama, puso la BBC World News y enseguida apagó el televisor. Medias verdades. Un cuarta parte de verdades. Lo que el mundo sabe realmente de sí mismo no se atreve a decirlo. Desde lo de Bogotá había descubierto que a veces le faltaba valor para afrontar su soledad. Tenía la sensación de que había estado manteniendo unidas por la fuerza muchas partes de sí mismo durante demasiado tiempo, y ahora empezaban a desarmarse. Fue al minibar, se sirvió un whisky con soda y lo dejó al lado de la cama. Uno solo, y se acabó. Echó de menos a Gail, y luego a Yvonne. ¿Estaría Yvonne quemándose las pestañas con las muestras comerciales de Dima, o acaso yacía en los brazos de su marido perfecto? Si es que este existía, cosa que a veces Luke dudaba. Tal vez se lo había inventado para ahuyentarlo. Volvió a pensar en Gail. ¿También Perry era perfecto? Probablemente sí. Excepto Eloise, todo el mundo tenía un marido perfecto. Pensó en Hector, padre de Adrian. Hector visitando a su hijo en la cárcel todos los miércoles y los sábados, seis meses con suerte. Hector el Savonarola secreto, como lo había llamado algún ingenioso, el fanático obsesionado con la reforma de la Agencia que veneraba, consciente de que perderá la batalla aunque la gane.

Sabía que de un tiempo a esa parte el Comité de Atribuciones disponía de su propia sala de crisis. Parecía lógico: debía de estar en algún lugar muy, muy secreto, suspendida de cables o a treinta metros bajo tierra. En fin, él había estado en salas como esa: en Miami y Washington cuando intercambiaba información con sus *chers collègues* de la CIA, o de la Agencia Contra la Droga, o de la Agencia para el Control del Alcohol, las Armas y el Tabaco, y otras agencias, a saber cuáles. Y en su ponderada opinión, eran lugares donde el delirio colectivo estaba garantizado. Había visto cómo se alteraba el lenguaje corporal conforme los adoctrinados abandonaban su identidad y su sentido común para integrarse en aquel mundo virtual.

Pensó en Matlock, que iba de vacaciones a Madeira y no sabía qué era un «hotel negro». Matlock arrinconado por Hector, sacándose del bolsillo el nombre de Adrian y disparándolo a quemarropa. Matlock sentado ante su ventanal con vistas al Padre Támesis enumerando soporíferamente sus torpes sutilezas, primero el palo, luego la zanahoria, luego los dos juntos.

En fin, Luke no había mordido el anzuelo ni agachado la cabeza. No es que poseyera una gran astucia, como él mismo reconocía: era «insuficientemente manipulador», según rezaba en uno de sus informes anuales confidenciales, y en el fondo le complacía. No se consideraba manipulador. Lo suyo era más bien la tenacidad. Persistía. Se aferraba a una misma nota contra viento y marea: «no, no y no», ya fuera encadenado en una empalizada o sentado en la otra butaca del confortable despacho de Matlock en *la Lubyanka-sur-Thamise*, tomándose su whisky y esquivando sus preguntas. Solo con escucharlas, uno podía abstraerse en sus pensamientos.

«Un contrato de tres años ampliable a cinco en una academia de instrucción, Luke, incluida una bonita vivienda para tu mujer, cosa que contribuirá a mejorar las cosas después de los conflictos que no es necesario mencionar, un plus por cambio de residencia, agradable aire marino, buenos colegios en el barrio... No tendrías que vender tu casa de Londres si no quisieras, no ahora que los precios han caído... Alquílala, ese es mi consejo, disfruta de la renta. Ve a hablar con contabilidad en la planta baja, diles que te mando yo... No estamos al nivel de Hector en cuestiones inmobiliarias, pocos lo están. —Un silencio para aparentar honrada preocupación—. Confío en que Hector no vaya a arrastrarte a algo que te venga grande, Luke, siendo como eres un tanto promiscuo en tus lealtades, si me permites decirlo... Me han contado que Ollie Devereux ha caído bajo su hechizo, dicho sea de paso, cosa que considero una imprudencia por su parte. A jornada completa está Ollie, por lo visto, ¿no? ¿O es más bien una colaboración informal?»

Y repitiéndolo todo para Hector una hora después.

—¿En estos momentos Billy Boy está con nosotros o contra nosotros? —había preguntado Luke a Hector ante la misma copa de despedida en el aeropuerto Charles de Gaulle cuando, gracias a Dios, pasaron a temas menos personales.

—Billy Boy irá allí donde crea que está su título de caballero. Si tiene que elegir entre los guardabosques y los cazadores furtivos, elegirá a Matlock. Así y todo, un hombre que odia a Aubrey Longrigg tanto como él no puede ser del todo malo —añadió Hector como si acabara de concebir la idea.

En otras circunstancias Luke habría puesto en duda tan feliz afirmación, pero no era el momento, no en vísperas de la decisiva batalla de Hector con las fuerzas de las tinieblas.

A saber cómo, era ya jueves por la mañana. A saber cómo, Gail y Perry habían dormido un poco y despertado con el ánimo bien dispuesto para el desayuno con Ollie, que después se marchó en busca de la carroza real, como él la llamaba, mientras ellos preparaban la lista de la compra e iban al supermercado a por alguna que otra cosa para los niños. Como no fue raro, eso les recordó una expedición parecida a St. John's la tarde que Ambrose los acompañó hasta el nacimiento del fragoso sendero que conducía hasta Las Tres Chimeneas a través del bosque, pero esta vez la selección fue mucho más prosaica: agua, con y sin gas, refrescos —bueno, vale, les dejaremos beber Coca-Cola (Perry)—, cosas para picar —los niños por lo general prefieren lo salado a lo dulce, aunque no lo sepan (Gail)—, pequeñas mochilas para todos, da igual si no son de comercio justo; un par de pelotas de goma y un bate de béisbol, que era lo más cercano al críquet que podían conseguir allí pero, si es necesario, les enseñaremos a jugar al pichi, o más probablemente, como los chicos juegan al béisbol, nos enseñarán ellos a nosotros.

La carroza real de Ollie era un viejo remolque para caballos de siete metros con los laterales de madera y el techo de lona. Tenía compartimentos para dos caballos, separados por una mampara, y en el suelo había cojines y mantas para seres humanos. Gail se sentó con cuidado en los cojines. Perry, complacido ante la perspectiva de un viaje rústico, subió de un salto detrás de ella. Ollie recogió la rampa y, accionando el manubrio, bajó el portón trasero. De pronto quedó clara la finalidad del sombrero negro de ala ancha: era Ollie el alegre gitano, camino de la feria de caballos.

Estuvieron en marcha quince minutos según el reloj de Perry y se detuvieron con una sacudida en tierra blanda. Nada de travesuras ni de asomarse, había advertido Ollie. Soplaba un viento cálido y el techo de lona encima de ellos se hinchaba como un *spinnaker*. Según los cálculos de Ollie, estaban a diez minutos de su objetivo.

«Luke Solo», lo llamaban sus profesores de primaria, como el intrépido héroe de una novela de aventuras olvidada hacía mucho tiempo. Al pensar que a los ocho años manifestaba ya la misma sensación de soledad que lo asediaba a los cuarenta y tres, siempre le parecía injusto.

Pero Luke Solo había seguido siendo, y Luke Solo era en ese momento, con sus gafas de montura de concha y su corbata de la Rusia roja, tecleando ante un portátil plateado, sentado bajo el dosel de cristal espléndidamente iluminado del gran vestíbulo del hotel Bellevue Palace, con una gabardina azul colgada, muy visible, en el brazo de una butaca de piel a medio camino entre las puertas de cristal de la entrada y el Salon d'Honneur, con columnas, escenario del *apéro* que está a punto de ofrecer a mediodía el Consorcio Internacional La Arena, véase el hermoso poste indicador de bronce que señala el camino a los invitados. Era Luke Solo, atento a quienes entraban por las muchas y muy elegantes puertas con espejo, allí en espera para evacuar sin ayuda de nadie a un candente desertor ruso.

Durante los últimos diez minutos había contemplado con cierto asombro pasivo la aparición deliberadamente discreta primero de Emilio dell Oro y los dos banqueros suizos, inmortalizados por Gail como Pedro y el Lobo, seguidos de un grupo de hombres con traje gris, luego dos jóvenes saudíes, a juzgar por su aspecto, luego una mujer china y un individuo moreno de hombros anchos a quien Luke atribuyó arbitrariamente un origen griego.

A continuación, en aburrido tropel, los Siete Enviados Limpios en persona, sin más protección que la de Bunny Popham con un clavel en la solapa, y Giles de Salis, lánguidamente encantador, provisto de un bastón de empuñadura de plata a juego con su traje insultantemente perfecto.

Aubrey Longrigg, ¿dónde estás ahora que te necesitan?, quiso preguntarle Luke. ¿Escondiendo la cabeza? Un hombre sensato. Un escaño seguro en el Parlamento y una entrada gratis para el Abierto francés es una cosa, como lo es un soborno *offshore* y unos cuantos diamantes más para tu lerda esposa, amén de un cargo de director no ejecutivo en un buen banco nuevo de la City con miles de millones recién blanqueados para jugar. Pero una firma de gala en un banco suizo bajo los focos ya es pasarse de la raya: o eso pensaba Luke cuando la figura desgarbada, calva e irascible de Aubrey Longrigg, diputado, ascendió parsimoniosamente por la escalinata —él en carne y hueso, no ya un retrato—, con Dima, el blanqueador de dinero número uno del mundo, a su lado.

Cuando Luke se hundió un poco más en su butaca de piel y levantó un poco más la tapa de su portátil plateado, supo que si en su vida había existido algo parecido a un momento Eureka era precisamente ese, y nunca habría otro igual, dando gracias una vez más a los dioses en los que no creía por no haber puesto jamás los ojos en Aubrey Longrigg en sus muchos años al servicio de la Agencia, y por que Longrigg, que Luke supiese, no los hubiera puesto en él.

Aun así, solo cuando tuvo la seguridad de que los dos hombres habían pasado camino del Salon d'Honneur —Dima casi lo había rozado— se atrevió Luke a alzar la cabeza y, con una rápida ojeada a los espejos, determinó los siguientes datos de interés para la operación:

Dato uno: Dima y Longrigg no estaban hablando entre sí. Y con toda probabilidad tampoco hablaban entre sí al llegar. Simplemente, por casualidad, habían coincidido en la escalinata. Los seguían otros dos hombres —los típicos contables suizos, de mediana edad y aspecto formal—, y lo más seguro, a juicio de Luke, era que Longrigg hubiera estado hablando con uno de ellos o con los dos, no con Dima. Y si bien la conclusión era endeble —cabía la posibilidad de que hubieran hablado entre sí antes—, Luke tuvo la cautela de buscar consuelo en ello, porque nunca es agradable descubrir, justo cuando la operación cristaliza, que el topo tiene una relación personal que desconocías con uno de los elementos principales. Por lo demás, en lo que se refería a Longrigg, lo asaltó un único pensamiento, exultante, obvio: «¡Está aquí! ¿Lo he visto! ¡Soy el testigo!».

Dato dos: Dima ha decidido marcharse a tambor batiente. Para la gran ocasión se ha puesto un traje milrayas azul a medida de chaqueta cruzada, y para sus delicados pies unos mocasines negros italianos de becerro con borlas, no el calzado ideal, en la efervescente cabeza de Luke, para salir de estampía, pero aquí no vamos a salir de estampía, aquí vamos a replegarnos ordenadamente. A Luke le asombró la actitud de Dima, tratándose de alguien que, según pensaba él mismo, acababa de firmar su propia sentencia de muerte. Quizá estuviera saboreando anticipadamente la venganza: el honor de un viejo *vor* que pronto se vería restablecido, y el asesinato de un discípulo que quedaría desagraviado. Quizá, en medio de todas sus angustias, sencillamente se alegraba de poner fin a las mentiras, las evasivas y la simulación, y pensaba ya en la Inglaterra verde y apacible que lo esperaba a él y su familia. Luke conocía bien ese sentimiento.

El *apéro* está en marcha. Un borboteo grave sale del Salon d'Honneur, sube el volumen y vuelve a bajar. Un invitado honorable pronuncia una alocución, primero en un ruso indistinto, después en un inglés indistinto. ¿Pedro? ¿El Lobo? ¿De Salis? No. Es Emilio dell Oro; Luke reconoce su voz porque la recuerda del club de tenis. Aplausos. Un silencio de iglesia mientras se hace un honorable brindis. ¿Por Dima? No, por el honorable Bunny Popham, que es quien responde; Luke conoce también esa voz, y las risas lo confirman. Consulta su reloj, saca el móvil, pulsa el botón preasignado a Ollie:

—Veinte minutos si es puntual —dice, y una vez más se concentra en su portátil plateado.

Ay, Hector. Ay, Billy Boy. Ya veréis cuando os diga con quién me he tropezado hoy.

«¿Te importa que pontifique un poco, Luke, aquí de manera improvisada?», pregunta Hector, y apura su whisky en el aeropuerto Charles de Gaulle.

A Luke no le importa en absoluto. Los temas de Adrian, Eloise y Ben han quedado atrás. Hector acaba de pronunciar su dictamen acerca de Billy Boy Matlock. Han anunciado la salida de su vuelo.

«En la planificación operacional, solo hay dos circunstancias en las que es válida la flexibilidad. ¿Me sigues, Luke?»

Te sigo, Hector.

«Una, cuando elaboras el plan. Eso ya lo hemos hecho. Dos, cuando el plan se va al garete. Hasta ese momento, cíñete como una malla a lo que hemos decidido, o la has cagado. Y ahora venga esa mano.»

He aquí, pues, la duda que asaltó a Luke mientras, a falta de cero minutos, esperaba con la mirada fija en la incoherente verborrea de la pantalla de su portátil plateado a que Dima abandonase, solo, el Salon d'Honneur: ¿el recuerdo del sermón de despedida de Hector acudió a su memoria antes de ver a Niki el cara de niño y el filósofo cadavérico apostarse en las dos sillas de respaldo alto a los lados de las puertas de cristal? ¿O fue inducido por el sobresalto de verlos allí?

Y a propósito, ¿quién fue el primero en llamarlo «filósofo cadavérico»? ¿Perry o Hector? No, fue Gail. Muy propio de Gail. ¿Quién, si no?

¿Y por qué justo en el momento en que descubrió la presencia de esos dos hombres el murmullo en el Salon d'Honneur fue en aumento hasta convertirse en barullo y las grandes puertas —de hecho solo una, advirtió— se abrieron para dejar salir a Dima, totalmente solo?

La desorientación de Luke no solo fue temporal, sino también espacial. Mientras Dima se acercaba desde atrás, Niki y el filósofo cadavérico se pusieron de pie delante de él, dejando a Luke encorvado a medio camino entre uno y otro, sin saber hacia dónde mirar.

Una colérica sarta de obscenidades en ruso por encima de su hombro derecho le anunció que Dima se había detenido junto a él:

—¿Qué coño queréis de mí, comemierdas? ¿Quieres saber qué voy a hacer, Niki? Voy a mear. ¿Quieres verme mear? Lárgate de aquí. Vete a mearte en el Príncipe, esa perra.

Detrás del mostrador, el conserje levantó la cabeza discretamente. La recepcionista alemana y chic a más no poder se dio media vuelta para echar un vistazo. Quizá ella misma era rusa. Resueltamente sordo a todo ello, Luke tecleó letras sin sentido en su portátil plateado. Niki y el filósofo cadavérico permanecieron allí de pie. Ninguno de los dos se había movido. Quizá sospechaban que la intención de Dima era salir corriendo hacia la calle por las puertas de cristal. En lugar de eso, con un ahogado «me cago en vuestras putas madres», se puso de nuevo en marcha y cruzó el vestíbulo hasta el corto pasillo que llevaba al bar. Dejó atrás el ascensor y se acercó a lo alto de la escalera de piedra que descendía a los aseos del sótano. Para entonces ya no estaba solo. Niki y el filósofo lo seguían, y a unos pasos por detrás de Niki y el filósofo se hallaba el pequeño Luke, dócil e inadvertido, con el portátil bajo el brazo y la gabardina azul encima, necesitando ir al baño.

El corazón ya no le late vigorosamente; se siente los pies y las rodillas prestos y ligeros. Oye y piensa con claridad. Se recuerda a sí mismo que él conoce el terreno y los guardaespaldas no, y Dima también lo conoce, mayor razón para que los guardaespaldas, si es que necesitan motivación extra, se queden detrás de Dima en lugar de situarse delante.

Luke está tan sorprendido por la imprevista aparición de esos dos hombres como a todas luces lo está Dima. No alcanza a comprender, como tampoco Dima, que acosen así a alguien que ya no les sirve de nada y que, según los cálculos de él mismo y probablemente también de ellos, no tardará en estar muerto. Pero no morirá aquí y ahora. No a plena luz del día, a la vista de todo el hotel, con los Siete Enviados Limpios, un distinguido diputado británico y otros dignatarios acabándose el champán y los canapés a veinte metros de allí. Además, como se sabe, el Príncipe es muy puntilloso con sus asesinatos. Le gustan los accidentes, o los atentados terroristas de malhechores chechenos perpetrados indiscriminadamente.

Pero tales reflexiones han de quedar para mejor momento. Si el plan «se ha ido al garete», en palabras de Hector, este es un momento en que recurrir a la flexibilidad, un momento «no para darle vueltas, sino para actuar sin más», por citar otra vez a Hector, un momento para recordar todo aquello que le han inculcado machaconamente en los sucesivos cursos de combate sin armas a lo largo de los años, pero que nunca se ha visto en la necesidad de poner en práctica salvo aquella vez en Bogotá, y su actuación fue entre regular y mediocre a lo sumo: unos cuantos golpes a bulto y luego oscuridad.

Pero en esa ocasión fueron los sicarios del magnate de la droga quienes se beneficiaron del factor sorpresa, y ahora era

Luke quien lo tenía a su favor. No disponía de unas tijeras para papel, ni de un puñado de calderilla, ni de los cordones de las botas atados, ni de ninguno de esos absurdos artefactos caseros para matar que tanto entusiasmaban a los instructores, pero sí tenía a su disposición un ordenador portátil plateado y, gracias sobre todo a Aubrey Longrigg, una ira extrema. Había acudido a él como un amigo en una situación de necesidad, y en ese momento fue para él un amigo mejor que el valor.

Hacia la mitad de la escalera de piedra Dima alarga el brazo para empujar la puerta.

Niki y el filósofo cadavérico permanecen detrás de él, muy cerca, y Luke permanece detrás de ellos, pero no tan cerca como ellos respecto a Dima.

Luke se siente cohibido. Para un hombre, descender a unos aseos es un asunto íntimo, y Luke valora mucho su intimidad. Así y todo, experimenta un momento de lucidez espiritual único en la vida. Por una vez, la iniciativa la tiene él y nadie más que él. Por una vez, él es el agresor legítimo.

La puerta ante la que se detienen se cierra a veces con llave por motivos de seguridad, como bien señaló Dima en París, pero hoy no está cerrada. Existe la total certeza de que va a abrirse, y eso es porque Luke lleva la llave en su bolsillo.

Por tanto, la puerta se abre, mostrando, más abajo, el hueco de escalera exiguamente iluminado. Dima encabeza aún la marcha, pero esa situación cambia de pronto cuando Luke, de un golpe de portátil ciertamente colosal, manda al filósofo cadavérico rodando escalera abajo sin una queja, más allá de Dima, haciendo perder el equilibrio a Niki y permitiendo así a Dima agarrar por el cuello a su odiado guardaespaldas rubio, el muy renegado, tal como en sus fantasías, según Perry, se proponía asesinar al marido de la difunta madre de Natasha.

Con una mano aún en torno a su cuello, Dima estampa la

cabeza del atónito Niki a izquierda y derecha contra la pared más cercana hasta que su cuerpo musculoso e inútil se desploma bajo él y cae sin habla a los pies de Dima, incitando a Dima a asestarle repetidos y violentos puntapiés, primero en la entrepierna y luego a un lado de la cabeza, con la puntera de su inadecuado zapato italiano derecho.

Para Luke, todo esto sucede muy despacio y como lo más natural del mundo, de una manera un poco descoordinada pero con un efecto catártico y misteriosamente triunfal. Coger un portátil con las dos manos, levantarlo por encima de la cabeza tanto como permitan los brazos y descargarlo como el hacha de un verdugo contra el cuello del guardaespaldas cadavérico, situado oportunamente un par de peldaños por debajo, equivalía a resarcirse de todas las afrentas de que había sido objeto a lo largo de los últimos cuarenta años, desde la infancia a la sombra de un padre militar tiránico, o la sucesión de aborrecidos colegios de pago e internados, o las docenas de mujeres con quienes se había acostado para acabar arrepintiéndose, hasta el bosque colombiano donde había estado recluido y el gueto diplomático de Bogotá donde había cometido el más estúpido y compulsivo de todos los pecados de su vida.

Pero a la postre fue sin duda la idea de devolvérsela a Aubrey Longrigg por traicionar la confianza de la Agencia lo que, por irracional que pudiera parecer, le proporcionó el mayor impulso, porque Luke, como Hector, quería a la Agencia. La Agencia era su madre y su padre y también, un poco, su Dios, aun cuando sus caminos fuesen a veces inescrutables.

Alguien debería estar gritando, pero no es así. Al pie de la escalera yacen los dos hombres, uno encima del otro, en aparente desafío al código homófobo de los *vor*. Dima sigue asentando patadas a Niki, que está debajo, y el filósofo cadavérico abre y cierra la boca como un pez fuera del agua. Dándose media vuelta, Luke retrocede con cautela escalera arriba hasta la puerta, echa la llave, se guarda esta otra vez en el bolsillo y se une nuevamente a la tranquila escena que se desarrolla más abajo.

Después de coger por el brazo a Dima —que tiene la necesidad de dar un último puntapié antes de marcharse—, Luke lo obliga a seguir, y juntos dejan atrás los aseos, suben por otra escalera y atraviesan una zona de recepción en desuso hasta llegar a una puerta blindada de reparto donde se lee el rótulo SALIDA DE EMERGENCIA. Esta puerta no requiere llave pero en su lugar dispone de un dispositivo montado en la pared, una caja verde metálica con tapa de vidrio y, dentro, un botón rojo de alarma para situaciones de emergencia como incendios, inundaciones o atentados terroristas.

En las últimas dieciocho horas Luke ha estudiado detenidamente esta caja verde con su botón para situaciones de emergencia, y también se ha tomado la molestia de hablar con Ollie de sus posibles propiedades. A sugerencia de Ollie ha aflojado previamente los tornillos que sujetan el cristal a la carcasa metálica y cortado un cable rojo de aspecto siniestro que se adentra en las entrañas del hotel, conectando el botón con el sistema central de alarma del establecimiento. En la especulativa opinión de Ollie, después de cortar el cable rojo, el botón permitirá abrir esa salida de emergencia sin provocar un éxodo entre el personal y los huéspedes del hotel.

Tras desprender el cristal ya suelto con la mano izquierda, Luke se dispone a pulsar el botón rojo con la derecha, y descubre que tiene la mano derecha temporalmente inutilizada. Vuelve a usar, pues, la mano izquierda, la puerta se abre con eficacia suiza, tal como Ollie, en sus especulaciones, ha pronosticado, y ahí está la calle, ahí está el día soleado, llamándolos.

Luke insta a Dima a precederlo y —bien por cortesía al hotel o por el deseo de parecer un par de honorables ciudadanos berneses trajeados que casualmente salen a la calle—, se detiene a cerrar la puerta y al mismo tiempo constata, con un sentimiento de gratitud hacia Ollie, que no resuena en el hotel a sus espaldas ninguna sirena de evacuación general.

En la otra acera, a cincuenta metros, hay un aparcamiento subterráneo llamado, curiosamente, Parking Casino. En la primera planta, encarando ya la salida, aguarda el BMW que Luke ha alquilado para la ocasión, y en su entumecida mano derecha se encuentra la llave electrónica que abre las puertas del coche antes de llegar hasta ellas.

—Dios santo, Dick, lo adoro, ¿me oye? —susurra Dima con la respiración entrecortada.

Con la mano derecha entumecida, Luke busca a tientas el móvil bajo el forro caliente de la chaqueta, lo extrae y, con el índice izquierdo, aprieta el bolón asignado a Ollie.

—Es el momento de actuar —ordena con un tono de majestuosa serenidad.

El remolque de caballos volvía a descender por una empinada pendiente y Ollie anunciaba a Perry y Gail que había llegado el momento de actuar. Después de un rato de espera en un área de descanso, habían subido por una tortuosa carretera de montaña, oído cencerros y olido heno. Habían parado, cambiado de sentido y desandado el camino, y ahora esperaban de nuevo, pero solo mientras Ollie levantaba el portón trasero, cosa que hizo lentamente para evitar el ruido, quedando él a la vista poco a poco hasta llegar al sombrero negro de ala ancha.

Detrás de Ollie había un establo, y detrás un cercado y un par de caballos jóvenes de buena planta, zainos, que se acercaron al trote para echarles un vistazo y volvieron a alejarse. Junto al establo se alzaba una gran casa moderna de madera, pintada de rojo oscuro, con los aleros muy prominentes. Tenía un porche delantero y otro lateral, los dos cerrados. El porche delantero daba a la calle y el lateral no, así que Perry eligió el lateral y dijo: «Voy yo delante». Habían acordado que Ollie, como la familia no lo conocía, se quedaría en la furgoneta hasta que lo llamasen.

Mientras Perry y Gail avanzaban, repararon en dos cámaras de televisión de circuito cerrado orientadas hacia ellos, una en el establo y otra en la casa. Responsabilidad de Igor, supuestamente, pero a Igor lo habían enviado de compras.

Perry tocó el timbre y al principio no oyeron nada. A Gail le pareció anormal aquel silencio, y volvió a llamar ella misma. Quizá el timbre no funcionaba. Lo pulsó largamente una vez y luego varias veces más, en toques cortos, para que todos se apresuraran. Y resultó que sí funcionaba, porque oyeron acercarse unos pies jóvenes e impacientes, descorrerse unos pasadores y girar una llave en la cerradura, y asomó uno de los hijos rubios de Dima: Viktor.

Pero en lugar de saludarlos con una sonrisa blanca como el marfil extendiéndose por toda aquella cara pecosa, que era lo que esperaban, Viktor los miró con expresión de desconcierto y nerviosismo.

—¿Ella viene con vosotros? —preguntó en su inglés americano internacional.

Se dirigía a Perry, no a Gail, ya que para entonces Katia e Irina habían cruzado la puerta, y Katia se había aferrado a una pierna de Gail y apretaba la cabeza contra ella mientras Irina alzaba los brazos hacia Gail para que la estrechase.

—A mi hermana, Natasha —vociferó Viktor a Perry con impaciencia, mirando con recelo el remolque como si ella pudiera estar escondida dentro—. Por Dios, ¿has visto a Natasha?

—¿Dónde está vuestra madre? —preguntó Gail, desprendiéndose de las niñas.

Siguieron a Viktor por un pasillo revestido de madera, con olor a alcanfor, hasta un salón de techo bajo y vigas vistas, dividido en dos niveles, con puertas balconeras a través de las que se veía el jardín y, más allá, el cercado. Sentada en el rincón más oscuro, encajonada entre dos maletas de cuero, se hallaba Tamara, que llevaba un sombrero negro con un velo alrededor. Cuando se acercaba a ella, Gail vio, bajo el velo, que se había teñido el pelo con henna y puesto colorete en las mejillas. Tradicionalmente los rusos se sientan antes de un viaje, había leído Gail en algún sitio, y quizá por eso Tamara estaba sentada en ese momento, y por eso permaneció sentada cuando Gail se plantó ante ella con la mirada fija en su rostro rígido y repintado.

—¿Qué le ha pasado a Natasha? —preguntó Gail.

—No lo sabemos —contestó Tamara al vacío.

—¿Y eso?

Los gemelos asumieron la responsabilidad, y Tamara quedó olvidada temporalmente.

—Se ha ido a clase de equitación y aún no ha vuelto —explicó Viktor a la vez que su hermano, Alexei, entraba en el salón ruidosamente detrás de él.

—No, no ha ido; solo ha dicho que iba a clase de equitación. Solo lo ha dicho, gilipollas. Natasha miente, ya lo sabes —Alexei.

—¿Cuándo ha ido a clase de equitación? —terció Gail.

—Esta mañana. ¡Temprano! ¡A eso de las ocho! —exclamó Viktor, adelantándose a Alexei—. Había quedado allí, en la escuela. Para una demostración de doma o algo así. Papá había llamado unos diez minutos antes para decirnos que estuviésemos listos a mediodía. Natasha ha dicho que ya había quedado en la escuela de equitación, que tenía que ir por fuerza.

—¿Y ha ido?

—Claro. La ha llevado Igor en el Volvo.

—¡Chorradas! —otra vez Alexei—. ¡Igor la ha llevado a Berna! ¡Joder, no ha ido a la escuela de equitación, pedazo de idiota! ¡Natasha ha mentido a mamá!

Gail, la abogada, los obligó a dar marcha atrás.

—¿Igor la ha dejado en Berna? ¿Adónde la ha llevado?

—¡A la estación! —exclamó Alexei.

—¿A qué estación, Alexei? —preguntó Perry con severidad—. Ahora tranquilo. ¿En qué estación de Berna ha dejado Igor a Natasha?

—¡En la estación central! ¡La estación internacional, por Dios! Salen trenes a todas partes. ¡A París! ¡Budapest! ¡Moscú!

—Papá le ha dicho que fuera allí, Catedrático —insistió Viktor, bajando la voz para crear un intencionado contrapunto respecto a la histeria de Alexei.

—¿Se lo ha dicho Dima, Viktor? —Gail.

—Dima le ha pedido que fuera a la estación. Eso ha dicho Igor. ¿Quiere que llame a Igor otra vez y habla usted con él?

—¡No puede, gilipollas! ¡El Catedrático no habla ruso! —Alexei, ya al borde del llanto.

Otra vez Perry, con igual firmeza que antes:

—Viktor... espera un momento, Alexei... Viktor, vuelve a decirme eso... despacio. Alexei, seré todo tuyo en cuanto haya escuchado a Viktor. Ya, Viktor.

—Según Igor, eso es lo que le ha dicho ella, y por eso él la ha dejado en la estación central. «Dice mi padre que tengo que ir a la estación central.»

—¡Igor es también un gilipollas! ¡No ha preguntado para qué! —vociferó Alexei—. También es un imbécil de mierda. Le tiene tanto miedo a mi padre que ha dejado a Natasha en la estación, y adiós muy buenas. No le ha preguntado para qué. Se ha ido de compras. Si Natasha no vuelve, no es culpa de él. Mi padre se lo ha ordenado, y él lo ha hecho, o sea que la culpa no es suya.

—¿Cómo sabes que no ha ido a la demostración de doma? —preguntó Gail una vez sopesados los testimonios de ambos.

—Por favor, Viktor —se apresuró a decir Perry antes de que Alexei metiera baza otra vez.

—Primero nos han llamado de la escuela de equitación: ¿dónde está Natasha? —respondió Viktor—. Sale a ciento veinticinco la hora, no ha anulado la clase. Se supone que tiene que ir a esa mierda, la doma. Tienen el caballo ensillado y esperando. Y llamamos a Igor, al móvil. ¿Dónde está Natasha? En la estación, dice, por orden de vuestro padre.

—¿Cómo iba vestida Natasha? —Gail, volviéndose hacia el angustiado Alexei por consideración.

—Llevaba unos vaqueros anchos. Y una especie de blusón ruso. Como un *kulak.* Ahora Natasha está en la onda nada de formas. Dice que no le gusta que los chicos le miren el culo.

—¿Tiene dinero? —todavía a Alexei.

—Mi padre la da lo que sea. La malcría. Nosotros recibimos cien al mes; ella, quinientos. Para libros, ropa, zapatos, que son su locura; el mes pasado mi padre le compró un violín. Los violines cuestan millones.

—¿Y habéis intentado llamarla a ella? —Gail, ahora a Viktor.

—Una y otra vez —dice Viktor, quien se perfila ya claramente como el hombre sereno, maduro—. Todos. Con el móvil de Alexei, con el mío, con el de Katia, con el de Irina. No contesta.

Gail a Tamara, recordando su presencia:

—¿Usted ha intentado llamarla?

Tampoco Tamara contestó.

Gail a los cuatro niños:

—Me parece que deberías ir todos a otra habitación mientras yo hablo con Tamara. Si Natasha llama, tengo que hablar con ella yo primero. ¿Os queda claro a todos?

Como en el rincón oscuro de Tamara no había otra silla, Perry acercó una banqueta de madera sostenida por dos osos tallados, y ambos tomaron asiento allí, observando a Tamara, que desplazaba de uno a otro sus ojos pequeños, como botones, sin posarlos en ninguno.

—Tamara —dijo Gail—. ¿Por qué a Natasha le da miedo ver a su padre?

—Debe de estar embarazada.
—¿Eso se lo ha dicho ella?
—No.
—Pero usted lo ha notado.
—Sí.
—¿Cuánto hace que se le nota?
—Eso no viene al caso.
—Pero ¿ya en Antigua?
—Sí.
—¿Ha hablado de eso con ella?
—No.
—¿Y con su padre?
—No.
—¿Por qué no ha hablado de eso con Natasha?
—La odio.
—¿Ella la odia a usted?
—Sí. Su madre era una puta. Ahora Natasha es una puta. No es de extrañar.
—¿Qué pasará cuando su padre se entere?
—Puede que la quiera más. Puede que la mate. Dios dirá.
—¿Sabe quién es el padre de la criatura?
—Puede que sean muchos los padres. De la escuela de equitación. De la escuela de esquí. Puede que sea el cartero, o Igor.
—¿Y no tiene ni la menor idea de dónde está ahora?
—Natasha no confía en mí.

Fuera, en el patio del establo, había empezado a llover. En el cercado, los dos hermosos zainos se daban suaves testarazos. Gail, Perry y Ollie permanecían a la sombra del remolque. Ollie había hablado con Luke por el móvil. Luke no había podido hablar abiertamente porque Dima iba en el coche con él. Pero el mensaje transmitido ahora por Ollie no admitía discusión. Seguía hablando con aparente serenidad, pero su cockney, de por sí imperfecto, se enmarañó más aún a causa de la tensión:

—Tenemos que salir de aquí por piernas ya mismo. Se han producido sucesos muy graves, y el convoy no puede esperar más por un solo barco. Natasha tiene sus números de móvil, y ellos tienen el de ella. Luke no quiere que nos crucemos con Igor, y por tanto eso no va a pasar, maldita sea. Dice que los metáis a todos en el remolque ya, Perry, por favor, y que nos larguemos ya, ¿entendido?

A medio camino de la casa, Gail llevó aparte a Perry.

—Sé dónde está Natasha —dijo.

—Pareces saber muchas cosas que yo desconozco.

—No tantas. Las suficientes. Voy a buscarla. Necesito tu respaldo. No voy de heroína, ni es cosa de mujercitas. Ollie y tú os lleváis a la familia, y yo os seguiré con Natasha en cuanto la encuentre. Eso voy a decirle a Ollie, y necesito saber que cuento con tu apoyo.

Perry se llevó las manos a la cabeza como si se hubiera olvidado algo; al cabo de un momento las dejó caer a los lados en un gesto de rendición.

—¿Dónde está?

—¿Dónde está Kandersteg?

—Ve a Spiez, coge el tren de Simplon para subir a la montaña. ¿Tienes dinero?

—De sobra. De Luke.

Perry dirigió una mirada de impotencia a la casa, y luego a Ollie, que, impaciente, aguardaba con su sombrero de fieltro junto al remolque. Por último, otra vez a Gail.

—Por el amor de Dios —susurró, atónito.

—Lo sé —dijo ella.

15

Entre sus compañeros de escalada, Perry tenía fama de ser un hombre de acción resuelto y con la mente clara en las situaciones de peligro, y él se enorgullecía de ver poca diferencia entre lo uno y lo otro. Temía por Gail, era consciente de la precariedad de la operación, y lo entristecía tanto el embarazo de Natasha como el hecho de que Gail hubiera considerado necesario ocultárselo. Al mismo tiempo respetaba sus razones y se culpaba a sí mismo de ello. La imagen de Tamara reconcomida por los celos a Natasha, como una arpía en una novela de Dickens, le repugnaba y se sumaba a su preocupación por Dima. Al verlo por última vez en la sala de masaje se conmovió de un modo que escapaba a su comprensión: un eterno delincuente sin reformar, asesino confeso y blanqueador de dinero número uno es mi responsabilidad y mi amigo. Por mucho que respetara a Luke, lamentaba que Hector se hubiese visto obligado a dejar el trabajo in situ en manos de su segundo en un momento en que la operación apuntaba hacia la meta o el desastre.

Y sin embargo, su reacción ante esta tormenta perfecta fue la misma que podría haber tenido si la cuerda se hubiese roto por debajo de él en una pared rocosa: mantente firme, evalúa el riesgo, cuida de los participantes más débiles, busca un camino. Y eso hacía ahora, en cuclillas dentro del remolque con los hijos naturales y adoptivos de Dima alrededor en un compartimento y la sombra contumaz de Tamara proyectándose en listas a través de las lamas de la mampara. «Tienes a tu cargo a dos niñas rusas de corta edad, dos adolescentes rusos y una mujer rusa mentalmente inestable, y tu misión es llevarlos a lo alto de la montaña sin que nadie se dé cuenta. ¿Qué haces?» Respuesta: sigues adelante sin más.

Viktor, en un arrebato de gallardía, se había ofrecido a acompañar a Gail allí a donde fuera, a cualquier sitio, tanto le daba. Alexei se había mofado de él, insistiendo en que Natasha solo quería llamar la atención de su padre y que Viktor solo aspiraba a la de Gail. Las niñas se negaban a irse sin Gail. Se quedarían en la casa y la protegerían hasta que ella regresara con Natasha. Entretanto Igor velaría por ellas. Ante sus ruegos, Perry, el líder de grupo nato, había repetido la misma respuesta, paciente pero categórica:

—El deseo de Dima es que vengáis con nosotros inmediatamente. No, es un viaje sorpresa. Ya os lo ha dicho él. Sabréis adónde vamos cuando lleguemos, pero es un sitio apasionante y no habéis estado nunca. Sí, él se reunirá con nosotros esta noche. Viktor, coge estas dos maletas, tú Alexei, esas dos. No es necesario cerrar la casa, Katia, gracias; Igor llegará de un momento a otro. Y el gato se queda. Los gatos se encariñan con los lugares más que con las personas. Viktor, ¿dónde están los iconos de tu madre? En la maleta. Bien. ¿De quién es ese oso? De acuerdo, él también ha de venir con nosotros, ¿no? Igor no necesita un oso, y tú sí. Y por favor, id todos al baño ahora, queráis o no.

Dentro del remolque, al principio las niñas estaban mudas; de pronto empezaron a animarse y alborotar, en gran medida gracias a Ollie y su sombrero de ala ancha, que se quitó con ademán solemne para indicarles que entraran en la carroza real. Todos tenían que levantar la voz por encima del bullicio para hacerse oír. Los remolques para caballos traqueteantes no están insonorizados.

¿Adónde vamos?, gritaron las niñas.
Es un secreto: Perry.
¿De quién es el secreto?
De Dima, tonta: Viktor.
¿Cuánto tardará Gail?
No lo sé. Depende de Natasha: Perry.
¿Llegarán allí antes que nosotros?
No lo creo: Perry.
¿Por qué no podemos asomarnos por detrás?

—¡Porque la ley suiza lo prohíbe terminantemente! —contestó Perry levantando mucho la voz, y aun así las niñas tuvieron que inclinarse hacia él para oírlo bien—. ¡Los suizos tienen leyes para todo! ¡Asomarse desde la parte de atrás de un remolque en movimiento es un delito especialmente grave! ¡A los que lo hacen los mandan a la cárcel durante mucho tiempo! ¡Mejor será que miréis qué os ha puesto Gail en las mochilas!

Los chicos se mostraron menos dóciles.

—¿Tenemos que jugar con estas cosas de niños pequeños? —bramó Viktor con incredulidad por encima del ruido del viento, señalando un frisbee que asomaba de una mochila.

—¡Esa era la idea!

—Pensaba que íbamos a jugar al críquet —otra vez Viktor.

—¡Lo intentaremos!

—Entonces no vamos a la montaña.

—¿Por qué no?

—¡En la puta montaña no se puede jugar al críquet! No hay sitios planos. Los campesinos se cabrean. Así que vamos a un sitio llano, ¿no?

—¿Os dijo Dima que es un sitio plano?

—¡Dima es como tú! ¡Misterioso! ¡A lo mejor está metido en la mierda hasta el cuello! ¡A lo mejor lo persigue la policía! —exclamó Viktor, al parecer muy entusiasmado con la idea.

Pero Alexei estaba fuera de sus casillas:

—¡Eso no se pregunta! No queda bien. Joder, da vergüenza preguntar una cosa así sobre tu padre, gilipollas.

Viktor sacó el frisbee y, pensándose mejor su anterior protesta, simuló que comprobaba el equilibrio del disco en una corriente de aire.

—¡Vale, pues no he preguntado nada! —exclamó—. ¡Lo retiro totalmente! Nuestro padre no está metido en la mierda hasta el cuello y la policía lo adora. La pregunta ha sido retirada, ¿vale? La pregunta nunca se ha hecho. ¡Es una ex pregunta! —Comentarios que, pese a las bromas, llevaron a Perry a plantearse si los chicos no habían sido trasladados a escondidas ya alguna otra vez, quizá en la época de asesinatos de Perm, cuando Dima se abría aún camino hacia arriba a uñas y dientes.

—¿Os puedo pedir una cosa, caballeretes? —preguntó, indicándoles con una seña que se acercaran casi hasta rozar con sus cabezas la de él—. Vamos a pasar un tiempo juntos. ¿Vale?

—Vale.

—¿Sería posible, pues, que cortaseis ya con tanto «joder» y tanto «mierda» delante de vuestra madre y las niñas? Y también delante de Gail.

Se consultaron mutuamente e hicieron un gesto de indiferencia. Vale. Así sea. ¿Y a mí qué? Pero Viktor no desistió. Con las manos ahuecadas en torno a la boca, susurró a Perry al oído para que las niñas no lo oyeran:

—¿Sabes el gran funeral? ¿Ese al que fuimos en Moscú? ¿La tragedia? Miles de personas llorando, ¿sí?

—Sí, ¿qué pasa?

—Al principio fue un accidente de coche, ¿vale? «Misha y Olga murieron en un accidente de coche.» Y una mierda. No fue un accidente de coche. Los mataron a tiros. ¿Y quién los mató? Una pandilla de chechenos locos que no robó nada y se gastó una fortuna en balas de Kaláshnikov. ¿Por qué? Porque odian a los rusos. Y una mierda. ¡No fueron los putos chechenos!

Alexei lo aporreaba e intentaba taparle la boca con la mano, pero Viktor lo apartó de un empujón.

—Ve a Moscú y pregunta a cualquiera que se entere un poco. Pregúntale a mi amigo Piotr. A Misha se lo cargaron. Se había vuelto contra la mafia. Por eso se lo quitaron del medio. Y a Olga lo mismo. Ahora intentarán quitarse del medio a mi padre antes de que la policía llegue a él. ¿Verdad, mamá? —gritó a Tamara entre las lamas—. ¡Lo que ellos consideran una pequeña advertencia para demostrar quién manda! Mi madre sabe de qué va. Lo sabe todo. Cumplió dos años en la cárcel de Perm por chantaje y extorsión. La interrogaron durante setenta y dos horas sin parar, cinco veces. Le dieron una paliza de muerte. Piotr ha visto su historial. «Se emplearon métodos severos.» Versión oficial. ¿No es así, mamá? Por eso ya no habla con nadie más que con Dios. Le quitaron las ganas de hablar a palos. ¡Eh, mamá! ¡Te queremos!

Tamara retrocede aún más en la penumbra. Suena el móvil de Perry. Luke, tenso y muy reservado.

—¿Todo bien? —pregunta Luke.

—De momento sí. ¿Cómo está tu amigo? —pregunta Perry, refiriéndose a Dima.

—Contento y sentado aquí en el coche, a mi lado. Te envía recuerdos.

—Lo mismo digo —responde Perry con cautela.

—A partir de ahora, siempre que sea posible, iremos en grupos pequeños. Son más fáciles de trasladar y más difíciles de identificar. ¿Pueden vestirse los chicos de otra manera?

—¿Cómo?

—Basta con que se los vea distintos el uno del otro. Para que no parezcan gemelos idénticos.

—De acuerdo.

—Y coged un tren que vaya lleno. Podéis dispersaros. Un

chico en cada vagón, tú y las niñas en otro. Dile a Harry que os compre los billetes en Interlaken para no tener que hacer cola todos en la misma ventanilla. ¿Entendido?

—Entendido.

—¿Se sabe algo de Doolittle?

—Aún es pronto. Acaba de marcharse.

Era la primera vez que hablaban claramente de la espantada de Gail.

—En fin, está haciendo lo que debe. Procura que no vaya a pensar lo contrario. Díselo.

—Eso haré.

—Esa mujer es una bendición del cielo y nos conviene que la maniobra le salga bien. —Luke hablando mediante acertijos. No le queda más remedio. Dima está sentado «aquí en el coche, a mi lado».

Pasando con dificultad junto a las niñas, Perry da unas palmadas en el hombro a Ollie y le grita al oído.

Katia e Irina han encontrado sus rollitos de queso y sus patatas fritas. Cabeza con cabeza, mastican y tararean. De vez en cuando se vuelven para mirar el sombrero de Ollie y se echan a reír. En una ocasión Katia alarga el brazo para tocarlo, pero le falta valor. Los gemelos han optado por el tablero de ajedrez de bolsillo y los plátanos.

—¡Siguiente parada, Interlaken, niños y niñas! —grita Ollie por encima del hombro—. Aparcaré en la estación y cogeré el primer tren con madame y el equipaje. Mientras tanto vosotros, ricuras, os dais un buen paseo, os coméis unas salchichas, por decir algo, y ya subiréis a la montaña cuando os venga en gana. ¿Contentos con el arreglo, Catedrático?

—Contentos —confirma Perry después de consultar con las niñas.

—¡Pues nosotros no estamos nada contentos! —exclama

Alexei en un gañido de protesta, y se reclina en los cojines con los brazos extendidos—. ¡Estamos deprimidos… palabrota!

—¿Por alguna razón en particular? —pregunta Perry.

—¡Por todas las razones en particular! ¡Vamos a Kandersteg, lo sé! ¡No pienso volver a Kandersteg nunca! ¡No pienso escalar, no soy una puta mosca, tengo vértigo y no me gusta la compañía de Max!

—Te equivocas en todo —dice Perry.

—¿Quieres decir que no vamos a Kandersteg?

—Exacto.

Pero Gail sí, piensa otra vez, consultando su reloj.

A las tres, gracias a un oportuno enlace ferroviario en Spiez, Gail había encontrado la casa. No fue difícil. Preguntó en la oficina de correos: ¿alguien conoce a un profesor de esquí llamado Max, un monitor privado, no de la Escuela de Esquí Suiza oficial? Los padres tienen un hotel. Como la corpulenta mujer del *guichet* no estaba muy segura, consultó con el hombre flaco sentado tras la mesa de clasificación, que creía conocerlo pero, por si acaso, consultó con el chico que cargaba los paquetes en un carrito amarillo, y la respuesta volvió siguiendo el camino inverso: el hotel Rössli, en la calle mayor, a la derecha, su hermana trabaja allí.

En la calle mayor, el temprano sol impropio de la temporada deslumbraba y la bruma envolvía las montañas a ambos lados. Una familia de perros de color miel reposaba en la acera disfrutando del calor o se resguardaba bajo los toldos de los comercios. Los excursionistas, con bastones y gorras, ojeaban los escaparates de las tiendas de souvenirs, y en la terraza del hotel Rössli unos cuantos, sentados en torno a las mesas, comían trozos de pastel bañado en nata y bebían café con hielo en vasos altos mediante pajitas.

Solo atendía una joven pelirroja con el traje típico suizo, desbordada por el trabajo, y cuando Gail le dirigió la palabra, la interrumpió para decirle que se sentara y esperara su turno, así que ella en lugar de marcharse en el acto, que habría sido su reacción normal, se sentó dócilmente, y cuando la muchacha se acercó, primero le pidió un café que no quería y luego le preguntó si por casualidad era hermana de Max, el gran guía de montaña, ante lo cual la chica desplegó una radiante sonrisa y dispuso de todo el tiempo del mundo.

—Bueno, aún no es guía, en realidad, no oficialmente, y en cuanto a «gran», no sabría qué decir. Primero tiene que pasar el examen, que es muy difícil —explicó, orgullosa de su inglés y complacida de practicarlo—. Por desgracia, Max empezó un poco tarde. Antes quería ser arquitecto, pero no le gustaba la idea de marcharse del valle. De hecho, es todo un soñador, pero ahora, crucemos los dedos, parece que por fin ha sentado la cabeza, y el año que viene tendrá el título. ¡Esperemos! Es posible que hoy esté en la montaña. ¿Quieres que llame a Barbara?

—¿Barbara?

—Es una chica muy agradable. Todos opinamos que lo ha transformado por completo. ¡Y ya era hora, te diré!

«Blüemli» anotó la hermana de Max para Gail en una doble página arrancada de su bloc de notas.

—En alemán suizo significa «florecilla», pero también puede significar «flor grande», porque a los suizos les gusta llamar «pequeño» a todo aquello que aprecian. Es el último chalet nuevo a la izquierda pasado el colegio. El padre de Barbara lo construyó para ellos. La verdad es que creo que Max ha tenido mucha suerte.

Blüemli era la casa idílica para una joven pareja, flamante, de madera de pino, con flores rojas en macetas decorando las ventanas, cortinas rojas de guinga y un sombrerete rojo a juego en la chimenea, y una inscripción labrada a mano en letra gótica bajo el tejado dando gracias a Dios por sus dones. Césped recién cortado cubría el jardín delantero, donde se veía un balancín nuevo, una barbacoa nueva y una piscina hinchable novísima, y leña bien cortada e impecablemente apilada junto a una puerta que bien podría haber sido la de los siete enanitos.

Si hubiese sido una casa virtual en lugar de real, Gail no se habría sorprendido, pero en realidad no se sorprendía. La situación no se había alterado radicalmente; solo se había agravado, pero no era peor que las muchas situaciones que había imaginado durante el viaje hasta allí en tren, y que imaginaba ahora mientras tocaba el timbre y oía a una mujer contestar alegremente: «*En Momänt bitte, d'Barbara chunt grad!*», lo que, si bien no sabía ni alemán ni alemán suizo, le indicaba que Barbara la atendería enseguida. Y Barbara cumplió su palabra: una mujer alta, arreglada, en forma, atractiva, muy agradable, solo un poco mayor que Gail.

—*Grüessech* —dijo, y viendo la sonrisa de disculpa de Gail, pasó a un inglés un tanto entrecortado—: ¡Hola! ¿Puedo ayudarte en algo?

Por la puerta abierta, Gail oyó el lloriqueo quejumbroso de un bebé. Tomó aire y sonrió.

—Eso espero. Me llamo Gail. ¿Eres Barbara?

—Sí, soy yo.

—Busco a una chica alta, con el pelo negro, que se llama Natasha, rusa.

—¿Es rusa? No lo sabía. A lo mejor eso explica algunas cosas. ¿No serás médico?

—Pues no. ¿Por qué?

—En fin, la chica está aquí. No sé por qué. ¿Quieres pasar, por favor? Tengo que ocuparme de Anni. Está saliéndole el primer diente.

Entrando con paso enérgico en la casa detrás de ella, Gail percibió el aroma dulce y limpio del bebé recién empolvado. Una hilera de zapatillas de fieltro con ojos de conejo, suspendidas de ganchos de latón, la invitó a quitarse los zapatos sucios. Mientras esperaba a Barbara, se puso un par.

—¿Cuánto tiempo lleva aquí? —preguntó Gail.

—Una hora. Quizá más.

Gail la siguió a un salón espacioso y bien ventilado con puertas balconeras que daban a un segundo jardín, no tan grande. En medio del salón había un parque, y sentada en el parque, una niña muy pequeña con rizos dorados y un chupete en la boca, rodeada de un amplio despliegue de juguetes nuevos. Y contra la pared, en un taburete bajo, estaba Natasha, con las manos entrelazadas, la cabeza gacha y la cara oculta entre el pelo.

—¿Natasha?

Gail se arrodilló junto a ella y puso una mano ahuecada en su nuca. Natasha dio un respingo, pero no le apartó la mano. Gail volvió a pronunciar su nombre. Sin resultado alguno.

—Menos mal que has venido, te diré —comentó Barbara con un cantarín dejo suizo, y cogiendo a Anni en brazos, se la apoyó en el hombro para que eructase—. Iba a avisar al doctor Stettler. O puede que a la policía, no sé. Era un problema. De verdad.

Gail acariciaba el pelo a Natasha.

—Va y llama al timbre cuando estaba dando de comer a Anni, no con biberón, sino como ha de ser. En la puerta tenemos una mirilla porque hoy día nunca se sabe. He mirado, con Anni en el pecho, y me he dicho: ah, bueno, hay una chica normal y corriente ante mi puerta, y muy guapa, debo decir, quiere entrar, no sé por qué, a lo mejor para concertar una cita con Max, él tiene muchos clientes, sobre todo jóvenes, por esa manera de ser suya tan interesante. Así que va y entra, mira, ve a Anni, me pregunta en inglés... yo no sabía que era rusa, eso ni se te pasa por la cabeza, aunque de un tiempo a esta parte es desde luego una posibilidad. Más bien he pensado que era judía o italiana... «¿Es usted la hermana de Max?» Y le he dicho que no, no soy su hermana, soy Barbara, su mujer, ¿y tú quién eres, y puedo ayudarte en algo? Soy una madre ocupada, como puedes ver. ¿Quieres organizar algo con Max? ¿Eres montañera?

¿Cómo te llamas? Y me dice que se llama Natasha, pero la verdad es que yo ya empezaba a mosquearme.

—A mosquearte ¿por qué?

Gail acercó otro taburete y se sentó al lado de Natasha. Echándole un brazo al hombro, atrajo su cabeza hacia sí con delicadeza hasta que las sienes de ambas quedaron en contacto.

—Bueno, por las drogas. Los jóvenes de hoy día... la verdad es que nunca se sabe —dijo Barbara con cierto tono de indignación, como una mujer del doble de su edad—. Y con los extranjeros, sobre todo con los ingleses, pues... francamente, las drogas están a la orden del día, o pregúntaselo al doctor Stettler. —La niña lanzó un chillido y ella la tranquilizó—. Y también los que van con Max, los jóvenes. Dios mío, incluso en los refugios de montaña se drogan. O sea, con alcohol, por lo que tengo entendido. Con tabaco no, claro. Le he ofrecido café, té, agua mineral. Quizá no me ha oído, no lo sé. Quizá tiene un «mal viaje», como dicen los hippies. Pero con la niña aquí, sinceramente, no me gusta decirlo, pero incluso me ha dado un poco de miedo.

—Pero ¿no has llamado a Max?

—¿A la montaña? ¿Cuando tiene clientes? Eso sería un desastre para él. Se pensaría que está enferma, vendría inmediatamente.

—¿Pensaría que Anni está enferma?

—¡Pues claro! —Guardó silencio por un momento y se replanteó la pregunta, cosa, sospechó Gail, poco habitual en ella—. ¿Has pensado que Max vendría por Natasha? ¡Pero qué absurdo!

Cogiendo a Natasha del brazo, Gail la obligó a ponerse en pie con suavidad. Cuando estuvo del todo erguida, la abrazó. Luego la condujo hasta la puerta, la ayudó a ponerse los zapatos, se cambió los suyos y la guió a través de aquel césped perfecto. En cuanto cruzaron la verja, telefoneó a Perry.

Lo había llamado una vez desde el tren, otra al llegar al pueblo. Había prometido llamarlo casi minuto a minuto, porque Luke no podía hablar con ella personalmente, con Dima pegado a él en algún sitio, así que por favor utiliza a Perry como intermediario. Y ella supo que la situación era tensa, lo percibió en la voz de Perry. Cuanto más sereno se mostraba, tanto mayor era la tensión, como ella sabía, y dio por supuesto que había surgido alguna complicación. Así que ella también habló con serenidad, y probablemente transmitió a Perry la misma señal a la inversa.

—Ella está bien. Perfectamente, ¿vale? La tengo aquí conmigo, sana y salva, y vamos para allá. Ahora mismo nos dirigimos a la estación. Necesitamos un poco de tiempo, solo eso.

—¿Cuánto?

Ahora era Gail quien debía vigilar lo que decía, porque llevaba a Natasha cogida del brazo.

—Lo justo para repararnos el alma y empolvarnos la nariz. Ah, otra cosa.

—¿Qué?

—No debe preguntarse a nadie dónde ha estado, ¿de acuerdo? Hemos tenido una pequeña crisis, pero ya ha pasado. La vida continúa. Esto vale no solo para cuando lleguemos. A partir de ese momento, en adelante: ni una pregunta a la parte afectada. Las niñas no pondrán ningún problema. En cuanto a los chicos, no sabría decirte.

—Ellos tampoco. Ya me encargaré yo. Dick dará saltos de alegría. Voy a decírselo ahora mismo. No tardéis.

—Lo intentaremos.

En el tren abarrotado de regreso al valle no tuvieron oportunidad de hablar, y no importaba porque Natasha tampoco se mostraba muy predispuesta; estaba conmocionada, y a veces daba la impresión de que no advertía la existencia de Gail. Pero en el tren desde Spiez, por efecto de las tiernas y persuasivas palabras de Gail, empezó a despertar. Iban sentadas una al lado de la otra en un vagón de primera clase, con la vista al frente, igual que en Las Tres Chimeneas bajo la improvisada tienda de campaña. Anochecía deprisa y eran las únicas pasajeras.

—Me siento tan... —prorrumpió Natasha, cogiéndole la mano, pero no pudo terminar la frase.

—Esperaremos —dijo Gail con firmeza, hablándole a la cabeza agachada de Natasha—. Tenemos tiempo. Dejemos los sentimientos aparcados, disfrutemos de la vida y esperemos. No tenemos que hacer nada más, ni tú ni yo. ¿Me oyes?

Un gesto de asentimiento.

—Pues siéntate erguida. No hace falta que me sueltes la mano, solo atiéndeme. Dentro de unos días estaréis en Inglaterra. No estoy muy segura de si tus hermanos lo saben, pero saben que es un viaje sorpresa, y empezará cualquier día de estos. Antes haréis un breve alto en Wengen. Y en Inglaterra te llevaremos a una doctora muy buena, la mía, y veremos cómo estás, y entonces decidirás tú misma. ¿Vale?

Un gesto de asentimiento.

—Entretanto, ni siquiera pensaremos en eso. Sencillamente nos lo quitaremos de la cabeza. Deshazte de ese absurdo blusón que llevas —tirándole afectuosamente de la manga—. Vístete con ropa ajustada y preciosa. No se te nota nada, te lo prometo. ¿Lo harás?

Lo haría.

—Todas las decisiones esperarán hasta Inglaterra. No son malas decisiones: son sensatas. Las tomarás con calma. Cuando llegues a Inglaterra, no antes. Tanto por el bien de tu padre como por el tuyo. ¿Sí?

—Sí.

—Dilo otra vez.

—Sí.

¿Habría hablado igual Gail si Perry no hubiese dicho que así era como Luke quería que hablase? ¿Que ese era el peor momento de todos con diferencia para darle a Dima una noticia tan devastadora?

Por suerte, sí, lo habría hecho. Habría pronunciado el mismo discurso palabra por palabra, y con convicción. Ella había pasado por lo mismo. Sabía de qué hablaba. Y mientras se decía eso a sí misma en la estación de Interlaken Ost, donde debían hacer transbordo para seguir en otro tren por el valle hasta Lauterbrunnen y Wengen, advirtió que un policía suizo con un elegante uniforme de verano recorría el andén vacío hacia ella, y que un hombre de expresión apagada con traje gris y lustrosos zapatos marrones caminaba junto a él, y que el policía exhibía la clase de sonrisa triste que, en cualquier país civilizado, te indica que no tienes muchas razones para sonreír.

—¿Hablan ustedes inglés?

—¿Cómo lo ha adivinado? —devolviéndole la sonrisa.

—Quizá por el color de la piel —contestó él, y a Gail el comentario se le antojó descarado para un policía suizo corriente—. Pero la joven no es inglesa —lanzando una mirada al pelo negro y el aspecto ligeramente asiático de Natasha.

—Pues en realidad podría serlo, ¿sabe? Hoy día somos un poco de todo —respondió Gail con el mismo tono desenfadado.

—¿Tienen pasaporte británico?

—Yo sí.

El hombre de expresión apagada también sonreía, cosa que a Gail le resultó escalofriante. Y su inglés era también excesivamente bueno.

—Departamento de Inmigración suizo —anunció—. Llevamos a cabo controles aleatorios. Por desgracia en estos tiempos, con las fronteras abiertas, encontramos a ciertos individuos que deberían llevar visado y no lo llevan. No a muchos, pero sí algunos.

El de uniforme tomó otra vez la palabra:

—Billetes y pasaportes, por favor, si no les importa. Y si les importa, las llevaremos a la comisaría y haremos el control allí.

—No nos importa, claro que no. ¿Verdad, Natasha? Ojalá todos los policías fueran igual de educados, ¿verdad? —respondió Gail animadamente.

Rebuscando en su bolso, sacó su pasaporte y los billetes y se los entregó al policía de uniforme, que los examinó con esa parsimonia excesiva que se enseña a los policías de todo el mundo para elevar el nivel de tensión de los ciudadanos honrados. El hombre del traje gris miró por encima del hombro uniformado; luego cogió él mismo el pasaporte y repitió el proceso exactamente igual antes de devolvérselo y dirigir su sonrisa a Natasha, quien para entonces tenía ya el pasaporte a punto en la mano.

Y lo que el hombre de traje gris hizo a continuación fue, tal como contó Gail después a Ollie, Perry y Luke, una acción inepta o muy astuta. Se comportó como si el pasaporte de una menor rusa tuviese para él menos interés que el pasaporte británico de una adulta. Pasó a la hoja de los visados, pasó a la fotografía, la comparó con la cara de Natasha, desplegó una sonrisa de aparente admiración, se detuvo un momento en el nombre en alfabeto latino y cirílico, y le devolvió el documento con un desenvuelto «gracias, señorita».

—¿Se quedarán mucho tiempo en Wengen? —preguntó el policía de uniforme, entregando los billetes a Gail.

—Una semana o así.

—¿Según el tiempo, tal vez?

—Ah, nosotros los ingleses estamos tan acostumbrados a la lluvia que ni la notamos.

Y encontrarían su siguiente tren esperándolas en la vía número dos, con salida al cabo de tres minutos, el último enlace de esa noche, así que mejor no perderlo o tendrían que quedarse en Lauterbrunnen, aconsejó el educado policía.

Solo cuando se hallaban a medio camino montaña arriba en ese último tren, Natasha habló de nuevo. Hasta entonces había permanecido absorta en sus cavilaciones, en apariencia iracunda, con la mirada fija en la ventana ennegrecida, empañándola con su aliento como un niño y limpiándola airadamente. Pero si su enfado se debía a Max, o al policía y su amigo del traje gris, o a ella misma, Gail no lo sabía. Pero de pronto levantó la cabeza, y era a Gail a quien miraba a la cara:

—¿Dima es un criminal?

—Creo que es un hombre de negocios con mucho éxito, ¿no? —contestó la hábil abogada.

—¿Por eso vamos a Inglaterra? ¿A eso se debe el «viaje sorpresa»? —Al no obtener respuesta—: Desde Moscú para la familia todo han sido... todo han sido crímenes. Pregúntaselo a mis hermanos. Es su nueva obsesión. Solo hablan de crímenes. Pregúntaselo a su gran amigo Piotr, que dice que trabaja para el KGB. Ya no existe, ¿verdad?

—No lo sé.

—Ahora es el FSB. Pero Piotr todavía dice KGB. Así que a lo mejor miente. Piotr lo sabe todo sobre nosotros. Ha visto todos nuestros historiales. Mi madre también fue una criminal, su marido era un criminal, Tamara era una criminal, a su padre lo mataron a tiros. Para mis hermanos, cualquiera salido de Perm es un criminal absoluto. Tal vez por eso la policía quería mi pasaporte. «A ver, Natasha, por favor, ¿es usted de Perm?» «Sí, señor policía, soy de Perm. Y demás estoy embarazada.» «Pues en ese caso es una criminal. ¡Debe venir a la cárcel de inmediato!»

Para entonces tenía la cabeza apoyada en el hombro de Gail, y el resto lo dijo en ruso.

Oscurecía sobre los maizales y oscurecía también en el BMW de alquiler, porque coincidían en la conveniencia de mantener apagadas las luces, dentro y fuera. Luke había aportado una botella de vodka para el viaje, y Dima se había bebido la mitad; Luke, en cambio, no se había permitido siquiera olerlo. Había ofrecido a Dima un dictáfono para grabar sus recuerdos de la firma en Berna mientras los conservaba aún frescos, pero Dima lo había desechado:

—Lo sé todo. No hay problema. Tengo duplicados. Tengo memoria. En Londres, yo lo recordaré todo. Dígaselo a Tom.

Después de salir de Berna, Luke había circulado únicamente por carreteras secundarias, avanzando un trecho, buscando un lugar donde ocultarse para que sus perseguidores, si existían, pasasen de largo. Sin lugar a dudas le ocurría algo en la mano derecha —aún no había recuperado la sensibilidad—, pero mientras empleara la fuerza del brazo y no pensara en la mano, conducir no le representaba el menor problema. Debía de haberse hecho algo al sacudirle al filósofo cadavérico.

Hablaban en ruso, en voz baja como dos fugitivos. ¿Por qué bajamos la voz?, se preguntó Luke. Pero así era. Volvieron a detenerse en el linde de un pinar, y esta vez entregó a Dima un mono azul de obrero y un grueso gorro de lana negro para taparse la calva. Para él, se había comprado unos vaqueros, un anorak y un gorro con borla. Dobló el traje de Dima y lo guardó en una bolsa de viaje en el maletero del BMW. Ya eran las ocho de la tarde y refrescaba. Al acercarse a la aldea de Wilderswil, en la boca del valle de Lauterbrunnen, volvió a detener el coche mientras escuchaban las noticias suizas y Luke intentaba descifrar el semblante de Dima en la penumbra, porque, para su frustración, no sabía alemán.

—Han encontrado a esos cabrones —gruñó Dima entre dientes, en ruso—. Dos capullos rusos, borrachos, han tenido una pelea en el hotel Bellevue Palace. Nadie sabe por qué. Se han caído por una escalera y se han hecho daño. Uno sigue en el hospital; el otro ya está bien. El del hospital ha quedado bastante tocado. Ese es Niki. A ver si el muy mamón la diña. Ha contado un montón de patrañas que la policía suiza no se traga; cada uno ha contado mentiras distintas. La embajada rusa quiere meterlos en un avión y mandarlos de vuelta a casa. La policía suiza dice: «No tan deprisa, queremos saber un par de cosas más de estos capullos». El embajador ruso está que trina.

—¿Por esos dos hombres?

—Por los suizos. —Sonrió, echó otro trago de vodka y ofreció la botella a Luke, que la rehusó con un gesto—. ¿Quiere saber cómo se manejan estos asuntos? El embajador ruso llama al Kremlin: «¿Quiénes son esos tarados?». El Kremlin llama al Príncipe, la perra: «¿Qué coño hacen esos dos gilipollas tuyos dándose de hostias en un hotel de campanillas de Berna, Suiza?».

—¿Y qué dice el Príncipe? —preguntó Luke, sin compartir el desenfado de Dima.

—El Príncipe, la perra, llama a Emilio. «Emilio. Amigo mío. Mi sabio consejero. ¿Qué coño hacen mis dos buenos chicos dándose de hostias en un hotel de campanillas de Berna?»

—¿Y Emilio qué dice? —persistió Luke.

El ánimo de Dima se ensombreció.

—Emilio dice: «Ese mierda de Dima, el blanqueador de dinero número uno del mundo, ha desaparecido del puto planeta».

Pese a que lo suyo no eran las intrigas, Luke se hizo sus cábalas. Primero los dos supuestos policías árabes de París. ¿Quién los envió? ¿Por qué? Luego los dos guardaespaldas en el Bellevue Palace: ¿por qué habían ido al hotel después de la firma? ¿Quién los envió? ¿Por qué? ¿Quién sabía qué? ¿Cuándo?

Llamó a Ollie.

—¿Todo en orden, Harry? —con lo que quería decir: ¿quién ha llegado ya ahí, a la casa segura, y quién no? Lo que quería decir: ¿voy a tener que lidiar también con la desaparición de Natasha?

—Dick, nuestras dos rezagadas han fichado hace unos minutos, te complacerá saber —informó Ollie con tono tranquilizador—. Han llegado aquí por su propio pie, sin mayores complicaciones, y todo va requetebién. ¿Qué tal si quedamos a eso de las diez al otro lado de la montaña? Para entonces ya será muy de noche.

—A las diez me parece bien.

—En el aparcamiento de la estación de Grund. Un bonito Suzuki rojo. Estaré justo a la derecha, nada más entrar y lo más lejos posible de los trenes, pues.

—Conforme. —Y como Ollie no colgaba—: ¿Qué problema hay, Harry?

—Verás, se ha observado cierta presencia policial en la estación de Interlaken Ost, por lo que he oído.

—Cuenta.

Luke escuchó, no dijo nada y volvió a guardarse el móvil en el bolsillo.

Al decir «al otro lado de la montaña», Ollie se refería al pueblo de Grindelwald, situado en la falda de la ladera opuesta del Eiger. El acceso a Wengen desde el valle de Lauterbrunnen por cualquier medio que no fuera el ferrocarril era imposible, había informado Ollie: la pista transitable en verano podía servirle a una gamuza o algún que otro motorista temerario, pero no a un vehículo de cuatro ruedas con tres hombres a bordo.

Pero Luke —al igual que Ollie— había tomado la firme determinación de que Dima, fuera cual fuese su indumentaria, no se viera expuesto a las miradas de los empleados ferroviarios, los revisores o los demás pasajeros durante el viaje a su escondrijo: menos aún a esas horas de la noche, cuando los pasajeros del ferrocarril eran pocos y más visibles.

Así las cosas, cuando llegaron al pueblo de Zweilütschinen, Luke se desvió a la izquierda por una tortuosa carretera paralela al río hasta el término de Grindelwald. El aparcamiento de la estación de Grund estaba lleno de coches abandonados por turistas alemanes. Al entrar, Luke, para su alivio, vio a Ollie con un anorak acolchado y una gorra con visera y orejeras sentado al volante de un jeep Suzuki rojo con las luces de posición encendidas.

—Y aquí están las mantas para cuando refresque —anunció Ollie en ruso mientras indicaba apresuradamente a Dima que ocupara el asiento contiguo. Luke, después de aparcar el BMW bajo un haya, se acomodó detrás—. La circulación por la pista forestal está prohibida, pero no para los lugareños con trabajo que hacer, como fontaneros, empleados del ferrocarril y demás. Así que si nos paran, ya hablaré yo. No es que sea lugareño, pero el jeep sí lo es. Y el dueño me ha aleccionado sobre lo que debo decir.

Qué dueño y qué debía decir solo lo sabía Ollie. Era poco comunicativo respecto a sus fuentes.

Una estrecha carretera de cemento se adentraba en la negrura de la montaña. Un par de faros descendieron hacia ellos, se detuvieron y, marcha atrás, se metieron entre los árboles: un camión de una constructora, descargado.

—El que baja es el que ha de retroceder —comentó Ollie en un susurro con tono de aprobación—. Aquí es la norma.

De pie, en medio de la carretera, había un policía de uniforme. Ollie aminoró la marcha para permitirle echar un vistazo al adhesivo triangular amarillo en el parabrisas del Suzuki. El policía se apartó. Ollie levantó la mano en un relajado saludo. Atravesaron una urbanización de chalets bajos bien iluminada. El humo de la leña se mezclaba con el olor a pino. Un letrero fluorescente rezaba BRANDEGG. La carretera se convirtió en una pista forestal de tierra. Riachuelos de agua descendían hacia ellos. Ollie encendió los faros y cambió de marcha. El motor empezó a emitir un zumbido más agudo y lastimero. Los camiones pesados habían dejado hondas roderas en la pista y el Suzuki tenía una amortiguación muy dura. Encaramado en su asiento trasero, Luke se agarró a los costados para no caerse mientras el vehículo se sacudía y giraba. Delante de él, viajaba la figura arrebujada de Dima con su gorro de lana, aleteando la manta como el capote de un cochero en torno a sus hombros por efecto del viento, cada vez más recio. A su lado, y no mucho más pequeño, Ollie, en una postura tensa, permanecía inclinado sobre el volante, conduciendo el Suzuki a través de una pradera y espantando a un par de gamuzas, que corrieron a buscar refugio entre los árboles.

El aire se enrareció y enfrió. A Luke se le agitó la respiración. A causa del relente, empezó a formársele una gélida película de humedad en la frente y las mejillas. Notó que le brillaban los ojos y se le aceleró el corazón con el olor a pino y la emoción del ascenso. El bosque los envolvió otra vez. Desde su espesura, destellaban los ojos encarnados de los animales, pero si estos eran grandes o pequeños, Luke no tuvo ocasión de averiguarlo.

Habían dejado atrás el linde del bosque y salido de nuevo a campo abierto. Unas nubes vaporosas cubrían el cielo estrellado y en el mismísimo centro se alzaba un vacío negro, sin estrellas, ora comprimiéndolos contra la ladera de la montaña, ora empujándolos hacia el borde del mundo. Circulaban bajo la cornisa de la cara norte del Eiger.

—¿Has estado en los Urales, Dick? —preguntó Dima a Luke en inglés, levantando la voz y volviéndose hacia él.

Luke asintió vigorosamente y respondió con una sonrisa de asentimiento.

—¡Como en Perm! ¡En Perm tenemos montañas como esta! ¿Han estado en el Cáucaso?

—Solo en la zona de Georgia —respondió Luke en voz alta.

—Esto me encanta, ¿me oye, Dick? Me encanta. Y usted también, ¿eh?

Brevemente —aunque seguía preocupado por el policía—, Luke pudo disfrutar de aquello, y siguió disfrutándolo mientras ascendían hacia el collado del Kleine Scheidegg y atravesaban el arco de luces anaranjadas proyectadas por el gran hotel que lo dominaba.

Iniciaron el descenso. A su izquierda, bañadas por la luz de la luna, se elevaban las nervudas sombras de un glaciar, de un color negro azulado. A lo lejos, al otro lado del valle, alcanzaron a ver las luces de Mürren, y de vez en cuando, a través de la espesura del bosque cuando volvió a rodearlos, las luces titilantes de Wengen.

16

Para Luke, los días y noches en el pequeño enclave turístico alpino de Wengen estaban misteriosamente preordinados, unos insoportables, otros colmados de esa paz lírica propia de una amplia reunión de familiares y amigos en vacaciones.

El chalet espacioso y feo, construido para alquilar, que Ollie había elegido ocupaba un triángulo de tierra entre dos senderos en el extremo más apacible del pueblo. En los meses de invierno se alquilaba a un club de esquí de la Alemania meridional, pero en verano estaba a disposición de quien quiera que pudiese pagarlo, desde teósofos sudafricanos hasta rastafaris noruegos, pasando por niños pobres del Ruhr. Por tanto, una familia dispar de edades y orígenes incompatibles era justo lo que el pueblo esperaba. Ni una sola cabeza se volvía cuando, en verano, desfilaban por sus calles bandadas de turistas: o eso dijo Ollie, que dedicó muchos minutos libres a vigilar desde detrás de las cortinas de las ventanas de la planta superior.

Desde dentro, el mundo era hermoso. Al mirar hacia abajo desde el piso de arriba, se disfrutaba de una vista del legendario valle de Lauterbrunnen; al mirar hacia arriba, se alzaba ante uno el monte Jungfrau en todo su esplendor. Por detrás se extendían, intactos, los prados y las estribaciones boscosas. Desde fuera, en cambio, era un vacío arquitectónico: grande y lúgubre, sin personalidad, anónimo y sin la menor afinidad con el entorno, con paredes blancas de estuco y elegantes detalles rústicos que servían solo para poner de relieve sus aspiraciones de periferia urbana.

También Luke había vigilado. Cuando Ollie salía en busca de provisiones y chismes locales, era Luke, con su propensión a preocuparse, quien se apostaba como vigía, atento a cualquier transeúnte sospechoso. Pero por más que vigiló, ninguna mirada curiosa se posó en las dos niñas pequeñas que se ejercitaban en el jardín con sus combas nuevas bajo la supervisión de Gail, o cogían prímulas en la pradera inclinada detrás de la casa, para conservarlas eternamente en tarros de sagú seco comprados por Ollie en el supermercado.

Ni siquiera suscitaba comentarios la mujer menuda, sentada en el balcón, inmóvil como una muñeca, con las manos en el regazo y gafas de sol: una señora de cierta edad, vestida de luto, con las mejillas empolvadas y los labios pintados. Los pueblos suizos acogen a gente así desde los inicios del negocio turístico. Y si por una de esas casualidades un transeúnte alcanzaba a ver entre las cortinas a un hombre corpulento con gorro de lana inclinado sobre un tablero de ajedrez frente a dos adversarios adolescentes —con Perry en función de árbitro y Gail y las niñas en otro rincón viendo DVD adquiridos en Photo Fritz—... bueno, si esa casa no había alojado antes a una familia de fanáticos del ajedrez, había alojado de todo lo demás. ¿Cómo iban a saber, o por qué había de importarles, que el blanqueador de dinero número uno del mundo, enfrentado al intelecto conjunto de sus precoces hijos, podía aún superarlos?

Y si al otro día se veía a esos mismos adolescentes, vestidos con ropa concienzudamente distinta, trepar por el escarpado sendero rocoso que discurría desde el jardín trasero hasta la cresta del Männlichen, precedidos y apremiados por Perry, jurando Alexei que iba a partirse el cuello de un momento a otro, joder, e insistiendo Viktor en que acababa de avistar abajo un ciervo adulto aun cuando fuera una gamuza... bueno, ¿qué tenía eso de especial? Perry incluso formó una cordada con ellos. Descubrió cerca de allí un saliente aceptable, alquiló botas y compró cuerda —siendo la cuerda para el montañero, explicó con severidad, algo a la vez íntimo y sacrosanto— y les enseñó a quedar suspendidos sobre un abismo, por más que el abismo tuviera solo cuatro metros de profundidad.

En cuanto a las dos mujeres jóvenes —una de unos dieciséis y la otra quizá diez años mayor, las dos hermosas— tumbadas con sus libros en hamacas bajo un arce de amplias ramas que por alguna razón había escapado al bulldozer del constructor... bueno, un hombre suizo tal vez las mirase y luego simulase no haber mirado, o si era italiano, tal vez las mirase y aplaudiese. Pero no correría al teléfono para informar en voz baja a la policía de que acababa de ver a dos mujeres sospechosas leyendo a la sombra de un arce.

O eso se decía Luke, y eso se decía Ollie, y en eso coincidían Perry y Gail en tanto miembros incorporados a la vigilancia del barrio —¿qué iban a hacer, si no?—, lo cual no significaba que ninguno de ellos, ni siquiera las niñas, acabara de librarse del todo de la sensación de que estaban escondiéndose y viviendo a contrarreloj. Cuando Katia preguntó en el desayuno, con los crepes, el beicon y el jarabe de arce preparados por Ollie: «¿Hoy nos vamos a Inglaterra?» —o Irina, más quejumbrosamente: «¿Por qué no hemos ido todavía a Inglaterra?»—, hablaban en nombre de todos los presentes en la mesa, empezando por el propio Luke, el héroe del grupo por el hecho de llevar la mano derecha escayolada después de caerse por la escalera del hotel en Berna.

—¿Vas a ponerle un pleito a ese hotel, Dick? —preguntó Viktor con actitud agresiva.

—Consultaré a mi abogado al respecto —contestó Luke, dirigiendo una sonrisa a Gail.

En lo que se refería a cuándo viajarían a Londres exactamente: «Bueno, quizá hoy no, Katia, pero puede que mañana, o pasado —aseguró Luke—. Todo depende de cuándo lleguen vuestros visados. Y ya sabemos lo que son los *apparatchiks*, incluso los ingleses, ¿no?».

Pero ¿cuándo, ay, cuándo?

Luke se planteaba esa misma pregunta cada hora del día o la noche que pasaba despierto o medio dormido conforme se apilaban los entrecortados partes informativos de Hector: tan pronto un par de frases enigmáticas entre reuniones como una sarta de lamentos ya de madrugada después de otro interminable día. Desconcertado por el aluvión de informes contradictorios, al principio recurrió al pecado oficialmente imperdonable de consignarlos por escrito en un diario a medida que llegaban. Con las pálidas yemas de los dedos de la mano derecha asomando de la escayola, tomaba nota a toda prisa con su extraña taquigrafía en hojas sueltas de DIN A4 compradas por Ollie en la papelería del pueblo, solo por una cara.

Al modo aprobado por la academia de instrucción, extraía el cristal de un marco para escribir encima, limpiándolo con un trapo después de cada hoja, y al final escondía el fruto de sus esfuerzos detrás de una cisterna de inodoro ante la remota posibilidad de que a Viktor, Alexei, Tamara o el propio Dima se les pasara por la cabeza registrar su habitación.

Pero cuando empezaron a abrumarlo el ritmo y la complejidad de los mensajes de Hector desde el frente, convenció a Ollie para que le consiguiera un dictáfono, muy parecido al de Dima, y lo conectara a su teléfono móvil codificado: otro pecado mortal a ojos de la Sección de Adiestramiento, pero una bendición del cielo cuando, tumbado en la cama en vela, esperaba el siguiente parte idiosincrásico de Hector:

– Pende de un hilo, Lukie, pero estamos ganando.

– Voy a pasar por encima de Billy Boy y hablar directamente con el Jefe. He dicho que tienen que ser horas, no días.

– Dice el Jefe que hable con el Subjefe.

– El Subjefe dice que si Billy Boy no da el visto bueno, tampoco lo dará él. No dará el visto bueno él solo. Ha de tener el respaldo de toda la cuarta planta o no hay acuerdo. He dicho que un carajo.

– No te lo vas a creer, pero Billy Boy está dando el brazo a torcer. Patalea de lo lindo, pero ni siquiera él puede negarse a ver la verdad cuando se la plantas ante las narices.

Todo esto en el espacio de las primeras veinticuatro horas después de mandar Luke rodando escalera abajo al filósofo cadavérico, hazaña que inicialmente Hector acogió como una pura y simple genialidad, pero, pensándolo mejor, dijo que de momento no importunaría al Subjefe con eso.

—¿Nuestro muchacho llegó a matar a Niki, Luke? —preguntó Hector con la mayor naturalidad.

—Eso espera él.

—Ya. Bueno, no creo haber oído nada al respecto. ¿Y tú?

—Ni una palabra.

—Eran otros dos individuos, y cualquier parecido es pura coincidencia. ¿Trato hecho?

—Trato hecho.

A media tarde del segundo día, Hector adoptó un tono de frustración, sin estar aún sumido en el desánimo. La Oficina del Gabinete había dictaminado que finalmente era necesario el quórum del Comité de Atribuciones, explicó. Insistían en que Billy Boy Matlock debía ser plenamente informado —repito «plenamente»— de todos los detalles operacionales que hasta el momento Hector se había guardado. Se conformarían con un grupo de trabajo de cuatro hombres compuesto por representantes del Foreign Office, el Ministerio del Interior, Hacienda e Inmigración. Los miembros excluidos serían invitados a ratificar las recomendaciones *post facto*, cosa que, predecía la Oficina del Gabinete, sería una mera formalidad. Con todas las reticencias imaginables, Hector había aceptado sus condiciones. Y muy de repente —fue la noche de ese mismo día—, cambió el panorama, y la voz de Hector subió de volumen. El dictáfono ilícito de Luke reprodujo el momento para él:

H: A saber cómo, esos capullos se nos han adelantado. Billy Boy acaba de recibir el soplo de sus fuentes de la City.

L: Se nos han adelantado ¿en qué sentido? ¿Cómo es posible? Nosotros no hemos actuado aún.

H: Según las fuentes de Billy Boy en la City, la Autoridad de Servicios Financieros se dispone a rechazar la solicitud de La Arena para abrir un gran banco, y somos nosotros quienes hemos dado la puñalada.

L: ¿Nosotros?

H: La Agencia. Toda entera. Las grandes instituciones de la City han puesto el grito en el cielo. Treinta diputados independientes en la nómina de los oligarcas están redactando una carta muy desconsiderada para el secretario de Hacienda acusando a la Autoridad de Servicios Financieros de prejuicios contra los rusos y exigiendo que se retire de inmediato todo obstáculo absurdo a la solicitud. Los sospechosos habituales de la Cámara de los Lores han desenterrado el hacha de guerra.

L: ¡Pero eso es una gilipollez absoluta!

H: Tú ve y díselo a la Autoridad de Servicios Financieros. Ellos lo único que saben es que los bancos centrales se niegan a concederse préstamos pese al hecho de que han recibido miles de millones de dinero público para hacer precisamente eso. Y hete aquí que de pronto se presenta La Arena al rescate a lomos de su caballo blanco, ofreciéndose a poner decenas de miles de millones en sus manitas calientes. ¿A quién le importa un carajo de dónde viene el dinero? [¿Esto es una pregunta? Si lo es, Luke no tiene respuesta.]

H [exabrupto]: ¡No hay «obstáculos absurdos», joder! ¡Nadie ha empezado siquiera a poner obstáculos absurdos! En cuanto a anoche, la solicitud de La Arena se pudría en la bandeja de asuntos pendientes de la Autoridad de Servicios Financieros. No se han reunido, no han hablado, apenas han iniciado sus investigaciones reguladoras. Pero nada de ello ha impedido a los oligarcas de Surrey tocar los tambores de guerra, ni que a los directores de la prensa financiera se les notifique que si se rechaza la solicitud de La Arena, la City londinense quedará en cuarto lugar por detrás de Wall Street, Francfort y Hong Kong. ¿Y quién tendrá la culpa? ¡La Agencia, llevada al huerto por un tal Hector Meredith, el muy canalla!

Siguió otro silencio, tan largo que Luke se vio obligado a preguntar a Hector si seguía al aparato, ante lo que recibió un cortante «¿Adónde coño te crees que he ido?».

—Bueno, al menos Billy Boy se ha subido al carro en tu defensa —apuntó Luke a fin de ofrecer un consuelo que él no sentía.

—Un cambio radical, gracias a Dios —respondió Hector con fervor—. No sé dónde estaría sin él.

Luke tampoco lo sabía.

¿Billy Boy Matlock, aliado de Hector así de pronto? ¿Converso a la causa de Hector? ¿Su compañero de armas recién hallado? ¿Un cambio radical? ¿Billy?

¿O acaso Billy Boy buscaba cierto reaseguro bajo mano? No era que Billy Boy fuese malo, «malo» en el sentido de «malvado», malo como podía serlo Aubrey Longrigg. No, Luke nunca había pensado eso de él: no era el típico ser taimado, el típico agente doble o triple, saltando furtivamente entre potencias enfrentadas. Billy no era así ni mucho menos. Era demasiado transparente para eso.

¿Cuándo se había producido exactamente esa gran conversión, pues, y por qué?, se preguntó Luke, maravillado. ¿O acaso Billy Boy se había cubierto ya las espaldas de otra manera y ahora estaba dispuesto a ofrecer a Hector su amplio frente, para acceder así a los secretos en el cofre del tesoro de Hector?

Por ejemplo, ¿qué había sentido Billy la tarde de aquel domingo al salir de la casa franca de Bloomsbury, escocido por el humillante desaire? ¿Amor por Hector? ¿O una considerable inquietud por su posición en el panorama futuro?

En los días de dolorosas cavilaciones posteriores a esa reunión, ¿a qué gran eminencia de la City habría invitado a comer —sabidamente tacaño como era— y habría pedido que guardara el secreto, consciente de que desde la óptica de esa gran eminencia un secreto es lo que uno cuenta a los demás solo de uno en uno? ¿Consciente asimismo de que había ganado un amigo si las cosas se ponían feas?

Y de las muchas ondas que podrían propagarse a partir de una piedrecilla lanzada a las turbias aguas de la City, ¿quién sabía cuáles de ellas podían lamer el finísimo oído de Aubrey Longrigg, ese distinguido elemento de la City y parlamentario en alza?

¿O de Bunny Popham?

¿O de Giles de Salis, el maestro de ceremonias del circo mediático?

¿Y de los otros muchos Longrigg, Popham y De Salis de fino oído que aguardaban para saltar al tiovivo de La Arena en cuanto se pusiera en marcha?

Solo que, según Hector, el tiovivo no se ha puesto en marcha. ¿Por qué saltar, pues?

Luke deseaba con toda su alma tener a alguien con quien compartir estas reflexiones, pero como de costumbre no había nadie. Perry y Gail estaban fuera del círculo, Yvonne estaba fuera de antena. Y Ollie... en fin, Ollie era el mejor factótum del sector, pero no un Einstein en lo que se refería al toma y daca de las intrigas de alto nivel.

Mientras Gail y Perry llevaban a cabo su inestimable labor de padres adoptivos, primeros artistas de la troupe, jugadores de Monopoly y guías turísticos de los niños, Ollie y Luke habían ido descartando las señales de alarma o añadiéndolas a la creciente lista de preocupaciones de Luke.

En el transcurso de una mañana Ollie había visto pasar dos veces por el lado norte de la casa a la misma pareja, luego dos veces por el lado sudoeste. En una de las ocasiones la mujer llevaba un pañuelo amarillo y un abrigo Loden verde, en otra una pamela de ala caída y pantalón. Pero las mismas botas y calcetines, y el mismo bastón de montañismo. El hombre llevaba pantalón corto la primera vez y un pantalón holgado de piel de leopardo la segunda, pero la misma gorra de visera y los mismos andares, con las manos a los lados, apenas moviéndolas al ritmo de los pasos.

Y Ollie había dado clases de observación en la academia de instrucción, y por tanto no era fácil despistarlo.

Ollie también había permanecido atento a la estación de Wengen desde el encuentro de Gail y Natasha con las autoridades suizas en Interlaken Ost. Según un empleado ferroviario con quien Ollie había tomado una cerveza tranquilamente en el Eiger Bar, la presencia policial en Wengen, restringida normalmente a lo necesario para resolver alguna que otra pelea callejera o realizar alguna pesquisa sin gran convicción en busca de traficantes de droga, había aumentado en los últimos días. Ahora controlaban los registros de los hoteles, y se había mostrado subrepticiamente a los empleados de las taquillas en las estaciones de tren y teleférico la fotografía de un hombre calvo de rostro ancho con barba.

—Supongo que Dima nunca se ha dejado la barba, ¿no? En los tiempos en que abría su primera lavandería de dinero en Brighton Beach, tal vez —preguntó a Luke durante un tranquilo paseo por el jardín.

Barba y bigote, admitió Luke, muy serio. Formaban parte de la nueva identidad que adquirió para entrar en Estados Unidos. Se los había afeitado hacía solo cinco años.

Y —quizá fuera pura casualidad, pero Ollie lo dudaba— mientras estaba en el quiosco de la estación, comprando el *International Herald Tribune* y la prensa local, vio a la misma pareja sospechosa que había visto acechar la casa. Estaban sentados en la sala de espera, mirando la pared. Al cabo de dos horas y varios trenes en ambas direcciones, allí seguían. A Ollie no se le ocurría ninguna otra explicación para su conducta salvo una pifia: el relevo del equipo de vigilancia había perdido el tren, y esos dos esperaban mientras sus superiores decidían qué hacer con ellos, o —teniendo en cuenta la posición elegida, con una buena vista del andén de la vía uno— aguardaban allí para ver quién se apeaba de los trenes procedentes de Lauterbrunnen.

—Además, la buena mujer de la quesería me preguntó a cuánta gente le daba yo de comer, cosa que no me gustó, pero acaso se refiriese a mi barriga, un tanto voluminosa —concluyó él, como para aligerar el peso de la carga de Luke, pero a los dos les costaba tomarse las cosas con humor.

Inquietaba a Luke asimismo el hecho de que la familia incluía a niños en edad escolar. Aún era período lectivo en los colegios suizos. ¿Por qué, pues, nuestros niños no iban al colegio? La enfermera se lo preguntó al ir al ambulatorio del pueblo para que le examinaran la mano. Su pobre respuesta —que las escuelas internacionales tenían un descanso a medio trimestre— no le había parecido muy convincente ni siquiera a él.

Hasta el momento Luke había insistido en recluir a Dima dentro de la casa, y Dima, sintiéndose en deuda, había accedido de mala gana. En la exaltación posterior a la refriega en la escalera del Bellevue Palace, Luke era incapaz de hacer nada mal a ojos de Dima. Pero conforme transcurrieron los días, y Luke tuvo que buscar una explicación tras otra para las dilatorias de los *apparatchiks* londinenses, el ánimo de Dima degeneró primero en resistencia y luego en franca rebeldía. Cansado ya de Luke, trasladó su queja a Perry con su habitual franqueza.

—Si quiero llevar a Tamara de paseo, la voy a llevar —gruñó—. Si veo una montaña bonita, quiero enseñársela a ella. No estamos en el puto Kolyma. Dígaselo a Dick, ¿me oye, Catedrático?

Para el ligero ascenso por el camino de cemento hasta los bancos con vistas al valle, Tamara decidió que necesitaba una silla de ruedas. Mandaron a Ollie a por una. Con el pelo teñido de henna, el exceso de carmín en los labios y las gafas de sol semejaba el artefacto de un nigromante, y Dima, con su mono y su gorro de lana, no ofrecía una imagen mucho mejor. Pero en una comunidad acostumbrada a toda suerte de aberración humana, formaban algo así como una pareja de ancianos ideal cuando Dima empujaba a Tamara lentamente cuesta arriba por detrás de la casa para enseñarle la majestuosa vista de la cascada de Staubbach y, más allá, el valle de Lauterbrunnen.

Y si Natasha los acompañaba, como a veces hacía, no era ya como la odiada hija natural engendrada por Dima e impuesta a Tamara cuando salió, medio loca, de la cárcel, sino su afectuosa y obediente hija, sin importar ya si era ilegítima o adoptada. Pero Natasha sobre todo leía sus libros o buscaba la compañía de su padre cuando estaba solo, y entonces lo lisonjeaba, le acariciaba la calva y lo besaba como si fuese su niño.

Mas Perry y Gail eran también una parte esencial de esa familia recién constituida: Gail siempre pensando en nuevas actividades para las niñas, presentándoles a las vacas en los prados, llevándolas a la quesería para ver cómo laminaban el Hobelkäse, buscando ciervos y ardillas en el bosque, y Perry en el papel de admirado jefe de equipo de los chicos y pararrayos de su energía sobrante. Perry solo ponía objeciones cuando Gail proponía jugar a dobles con los chicos por la mañana temprano. Después del endemoniado partido de París, decía él, necesitaba un tiempo para recuperarse.

Ocultar a Dima y su troupe era solo una de las angustias acumuladas de Luke. Mientras dejaba pasar las noches en su habitación del piso de arriba, en espera de los aleatorios partes de Hector, disponía de tiempo más que suficiente para reunir las pruebas de que su presencia en el pueblo atraía atención no deseada y, en sus muchas horas de insomnio, concebir teorías de la conspiración que poseían un incómodo cariz de realidad.

Le preocupaba su identidad como Brabazon, y si el diligente Herr Direktor del Bellevue habría establecido ya la conexión entre su inspección de las instalaciones del hotel y los dos rusos apaleados al pie de la escalera; y de ahí, con la ayuda de la policía, pasó a cierto BMW aparcado bajo un haya en la estación de Grindelwald Grund.

Su peor panorama era el siguiente:

Uno de los guardaespaldas —probablemente el filósofo cadavérico— consigue subir a rastras por la escalera y aporrear la puerta cerrada.

O quizá la especulativa interpretación de la electrónica de la salida de emergencia había sido finalmente un poco demasiado especulativa.

En cualquier caso, alguien da la voz de alarma y la noticia del altercado llega a oídos de los asistentes mejor informados del *apéro* ofrecido por La Arena en el Salon d'Honneur. Los guardaespaldas de Dima han sido atacados, Dima ha desaparecido.

Ahora todo vuelve a estar en movimiento. Emilio dell Oro avisa a los Siete Enviados Limpios, que cogen sus móviles y avisan a sus hermanos *vory*, quienes a su vez alertan al Príncipe.

Emilio alerta a sus amigos en la banca francesa, quienes a su vez alertan a sus amigos en altos cargos de la administración suiza, sin excluir los servicios de policía y seguridad, cuyo primer deber en la vida es preservar la integridad de los sagrados banqueros suizos y detener a cualquiera que lo ponga en duda.

Emilio dell Oro alerta además a Aubrey Longrigg, Bunny Popham y De Salis, que alertan a quienquiera que alerten, véase abajo:

El embajador ruso en Berna recibe perentorias instrucciones desde Moscú, inspiradas por el Príncipe, para que exija la liberación de los guardaespaldas antes de que canten y, más concretamente, para que siga el rastro a Dima y lo devuelva en el acto a su país de origen.

Las autoridades suizas, que hasta el momento habían ofrecido refugio gustosamente a Dima, el acaudalado financiero, promueven la persecución a nivel nacional de Dima, el fugitivo de la justicia.

Pero incluso la historia más lúgubre tiene su giro imprevisto, y Luke, por más que se empeña, no consigue desentrañarlo. ¿Por qué secuencia de circunstancias, sospechas o información secreta pura y dura se personaron los dos guardaespaldas en el hotel Bellevue Palace después de la segunda firma? ¿Quién los envió? Con órdenes de hacer ¿qué? ¿Y por qué?

O dicho con otras palabras: en el momento de la segunda firma, ¿tenían ya el Príncipe y sus hermanos motivos para saber que Dima se proponía quebrantar el juramento inquebrantable de los *vory* y convertirse así en la «perra» más grande de todos los tiempos?

Pero cuando Luke se aventura a transmitir dichas preocupaciones a Dima —bien que de forma diluida—, este las escucha como si tal cosa. Hector tampoco se muestra más receptivo. Casi a voz en cuello, contesta: «Si vas por ese camino, estás jodido desde el primer día».

¿Cambiar de casa? ¿Una huida nocturna a Zurich, Basilea, Ginebra? En último extremo, ¿para qué? ¿Para dejar atrás el mar de fondo? ¿Para desconcertar a los comerciantes, los dueños de la finca, la agencia inmobiliaria, y dar pábulo a los rumores en el pueblo?

—Podría conseguirte unas cuantas armas si te interesa —propuso Ollie en otro vano esfuerzo por animar a Luke—. Según he oído, no hay una sola familia en el pueblo que no esté armada hasta los dientes, al margen de lo que diga la normativa. Son para cuando vengan los rusos. Esta gente no sabe a quién tiene aquí...

—En fin, esperemos que no —contestó Luke con una animosa sonrisa.

Para Perry y Gail, su existencia cotidiana tenía algo de idílico, algo de —como diría Dima con nostalgia— puro. Era como si los hubiesen apostado en un remoto bastión de la humanidad, con la misión de ejercer un deber de asistencia a las personas que tenían a su cargo.

En cuanto a Perry, si no andaba por el monte con los chicos —ya que Luke había insistido en que evitasen los caminos más transitados, y Alexei había descubierto que, a fin de cuentas, no padecía de vertigo, sino que sencillamente no le caía bien Max—, daba paseos con Dima al atardecer, o se sentaba con él en un banco al borde del bosque, viéndolo escrutar el valle con la misma intensidad con que, en el exiguo espacio de su atalaya en Las Tres Chimeneas, interrumpía su monólogo y escrutaba la oscuridad, se limpiaba luego la boca con el dorso de la mano, tomaba un trago de vodka y seguía escrutando. A veces exigía quedarse a solas en el bosque con su dictáfono mientras Ollie o Luke vigilaban escondidos a lo lejos. Pero se guardaba los casetes como parte de su póliza de seguros.

Aquellos días, fueran los que fuesen, lo habían envejecido,

advirtió Perry. Tal vez estuviese tomando plena conciencia de la magnitud de su traición. Tal vez, mientras contemplaba la eternidad, o musitaba en secreto para su dictáfono, buscaba una especie de reconciliación interior. Eso parecía indicar su efusiva ternura con Tamara. Tal vez un renacido instinto religioso *vor* había allanado su camino hacia ella: «Cuando mi Tamara se muera, Dios ya se habrá quedado sordo, de tanto como ella le reza», comentó con orgullo, dejando a Perry la impresión de que, por lo que se refería a su propia redención, era menos optimista.

Perry veía también con asombro la tolerancia que Dima mostraba con él, que parecía aumentar en proporción inversa a su desprecio por las medias promesas de Luke, quien tan pronto las hacía como las retiraba, arrepentido de haberlas hecho.

«No se preocupe, Catedrático. Algún día seremos felices, ¿me oye? Dios pondrá remedio a toda esta mierda —declaró, paseando por el sendero con la mano a ratos cerrada afectuosamente en torno al bíceps de Perry, a ratos apoyada sobre su hombro en actitud posesiva—. Viktor y Alexei lo tienen a usted por un puto héroe o algo así. A lo mejor algún día lo nombran *vor.*»

Perry no se dejó engañar por la risotada que siguió a este comentario. Llevaba ya unos días viéndose cada vez más como heredero de la línea de profunda amistad masculina de Dima: con el fallecido Nikita, que lo había hecho hombre; con el asesinado Misha, su discípulo, a quien, para su vergüenza, no había conseguido proteger; y con todos los luchadores y hombres de hierro que habían imperado durante su período de reclusión en Kolyma y después.

Sí fue una sorpresa, en cambio, su inverosímil nombramiento como confesor de medianoche de Hector. Sabía, como también lo sabía Gail —no era necesario que Luke se lo dijese, bastaba con las evasivas diarias—, que en Londres las cosas no iban tan sobre ruedas como Hector preveía. Sabían por el lenguaje corporal que también en Luke la tensión emocional era grande, por más que intentase esconderlo.

Así las cosas, cuando sonó la melodía codificada del móvil de Perry a la una de la madrugada, impulsándolo a él a incorporarse de inmediato y a Gail, sin esperar a saber quién llamaba, a alejarse rápidamente por el pasillo para echar una ojeada a las niñas dormidas, y oyó la voz de Hector, pensó primero que iba a pedirle que subiese el ánimo a Luke, o —más acorde con sus deseos— que desempeñase un papel más activo en el secreto traslado de los Dima a Inglaterra.

—¿Te importaría charlar conmigo unos minutos, Milton?

¿De verdad era la voz de Hector? ¿O era una grabadora, y las pilas estaban agotándose?

—Charlemos.

—Hay un filósofo polaco que leo de vez en cuando.

—¿Cómo se llama?

—Kolakowski. He pensado que quizá lo conozcas.

Perry lo conocía, pero no sintió necesidad de decirlo.

—¿Y qué tiene de especial? —¿Acaso estaba borracho? ¿Demasiado whisky de malta de la isla de Skye?

—Era muy severo en sus opiniones sobre el bien y el mal, ese Kolakowski, opiniones que últimamente tiendo a compartir. El mal es el mal, y punto. No tiene su origen en las circunstancias sociales. No se debe a las privaciones ni a la adicción a las drogas ni a nada. El mal es una fuerza humana por completo independiente. —Un largo silencio—. Me preguntaba si tú tienes alguna postura a ese respecto.

—¿Estás bien, Tom?

—Lo hojeo, ¿sabes? En momentos deprimentes. A Kolakowski. Me sorprende que nunca te hayas tropezado con él. Tenía una ley. Bastante válida en estas circunstancias.

—¿Qué tiene de deprimente este momento?

—La Ley de la Cornucopia Infinita, la llamaba. No es que los polacos tengan artículo determinado. Ni indeterminado, lo cual es revelador, pero así es la cosa. En esencia, la ley afirma que existe un número infinito de explicaciones para cualquier suceso. Ilimitado. O dicho en un lenguaje que tú y yo entendemos, nunca sabrás qué capullo te la jugó ni por qué. Unas palabras reconfortantes, he pensado, en las actuales circunstancias, ¿no crees?

Gail había regresado y estaba de pie en el umbral de la puerta, escuchando.

—Si conociera las circunstancias, probablemente podría formarme una opinión más fundada —dijo Perry, ahora hablando también a Gail—. ¿Puedo ayudarte en algo, Tom? Te noto un poco hundido.

—Hundido... Creo que esa es la solución, Milton, muchacho. Gracias por el consejo. Mañana nos vemos.

¿Nos vemos?

—¿Había alguien con él? —preguntó Gail mientras se metía otra vez en la cama.

—No lo ha mencionado.

Según Ollie, la esposa de Hector, Emily, no vivía con él en Londres desde el accidente de Adrian. Prefería el chalet gélido en Norfolk, que estaba más cerca de la cárcel.

Luke permanece de pie junto a su cama, rígido, con el móvil al oído, conectado improvisadamente por Ollie a la grabadora colocada a un lado del lavabo. Son las cuatro y media de la tarde. Hector no ha llamado en todo el día y los mensajes de Luke han quedado sin respuesta. Ollie ha salido a comprar truchas frescas, y milanesas para Katia, a quien no le gusta el pescado. Y patatas fritas caseras para todos. La alimentación se ha convertido en un tema importante. Las comidas han adquirido un cariz ceremonioso, porque cada una podría ser la última de todos ellos juntos. Algunas empiezan con una larga bendición en ruso, musitada por Tamara con muchas señales de la cruz en el pecho. Otras veces, cuando la miran para que inicie su número, ella rehúsa el ofrecimiento, por lo visto para indicar que la compañía no goza del favor divino. Esta tarde, para llenar las horas vacías antes de la cena, Gail ha decidido llevar a las niñas a Trümmelbach para ver las aterradoras cascadas en el interior de la montaña. Perry no está muy contento con el plan. Sí, de acuerdo, se llevará el móvil, pero en lo hondo de la montaña, ¿qué cobertura va a tener?

A Gail le trae sin cuidado. Irán de todos modos. En el prado campanillean los cencerros. Natasha lee bajo el arce.

17

Pues hela aquí, joder —dice Hector con voz férrea—: la patética historia, de pe a pa. ¿Me escuchas?

Luke escucha. Media hora se convierte en cuarenta minutos. La patética historia, de pe a pa, en efecto.

Luego, como no tiene sentido andarse con prisas, vuelve a escuchar, durante otros cuarenta minutos, tendido en la cama:

A las ocho de esa mañana, Hector Meredith y Billy Matlock comparecieron ante un tribunal improvisado compuesto por sus iguales en las oficinas del Subjefe en la cuarta planta.

Allí les leyeron los cargos formulados contra ellos. Hector los parafraseó, sazonados con sus propias palabras malsonantes:

—El Subjefe ha dicho que el secretario del Gabinete lo había convocado y le había hecho cierta propuesta: a saber, un tal Billy Matlock y un tal Hector Meredith conspiraban conjuntamente para empañar el buen nombre de un tal Aubrey Longrigg, parlamentario, magnate de la City y lameculos de los oligarcas de Surrey, en respuesta a los agravios percibidos que el antedicho Longrigg había infligido a los acusados: esto es, Billy en venganza por toda la mierda que Aubrey lo obligó a comer cuando estaban de uñas y dientes en la cuarta planta; yo por los intentos de Aubrey de llevar a la quiebra a la puta empresa de mi familia para comprarla luego por un beso con lengua. El secretario del

Gabinete tenía la impresión de que nuestra «implicación personal nublaba nuestro criterio operacional». ¿Sigues escuchando?

Luke escucha. Y para escuchar aún mejor, se sienta en el borde de la cama con la cabeza apoyada en las manos y la grabadora en el edredón a su lado. E igual que cuando hablaban cara a cara, se pregunta si está volviéndose loco.

—Entonces, como principal instigador de la conspiración para dar por el saco a Aubrey, me invitan a explicar mi postura.

—¿Tom?

—¿Dick?

—¿Qué demonios tiene que ver dar por el saco a Aubrey, aun si eso era lo que os traíais entre manos, con trasladar a Londres a nuestro muchacho y su familia?

—Buena pregunta. La contestaré con el mismo ánimo.

Luke nunca lo había visto tan furioso.

—Según el Subjefe, corre la voz de que nuestra Agencia se propone sacar a la luz una supertrama a fin de desacreditar de manera contundente las aspiraciones bancarias del Consorcio La Arena. ¿Necesito explayarme sobre lo que el Subjefe se ha complacido en llamar el «enlace»? ¿Un banco ruso, un resplandeciente caballero blanco, miles de millones de dólares en la mesa y muchos más allí de donde salieron los primeros, con una promesa no solo de poner en circulación miles de millones en un mercado monetario muy corto de liquidez, sino de invertir en algunos de los grandes dinosaurios de la industria británica? Y justo cuando su buena voluntad está a punto de cristalizar, aparecemos nosotros, los capullos del servicio de inteligencia, con la intención de poner la casa patas arriba echando algodón de azúcar moralista en torno a los beneficios de la delincuencia.

—Has dicho que te han invitado a explicar tu postura —se oye Luke recordar a Hector.

—Como así he hecho. Y bastante bien, debo decir. He arremetido contra él con todo lo que tenía. Y a donde no he llegado yo, ha llegado Billy. Y poco a poco... no te lo vas a creer... el Subjefe ha empezado a interesarse. No es un papel fácil para alguien cuando su jefe está hundiéndole la cabeza en la arena, pero al final ha actuado como una dama. Ha echado a todo el mundo salvo a nosotros dos y ha vuelto a escucharnos de principio a fin.

—¿A ti y a Billy?

—Billy ya estaba dentro de nuestra tienda y meaba fuera vigorosamente. Una conversión paulina, más vale tarde que nunca.

Luke tiene sus dudas al respecto, pero en un gesto de generosidad decide no expresarlas.

—¿Y en qué situación estamos ahora?

—Otra vez en el punto de partida —contesta Hector brutalmente—. Oficial pero oficioso, con Billy subido al carro y las riendas en mi poder. ¿Tienes un lápiz a punto?

—¡Claro que no!

—Pues atiende. Esto es lo que haremos de aquí en adelante, sin volver la vista atrás.

Sigue escuchando la grabadora durante otros diez minutos; por fin se da cuenta de que espera a reunir valor para telefonear a Eloise, y eso hace. Da la impresión de que volveré a casa pronto, incluso mañana tal vez, a última hora, dice. Eloise contesta que Luke debe hacer lo que considere correcto. Luke pregunta por Ben. Eloise dice que Ben está perfectamente, gracias. Luke descubre que le sangra la nariz y vuelve a tenderse en la cama hasta la hora de la cena, y una conversación tranquila con Perry, que está en la solana practicando nudos de escalada con Alexei y Viktor.

—¿Tienes un momento?

Luke lleva a Perry a la cocina, donde Ollie está peleándose con una obstinada freidora que se niega a alcanzar la temperatura deseable para las patatas fritas caseras.

—¿Te importa dejarnos solos un minuto, Harry?

—No hay inconveniente, Dick.

—Por fin buenas noticias, a Dios gracias —empezó a explicar Luke cuando Ollie se marchó—. Hector tendrá una avioneta en espera en Belp mañana a partir de las once de la noche, hora de Greenwich, de Belp a Northolt. Con permiso para despegar y aterrizar y paso libre en los dos extremos. Sabe Dios cómo lo ha conseguido, pero así es. Llevaremos a Dima a Grund, al otro lado de la montaña, en jeep, y luego derecho a Belp. Tan pronto como tome tierra en Northolt, lo trasladarán a lugar seguro, y si proporciona lo que dice que proporcionará, su llegada se hará oficial y lo seguirá el resto de la familia.

—¿Si proporciona...? —repitió Perry, ladeando la alargada cabeza en actitud socarrona de un modo que resultó especialmente molesto a Luke.

—Bueno, lo proporcionará, ¿no? Eso ya lo sabemos. Es el único trato sobre la mesa —prosiguió Luke al ver que Perry permanecía callado—. Nuestros superiores en Whitehall no cargarán con la familia hasta constatar que Dima lo vale. —Y como Perry tampoco respondió, añadió—: Es lo máximo que Hector ha podido sacarles saltándonos el procedimiento debido. Así que mucho me temo que eso es lo que hay —concluyó con un asomo de irritación.

—El procedimiento debido —repitió Perry por fin.

—De eso se trata, me temo.

—Creía que se trataba de personas.

—Y así es —replicó Luke, sulfurándose—. Por eso Hector quiere que seas tú quien se lo diga a Dima. Cree que es mejor que salga de ti que de mí. Yo estoy totalmente de acuerdo. Opino que es mejor que no lo hagas ahora. Basta con que sea mañana por la tarde. No nos conviene que esté dándole vueltas toda la noche. A eso de las seis, pongamos, así tendrá tiempo para sus preparativos.

¿Es que este hombre no sabe qué es flexibilidad?, se preguntó Luke. ¿Cuánto tiempo tengo que aguantar esa mirada ladeada?

—¿Y si no lo proporciona? —preguntó Perry.

—Eso no se lo ha planteado nadie todavía. Aquí vamos paso a paso. Así funcionan estas cosas, me temo. Nunca hay líneas rectas. —Y permitiéndose un desliz del que se arrepintió en el acto—: Nosotros no somos académicos, somos gente de acción.

—Tengo que hablar con Hector.

—Eso ha dicho que dirías. Está esperando tu llamada.

Solo, Perry ascendió por el sendero hacia el bosque donde había paseado con Dima. Al llegar a un banco donde a veces se sentaban, se enjugó el relente vespertino con la palma de la mano, tomó asiento y aguardó a que se le despejara la cabeza. Desde su banco, veía a Gail, los cuatro niños y Natasha sentados en círculo en el suelo de la solana en torno al tablero del Monopoly. Oyó un chillido de indignación de Katia, seguido de un gruñido de protesta de Alexei. Sacó el móvil del bolsillo y lo contempló en el crepúsculo antes de pulsar el botón preasignado a Hector y oír al instante su voz.

—¿Quieres que te dore la píldora, Milton, o prefieres oír la verdad pura y dura?

Ese era el Hector de siempre, el que a él le gustaba, el que lo había reprendido en la casa franca de Bloomsbury.

—La verdad ya me sirve.

—Pues hela aquí: si trasladamos a nuestro muchacho, lo escucharán y se formarán una opinión. Es lo máximo que he podido sacarles. Ayer aún no estaban dispuestos siquiera a llegar hasta ahí.

—¿Quiénes?

—Las autoridades, los de siempre. ¿Quién coño va a ser? Si no da la talla, volverán a tirarlo al agua.

—¿A qué agua?

—Aguas rusas probablemente. ¿Qué más da? La cuestión es que dará la talla. Yo sé que la dará, tú sabes que la dará. En cuanto hayan decidido quedárselo, cosa que no les llevará más de un día o dos, se tragarán la catástrofe entera: su mujer, sus hijos, las hijas de su compinche... y su perro, si lo tiene.

—No lo tiene.

—El quid de la cuestión es que en principio han aceptado el paquete completo, y eso desde mi posición es un triunfo de cagarse. Quizá no desde la tuya.

—¿Cómo que «en principio»?

—¿Eso tiene mucha importancia para ti? Llevo toda la mañana escuchando a gilipollas hipercorrectos de Whitehall hilando fino y no necesito a otro más. Hemos llegado a un acuerdo. Siempre y cuando nuestro muchacho traiga la mercancía, los demás lo seguirán con la debida presteza. Eso han prometido y yo tengo que creerles.

Perry cerró los ojos y aspiró el aire de la montaña.

—¿Qué me estás pidiendo?

—Solo lo que vienes haciendo desde el primer día: que pongas en peligro tu alma inmortal a cambio de un bien superior. Dale jabón. Si le dices que es un «tal vez», no vendrá. Si le dices que aceptamos sus condiciones sin reservas, vendrá. ¿Sigues ahí?

—En parte.

—Dile la verdad, pero dísela selectivamente. Si le das la menor ocasión de pensar que estamos jugando sucio con él, la aprovechará. Puede que seamos caballeros ingleses de juego limpio, pero también somos unos mierdas de la pérfida Albión. ¿Me has oído o sigo hablando con la pared?

—Te he oído.

—Entonces dime que me equivoco. Dime que no lo interpreto bien. Dime que conoces un plan mejor. Eres tú o nadie, Perry. Esta es tu mejor hora. Si no te cree a ti, no creerá a nadie.

Estaban en la cama. Gail, medio dormida, apenas había hablado.

—En cierto modo se lo han quitado de las manos —observó Perry.

—¿A Hector?

—Esa es la impresión que da.

—Tal vez nunca ha estado en sus manos —sugirió Gail. Y poco después—: ¿Has tomado ya una decisión?

—No.

—Entonces creo que la has tomado. Creo que no decidirse es tomar una decisión. Creo que la has tomado, y por eso no puedes dormir.

Ya habían disfrutado de la fondue de Ollie y recogido la mesa. Dima y Perry seguían en el comedor, solos, de pie frente a frente bajo una araña de luces de aleación multicolor. Luke, muy discreto, se había ido a dar un paseo por el pueblo. Las niñas, a instancias de Gail, veían *Mary Poppins* otra vez. Tamara se había retirado al salón.

—Es lo único que pueden ofrecer los *apparatchiks* —explicó Perry—. Primero viajará usted a Londres, esta noche; su familia lo seguirá dentro de un par de días. Los *apparatchiks* insisten en eso. Tienen que obedecer las normas. Hay normas para todo. Incluso para esto.

Empleaba frases cortas, como disparos de tanteo, atento al menor cambio en las facciones de Dima, cualquier asomo de ablandamiento, o amago de comprensión, siquiera de resistencia, pero su rostro era inescrutable.

—¿Quieren que vaya yo solo?

—Solo no. Dick viajará a Londres con usted. En cuanto se completen los formalismos en Londres, y los *apparatchiks* hayan cumplido sus normas, viajaremos todos a Inglaterra. Y Gail cuidará de Natasha —añadió con la esperanza de disipar lo que, imaginaba, sería la mayor preocupación de Dima.

—¿Está enferma, mi Natasha?

—No, por Dios. ¡No está enferma! Es joven. Es hermosa. Temperamental. Pura. Solo que necesitará muchas atenciones en un país extranjero.

—Claro —convino Dima, moviendo la cabeza calva en un gesto de confirmación—. Claro. Hermosa como su madre.

A continuación dirigió la mirada a un lado y hacia abajo simultáneamente, contemplando un abismo de angustia personal al que Perry no tenía acceso. ¿Lo sabe? ¿Se lo habrá dicho Tamara en un arrebato de despecho o en un momento de intimidad o en un descuido? ¿Acaso Dima, contra todas las expectativas de Natasha, ha cargado con el secreto y el dolor en lugar de partir de inmediato en busca de Max? Lo que Perry tenía claro en todo caso era que el estallido de rabia y rechazo que él había previsto cedía ante el naciente sentimiento de resignación del recluso frente a la autoridad burocrática; y tomar conciencia de eso perturbó a Perry más profundamente que cualquier posible estallido violento.

—Conque un par de días, ¿eh? —repitió Dima con el mismo tono que si hablase de una condena a perpetuidad.

—Un par de días, eso dicen.

—¿Eso dice Tom? ¿Un par de días?

—Sí.

—Parace un buen hombre, ese Tom, ¿no?

—Creo que lo es.

—Dick también. Casi mató a aquel cabrón.

Digirieron juntos el comentario.

—Gail... ¿cuidará de mi Tamara?

—Gail cuidará muy bien de su Tamara. Y los chicos la ayudarán. Y yo también me quedaré aquí. Todos cuidaremos de la familia hasta que salgan para Londres. Después cuidaremos de ustedes en Inglaterra.

Dima también reflexionó a este respecto, y la idea pareció cobrar forma en él.

—¿Mi Natasha irá al colegio Roedean?

—Tal vez no al Roedean. Eso no pueden prometerlo. Tal vez haya otro incluso mejor. Encontraremos buenos colegios para todos. Saldrá todo bien.

Dibujaban los dos un horizonte falso. Perry lo sabía y Dima parecía saberlo también, y alegrarse de ello, porque tenía la espalda arqueada y el pecho hinchado, y su rostro se había relajado hasta aparecer en él la sonrisa de delfín que Perry recordaba de su primer encuentro en la pista de tenis de Antigua.

—Cásese pronto con esa chica, Catedrático, ¿me oye?

—Le mandaremos una invitación.

—Vale muchos camellos —musitó, y esbozó una sonrisa ante su propia broma: no una sonrisa de derrota, a ojos de Perry, sino una sonrisa por el tiempo transcurrido, como si los dos se conocieran de toda la vida, sensación que Perry empezaba a tener.

—¿Jugará conmigo en Wimbledon alguna vez?

—Claro. O en Queen's. Todavía soy socio.

—Nada de tratarme como a un maricón, ¿vale?

—Vale.

—Quiere apostar. ¿Para darle más interés?

—No me lo puedo permitir. Podría perder.

—Es un gallina, ¿eh?

—Me temo que sí.

A continuación el abrazo que temía, la prolongada reclusión en aquel torso enorme, húmedo y tembloroso, una reclusión interminable. Pero cuando se separaron, Perry vio que la vida había abandonado el rostro de Dima, y la luz sus ojos castaños. Luego, como obedeciendo una orden, dio media vuelta y se encaminó hacia el salón donde aguardaban Tamara y la familia reunida.

En ningún momento se planteó la posibilidad de que Perry viajara a Inglaterra con Dima, no aquella noche ni ninguna otra. Luke siempre lo había sabido, y le había bastado con dejar caer la pregunta a Hector para recibir un «no» rotundo. Si la respuesta, por alguna razón imprevisible, hubiese sido «sí», el propio Luke la hubiese discutido: un aficionado con mucho entusiasmo y sin preparación ninguna como escolta en el viaje de un valiosísimo desertor, eso sencillamente no cuadraba con sus planteamientos profesionales.

Así pues, Luke accedió a que Perry los acompañase en el viaje de Berna a Belp más por un sólido sentido operacional que por compasión. Cuando uno arranca a un informante vital del seno de su familia y lo deja, sin firmes garantías, al cuidado de su Agencia madre, razonó a regañadientes, sí, es prudente proporcionarle el solaz de su mentor elegido.

Pero si Luke esperaba conmovedoras escenas de despedida, se las ahorraron. Anocheció. La casa estaba en silencio. Dima llamó a Natasha y sus dos hijos al salón y les habló mientras Perry y Luke aguardaban, sin oírlo, en el vestíbulo, y Gail seguía viendo *Mary Poppins* con las niñas. Para ser recibido por los caballeros espías de Londres, Dima se había puesto su traje milrayas azul. Natasha le había planchado su mejor camisa, Viktor le había sacado brillo a sus zapatos italianos, y Dima estaba preocupado por estos: ¿y si se le ensuciaban de camino al lugar donde Ollie había aparcado el jeep? Pero no tenía en cuenta las aptitudes de Ollie, quien, además de mantas, guantes y gruesos gorros de lana para el viaje al otro lado de la montaña, tenía un par de chanclos de goma del número de Dima esperándolo en el vestíbulo. Y Dima debió de decir a su familia que no lo siguiera, porque se presentó solo, con el mismo aspecto brioso e incontrito que cuando apareció por las puertas de vaivén del hotel Bellevue Palace con Aubrey Longrigg a su lado.

Al verlo, Luke sintió que se le aceleraba el corazón como no le ocurría desde Bogotá. He aquí a nuestro testigo estrella, y el propio Luke lo será también. Luke será el testigo A detrás de una mampara, o Luke Weaver a las claras delante de ella. Será un paria, como lo será Hector. Y contribuirá a amarrar al mástil a Aubrey Longrigg y sus alegres bandidos, y al infierno con el contrato de cinco años en la academia de instrucción, y la casa agradable con aire marino y buenos colegios cerca para Ben y la pensión incrementada al final del camino, y la posibilidad de alquilar la casa de Londres en lugar de venderla. Dejaría de confundir promiscuidad con libertad. Lo intentaría una y otra vez con Eloise hasta que ella volviese a creer en él, terminaría todas sus partidas de ajedrez con Ben, y encontraría un trabajo que le permitiese volver a casa a una hora razonable, y disponer de fines de semana auténticos para estrechar la relación, y tenía solo cuarenta y tres años, por amor de Dios, y Eloise no había cumplido siquiera los cuarenta.

Fue, pues, con una sensación tanto de inicio como de final que Luke se colocó a la par de Dima, y los tres se colocaron detrás de Ollie, para descender a pie hasta la granja y el jeep.

En cuanto al viaje, Perry, el fervoroso montañero, en un primer momento solo tomó conciencia difusamente: la furtiva ascensión por el bosque a la luz de la luna hacia el Kleine Scheidegg con Ollie al volante y Luke junto a él en el asiento delantero, y el contacto en el hombro del enorme cuerpo de Dima, que lo embestía lánguidamente cada vez que Ollie, sin más alumbrado que las luces de posición, tomaba una de las cerradas curvas, ya que al parecer Dima prefería sentir los golpes a sujetarse, a menos que no le quedara más remedio. Y sí, claro, la sombra negra y espectral de la cara norte del Eiger acercándose cada vez más fue una visión icónica para Perry: al pasar ante el pequeño apeadero de Alpiglen, contempló con veneración la Araña Blanca, trazando ya una ruta para atravesarla, y prometiéndose que, como último acto de independencia antes de casarse con Gail, lo intentaría.

A punto de superar la cima del Scheidegg, Ollie apagó por completo las luces del jeep, y pasaron a escondidas como ladrones ante las moles gemelas del gran hotel. Ante ellos apareció el resplandor del Grindelwald. Iniciaron el descenso, entraron en el bosque y vieron el parpadeo de las luces de Brandegg entre los árboles.

—En adelante es todo camino de tierra —dijo Luke por encima del hombro, por si Dima notaba los efectos del traqueteo.

Pero Dima no lo oyó o se quedó indiferente. Había echado la cabeza atrás y se había metido una mano bajo la pechera, manteniendo el otro brazo extendido sobre el respaldo por detrás de los hombros de Perry.

En medio de la carretera, dos hombres hacen señales con una linterna.

El hombre sin linterna mantiene en alto la mano enguantada en actitud imperiosa. Viste indumentaria de aspecto urbano: un abrigo largo, bufanda, sin sombrero pese a ser medio calvo. El hombre de la linterna lleva uniforme de policía y capote. Ollie ya ha empezado a hablarles alegremente, a voz en grito, mientras se acerca.

—Eh, chicos, ¿qué pasa? —pregunta con un cantarín argot francés suizo que Perry nunca le había oído—. ¿Se ha caído alguien del Eiger? Nosotros ni siquiera hemos visto un conejo.

Según las instrucciones de Luke, Dima es un turco rico. Estaba alojado en el hotel Park, y su mujer, en Estambul, ha contraído una grave enfermedad. Ha dejado el coche en Grindelwald, y nosotros somos un par de huéspedes ingleses haciendo de buenos samaritanos. No resistiría muchas verificaciones, pero podía servir si se usaba una sola vez.

—¿Por qué no ha cogido el turco rico el tren desde Wengen hasta Lauterbrunnen y se ha trasladado luego a Grindelwald en taxi? —había preguntado Perry.

—Era imposible hacerlo entrar en razón —había contestado Luke—. Calcula que así, cruzando la montaña en jeep, ahorra una hora. A las doce de la noche sale un vuelo a Ankara desde Kloten.

—¿Eso del vuelo es verdad?

Pero de momento ninguno de los dos hombres ha pedido una explicación. El policía ilumina con su linterna el adhesivo triangular morado en el parabrisas del jeep. Lleva estampada la letra G. El hombre con indumentaria urbana se encuentra detrás de él, eclipsado por el resplandor de la linterna. Sin embargo, Perry alberga la perspicaz sospecha de que el individuo observa muy detenidamente al conductor del vehículo y sus tres pasajeros.

—¿De quién es este jeep? —pregunta el policía, reanudando su inspección del triángulo morado.

—De Arni Steuri. Fontanero. Amigo mío. No me diga que no conoce a Arni Steuri, de Grindelwald. En la calle mayor, al lado del electricista.

—¿Han bajado desde Scheidegg esta noche? —pregunta el policía.

—Desde Wengen.

—¿Han viajado por carretera desde Wengen hasta Scheidegg?

—¿Cómo, si no? ¿Volando?

—Si ha viajado por carretera desde Wengen hasta Scheidegg, debería llevar un segundo adhesivo, expedido en Lauterbrunnen. El adhesivo de su parabrisas es para el recorrido Scheidegg-Grindewald exclusivamente.

—¿Y en qué bando está usted? —pregunta Ollie, firme en su buen humor.

—Yo soy de Mürren, en realidad —responde el policía estoicamente.

Sigue un silencio. Ollie empieza a tatarear una melodía, que es otra cosa que Perry no le ha oído hacer antes. Tararea y, con la ayuda del haz de la linterna del policía, rebusca entre los papeles embutidos en el bolsillo de la puerta del conductor. Perry nota el sudor que le corre por la espalda, pese a que permanece casi inmóvil junto a Dima. Ninguna cima difícil ni escalada respetable le ha hecho sudar estando sentado. Ollie continúa tarareando mientras busca, pero su tarareo no presenta ya el inicial tonillo atrevido. Me alojo en el hotel Park, se dice Perry. Luke también. Somos los buenos samaritanos de un turco trastornado que no habla inglés y cuya esposa se está muriendo. Podía servir si se usaba una sola vez

El hombre de paisano ha dado un paso al frente y se inclina sobre el costado del jeep. El tarareo de Ollie es cada vez menos convincente. Al final, con un papel arrugado en la mano, se recuesta como si se diese por vencido.

—En fin, igual esto les vale —comenta, y tiende al policía un segundo adhesivo, este con un triángulo amarillo en lugar de morado, y sin la letra G superpuesta.

—La próxima vez asegúrese de que lleva los dos adhesivos en el parabrisas —aconseja el policía.

Se apaga la linterna. Están otra vez en marcha.

Para la mirada inexperta de Perry, el BMW aparcado parecía reposar plácidamente donde Luke lo había dejado —sin cepos en las ruedas, ninguna notificación descortés bajo el limpiaparabrisas, solo una berlina aparcada—, y lo que Luke buscaba con ayuda de Ollie, fuera lo que fuese, circundando ambos el coche con cautela mientras Perry y Dima permanecían, como se les había indicado, en el asiento trasero del jeep, no lo encontró, porque ahora Ollie abría ya la puerta del conductor y Luke, con gestos, los instaba a apresurarse, y dentro del BMW repetían la formación: Ollie al volante, Luke en el asiento contiguo, Perry y Dima detrás. Durante la parada y la inspección, Dima no se había movido ni hecho seña alguna. Está en actitud de prisionero, pensó Perry. Lo estamos trasladando de una cárcel a otra, y los detalles no son responsabilidad suya.

Lanzó una mirada a los retrovisores laterales en busca de faros sospechosos a sus espaldas, pero no vio ninguno. A veces daba la impresión de que un coche los seguía, pero en cuanto Ollie reducía la velocidad, los adelantaba. Miró a Dima a su lado. Dormitaba. Todavía llevaba el gorro de lana negro para ocultar su calvicie. Luke había insistido en ello. Con o sin traje milrayas. A veces, cuando Dima se ladeaba contra él, la lana untuosa hacía cosquillas a Perry en la nariz.

Habían llegado a la Autobahn. Bajo las luces de sodio, el rostro de Dima se convirtió en una máscara mortuoria parpadeante. Perry consultó la hora, sin saber por qué, pero necesitando el consuelo del tiempo. Un letrero azul indicaba la salida del aeropuerto de Belp. Tres líneas, dos líneas, giro a la derecha para tomar la salida.

El aeropuerto estaba más oscuro de lo que era normal en un aeropuerto. Eso fue lo primero que sorprendió a Perry. Sí, pasaba de las doce de la noche, pero preveía mucha más iluminación, incluso en un aeropuerto estacional como el de Belp, que nunca había visto del todo confirmado su pleno rango internacional.

Y no hubo formalidades: a menos que se contara como formalidad la breve conversación en privado entre Luke y un hombre de rostro gris y cansado, con mono azul, que parecía la única presencia oficial allí. Ahora Luke enseñaba a aquel hombre cierto documento, demasiado pequeño para ser un pasaporte, eso desde luego. Era pues un carnet, un permiso de conducir, ¿o quizá un pequeño sobre bien repleto?

Fuera lo que fuese, el hombre de rostro gris con mono azul necesitó mirarlo bajo una luz mejor, porque se volvió y se encorvó bajo el haz de una lámpara situada detrás de él, y cuando se volvió de nuevo hacia Luke, lo que fuera que tenía en la mano no estaba ya en su mano, así que o bien se lo había quedado, o se lo había devuelto a Luke y Perry no se había dado cuenta.

Y después del hombre gris —que había desaparecido sin pronunciar una sola palabra en ningún idioma— se encontraron con una barrera de mamparas grises, pero no había nadie para verlos pasar. Y después de la barrera, una cinta de equipaje inmóvil, y un par de pesadas puertas de vaivén eléctricas que se abrieron antes de llegar ellos: ¿ya estaban en la zona de embarque? ¡Imposible! A continuación, un vestíbulo de salidas vacío con cuatro puertas de cristal que daban directamente a la pista: tampoco había nadie que los registrase a ellos o al equipaje, que los obligase a quitarse los zapatos o las chaquetas, que los mirase con expresión ceñuda a través de una ventana de cristal blindado, les exigiese el pasaporte con un chasquido de dedos o les formulase preguntas intencionadamente inquietantes sobre la duración de la estancia en el país y el motivo de la visita.

Así que si toda esa privilegiada falta de atención que recibían era el resultado de los esfuerzos privados de Hector —como Luke había insinuado a Perry, y el propio Hector de hecho había confirmado—, Perry lo único que podía hacer era quitarse el sombrero ante Hector.

Perry tuvo la impresión de que las cuatro puertas de cristal de acceso a la pista estaban cerradas y atrancadas, pero Luke, el buen compañero de cordada, sabía que no era así. Fue directo a la puerta de la derecha y dio un ligero tirón, y la puerta —ver para creer— se deslizó obedientemente por el raíl, permitiendo la entrada de una tonificante corriente de aire fresco en la sala que acarició el rostro a Perry, cosa que él agradeció, ya que estaba inexplicablemente acalorado y sudoroso.

Con la puerta abierta de par en par y atraídos por la noche, Luke apoyó una mano —con delicadeza, no en actitud posesiva— en el brazo de Dima y, apartándolo de Perry, lo condujo a través de la puerta, sin la menor objeción por su parte, hasta la pista, donde, como si lo hubieran avisado previamente, giró de golpe a la izquierda, arrastrando a Dima consigo y dejando a Perry incómodamente rezagado detrás de ellos, como alguien que no sabe del todo si está invitado. Algo en Dima había cambiado. Perry advirtió qué era. Al cruzar la puerta, Dima se había quitado el gorro de lana y lo había tirado a un cubo de basura cercano.

Y cuando Perry dobló tras ellos, vio lo que Luke y Dima debían de haber visto ya: un bimotor, sin ninguna luz encendida y con las hélices en suave rotación, estacionado a cincuenta metros, con dos pilotos espectrales apenas visibles en el cono del morro.

No hubo despedidas.

Si eso era algo de lo que alegrarse o entristecerse, Perry no lo sabía, ni en ese momento ni más tarde. Había habido tantos abrazos, tantos saludos, sinceros o forzados, había habido tal festín de adioses y holas y declaraciones de amor, que en el cómputo total sus encuentros y separaciones estaban ya completos, y quizá no había cabida para una más.

O quizá —siempre quizá— Dima estaba demasiado abstraído para hablar, o para mirar atrás, o para mirarlo a él. Quizá las lágrimas corrían por su cara mientras se encaminaba hacia la avioneta, un pie sorprendentemente pequeño delante del otro, con la misma precisión de quien recorre la pasarela del barco.

Y Luke, ahora a un paso o dos por detrás y a un lado de Dima, como si lo dejara disfrutar de las candilejas y las cámaras ausentes, tampoco dirigió a Perry una sola palabra: era el hombre forjado delante de él en quien Luke tenía puesta la mirada, no en Perry, solo detrás de él. Era en Dima, con aquella exhibición de dignidad: calvo, inclinado hacia atrás, la cojera reprimida pero majestuosa.

Y por supuesto había táctica en la forma en que Luke se había situado respecto a Dima. Luke no sería Luke si no hubiese táctica. Era el pastor sagaz y rápido de los montes cumbrios donde Perry había escalado de joven, instando a su trofeo a subir por la escalerilla hacia el agujero negro de la cabina empleando hasta el último ápice de concentración mental y física que poseía, y atento por si él, en el momento menos pensado, vacilaba o salía corriendo o sencillamente se paraba en seco y se negara a subir.

Pero Dima no vaciló, no salió corriendo ni se paró en seco. Ascendió por la escalerilla con paso firme y penetró en la negrura, y en cuanto la negrura lo engulló, el pequeño Luke subió a brincos para reunirse con él. Y o bien había alguien dentro para cerrar la compuerta, o se encargó el propio Luke: un repentino susurro de bisagras, un doble golpe metálico al asegurarse la puerta desde el interior, y el agujero negro en el fuselaje del avión desapareció.

En cuanto al despegue, Perry tampoco conservaba ningún recuerdo en especial: solo que pensó que debía llamar a Gail y decirle que el Águila había alzado el vuelo o alguna otra frase por el estilo, y luego ir a buscar un autobús o un taxi, o quizá sencillamente volver a pie al pueblo. No tenía una idea muy clara de dónde estaba respecto al centro de Belp, si es que había un centro. Pronto despertó con Ollie de pie a su lado y recordó que tenía resuelto el regreso junto a Gail y a la familia sin padre que permanecía en Wengen.

El avión despegó, Perry no le dirigió un gesto de despedida.

Lo vio elevarse y escorarse de manera extrema, ya que el aeropuerto de Belp tiene muchos montes, grandes y pequeños, con los que lidiar, y los pilotos deben ser muy hábiles. Aquellos pilotos lo eran. Un chárter comercial, en apariencia.

Y no hubo explosión. Al menos que llegara a oídos de Perry. Más tarde lamentó que no la hubiese. Fue solo el ruido sordo de un puño enguantado contra un *punching ball* y un destello blanco y alargado que acercó de pronto a él los montes negros, y después nada en absoluto, nada que ver ni que oír, hasta que el ululato de la policía y las ambulancias y los bomberos cuando sus luces intermitentes empezaron a responder a la luz que se había apagado.

Por ahora el veredicto semioficial es que se produjo un fallo en los instrumentos. Otro es un fallo de motor. Ha circulado mucho la posibilidad de negligencia por parte del personal de mantenimiento anónimo. El pobre aeropuerto de Belp viene siendo desde hace tiempo el chivo expiatorio de los expertos y sus detractores no lo libran del castigo: puede que la culpa fuera también del control de tierra. No ha habido consenso entre dos comités de expertos. Es posible que las aseguradoras retengan el pago hasta que se conozca la causa. Los cadáveres calcinados siguen siendo motivo de desconcierto. Al parecer, los dos pilotos no fueron el problema: pilotos de chárter, sí, pero con amplia experiencia de vuelo, hombres serios, los dos casados, sin el menor rastro de sustancias prohibidas o alcohol, ningún dato adverso en sus expedientes, y sus mujeres eran vecinas y mantenían buenas relaciones en Harrow, donde vivían las familias. Dos tragedias, pues, pero, por lo que a los medios de comunicación se refería, dignas de no más de un día de atención. Ahora bien, ¿por qué demonios un antiguo funcionario de la embajada británica en Bogotá compartía avión con un minigarca ruso de dudosa reputación residente en Suiza? Ni siquiera la prensa amarilla encontró explicación. ¿Era por sexo? ¿Era por drogas? ¿Era por armas? A falta de pruebas, no era nada de todo eso. El terrorismo, el gran cajón de sastre de los últimos tiempos, se consideró otra posibilidad, pero se rechazó de plano.

Ningún grupo reivindicó el hecho.

Agradecimientos

Mi más sincero agradecimiento a Federico Varese, profesor de criminología de la Universidad de Oxford y autor de obras fundamentales sobre la mafia rusa, por sus consejos creativos y siempre pacientes; a Bérengère Rieu, que me llevó a los bastidores del estadio de Roland Garros; a Eric Deblicker, que me enseñó los interiores de un club de tenis exclusivo en el Bois de Boulogne no muy distinto de mi Club des Rois; a Buzz Berger, por corregir mis golpes de tenis; a Anne Freyer, mi sabia y fiel editora francesa; a Chris Bryans, por su información sobre el mercado de valores de Mumbai. Doy las gracias también a Charles Lucas y John Rolley, honrados banqueros, quienes deportivamente me hablaron de las prácticas de otros miembros de su profesión menos escrupulosos; a Ruth Halter-Schmid, que me evitó muchos desvíos equivocados en mi viaje por Suiza; a Urs von Almen, por guiarme por los caminos más silvestres del Oberland bernés; al estimable Urs Bührer, director del hotel Bellevue Palace en Berna, por permitirme escenificar el bochornoso episodio en su establecimiento incomparable; y a Vicki Phillips, mi valiosísima secretaria, por añadir la lectura de pruebas a sus numerosas aptitudes.

Y a mi amigo Al Alvarez, el más generoso y perspicaz de los lectores, mi homenaje.

JOHN LE CARRÉ, 2010

El papel utilizado para la impresión de este libro
ha sido fabricado a partir de madera
procedente de bosques y plantaciones
gestionados con los más altos estándares ambientales,
garantizando una explotación de los recursos
sostenible con el medio ambiente
y beneficiosa para las personas.
Por este motivo, Greenpeace acredita que
este libro cumple los requisitos ambientales y sociales
necesarios para ser considerado
un libro «amigo de los bosques».
El proyecto «Libros amigos de los bosques» promueve
la conservación y el uso sostenible de los bosques,
en especial de los Bosques Primarios,
los últimos bosques vírgenes del planeta.